VILLANO

RBA MOLINO

MICHAEL GRANT

Traducción de Raquel Herrera

RBA

Título original inglés: *Villain*.

Publicado por acuerdo con HarperCollins Children's Books,
un sello de HarperCollins Publishers.

© Michael Grant, 2018.
Todos los derechos reservados.

© de la traducción: Raquel Herrera, 2019.
© de la ilustración de la cubierta: Matthew Griffin, 2017.
Diseño de la cubierta: David Curtis.
Adaptación de la cubierta: Lookatcia.com.
© de esta edición: RBA Libros, S.A., 2019.
Avda. Diagonal, 189 - 08018 Barcelona.
rbalibros.com

Primera edición: noviembre de 2019.

RBA MOLINO
REF.: MONL584
ISBN: 978-84-272-1271-8
DEPÓSITO LEGAL: B.22.009-2019

COMPOSICIÓN • EL TALLER DEL LLIBRE, S.L.

Impreso en España • *Printed in Spain*

A mi hija, Clara

Y me levanté en la arena del mar, y vi a una bestia alzarse en él, con siete cabezas y diez cuernos, y sobre los cuernos diez coronas, y sobre las cabezas la palabra blasfemia.

Y la bestia que vi era como un leopardo, y sus patas como las de un oso, y su boca como la de un león: y el dragón le cedió su poder, y su trono, y gran autoridad.

Libro de las Revelaciones 13, 1-2

El gobernador y la Asamblea Legislativa de California se apresuran en rehacer el icónico puente del Golden Gate, que quedó destruido en una batalla entre la policía y un mutante con superpoderes que se hace llamar «Pesadilla»...

The New York Times

El puerto de Los Ángeles sigue evaluando los daños tras la batalla en la que participaron varias criaturas mutantes, aunque los primeros cálculos son de miles de millones de dólares...

Oficina de Prensa del Puerto de Los Ángeles

El presidente ha publicado un tuit criticando los programas nocturnos de humor que lo muestran paralizado ante esta nueva amenaza...

Associated Press

Ministerio de Seguridad del Estado (MSS)
República Popular de China
Intercepción de Comunicaciones Electrónicas (ECI) #42-8909

La siguiente conversación tuvo lugar entre el subsecretario adjunto de Seguridad Nacional de EE.UU., Peter Stroudwell (P.S.), y Angela Britten (A.B.), asesora jefe del Consejo General de Seguridad Nacional, en un restaurante de Washington, D.C.:

P.S.: El presidente ha sugerido pedir acción directa a la población. Eso ha dicho: «acción directa».
A.B.: ¿Qué tipo de acción? ¿Quiere que el país entero se esconda en refugios de forma indefinida?

P.S.: No, eso no. Pide algo relacionado con la Segunda En-
mienda.

A.B.: No puede ser. ¿Pretende que todos los locos de las armas del
país se lancen a matar mutantes? Vamos, Peter, ya sabes...

P.S.: ¡Que ya lo sé! Por Dios, Angela, ¿por qué crees que estoy ha-
blando contigo? Estás en el Consejo, eres abogada, tienes que
hacer algo para parar todo esto.

A.B.: Claro, porque yo sí tengo forma de parar al presidente. Ne-
cesito una copa.

FIN DEL MENSAJE INTERCEPTADO

Señora presidenta, la verdad, no tenemos ni la más pajolera idea de
cómo detener a estos monstruos.

Declaración secreta del director del FBI

CAPÍTULO 1
De raro a villano

¿QUÉ MIRAS, ANORMAL?

La jaula de los borrachos, la sala multiusos que servía de primera parada para los borrachos y los drogatas, era un espacio grande con un banco de acero pegado a la pared. El suelo era de cemento sin pintar, y se inclinaba hasta un desagüe colocado en el centro de la sala. Había una ventana con barrotes sobre un cristal sucio reforzado con alambre grueso. Por ella no entraba ni el sol ni la alegría: solo servía para recordar que había un mundo fuera.

Las paredes de la jaula estaban pintadas de un amarillo horrible, como de pota de bebé, que combinaba a la perfección con el hedor a vómito.

Debía de haber quince hombres adultos en la jaula, y también estaba Dillon Poe, que acababa de cumplir dieciocho años y se encontraba muy muy mal. Peor que nunca.

«¿Esto es una resaca? ¡Ay, Dios!».

Como Dillon era como era, ya estaba intentando ver el lado cómico de aquella situación. Y no le costó encontrarlo. Había cogido una buena borrachera la noche anterior, tras entrar en un bar y pedir un whisky como un vaquero de una película antigua. Como en aquel instante no tenía elección ni voluntad propia, el camarero le sirvió, y Dillon se bebió el primer chupito potente de un solo trago, y luego otro y... después, lo único que sabía era que estaba en aquella jaula, despertándose con un dolor que le martilleaba los ojos y la cabeza y un sabor en la boca como si se hubiera pasado la noche masticando un bicho atropellado en la carretera.

No, no un bicho atropellado en la carretera. Demasiado vago. Resultaría más divertido ser más concreto. ¿Un castor muerto? ¿Una zarigüeya muerta? Ya había demasiados chistes de ratas. ¿Un mapache muerto?

Sí, un mapache muerto. Un sabor en la boca como si se hubiera pasado la noche mordisqueado un mapache muerto.

Era una situación absurda: un chaval de dieciocho años entra en un bar. Parece el comienzo del chiste con el cura, el rabino y el imán que entran en un bar... Nada, Dillon tenía que reconocer que no tenía el cerebro en condiciones para escribir chistes.

—¡Que no te miro a ti! —consiguió replicar al hombre beligerante. El chico se notaba la lengua como si fuera papel de lija en una boca de algodón. Dillon se incorporó, se frotó los ojos para acabar de despertarse, y al instante vomitó en el suelo.

—¡Oye, gilipollas! —le gritó el mismo hombre que lo había desafiado antes. Era un hombre blanco, grande y muy peludo, aunque costaba definir su tez porque estaba cubierto casi del todo de tatuajes, incluida la oreja tatuada en el rabillo de un ojo que indicaba que había asesinado a alguien. Del pelo en el pecho que ocupaba un escabroso tatuaje de una bandera americana, en el que habían sustituido las estrellas por esvásticas, le salían algunos pelitos grises—. ¿Qué te pasa, chico?

Dillon se levantó tambaleándose, débil y muy infeliz.

—¡Niñato de mierda, apestándolo todo! —refunfuñó Tatuaje.

A Dillon no le parecía justo: aquel sitio ya apestaba a pota y meado y cosas peores. Había un hombre desmayado boca abajo en el banco con una mancha marrón en los pantalones.

Tatuaje se acercó haciéndose el fantoche, agarró a Dillon de la camiseta y le golpeó en la rodilla. El chico cayó bruscamente al suelo.

—¡Límpialo, chico!

Pero ¿qué? ¿Qué? ¿Cómo había llegado hasta allí? ¿Por qué estaba Dillon de rodillas? Pensaba que le convenía someterse: ese tío era más grande que él y tenía amigos. Pero al mismo tiempo, a pesar del efecto machacón del alcohol en su cerebro, no podía quedarse callado.

—¿Puedo usar el mocho de tu cabeza?

Regla número uno del monólogo: no dejes que un follonero controle la situación.

Tatuaje, cuyo pelo lacio color sal y pimienta de verdad parecía una mopa, se quedó boquiabierto hasta que acabó sonriendo, mostrando una hilera de dientes falsos y baratos demasiado brillantes.

—¡Vaya, parece que voy a patear el primer culo del día!

Dillon cerró los ojos y se concentró, y casi de inmediato la borrachera brutal remitió. Cambios sutiles, pero absolutamente imposibles, empezaron a transformar su rostro y su cara.

—¿A patear... o a besar? —le espetó a Tatuaje.

A Dillon le iba a caer un patadón en el estómago, pero lo paró con el brazo, con lo que acabó metiendo la mano en su propio charco de vómito. Qué mal. Al mismo tiempo, sin embargo, la resaca iba remitiendo rápidamente.

Un alivio, pero eso no era lo importante. Lo importante era que Dillon Poe estaba cambiando. Físicamente. Un cambio sutil que se percibió primero en sus ojos, que ya no eran azules sino de un tono dorado sin brillo. Entrecerró las pupilas, y se contrajeron formando finas ranuras diamantinas. Era como si el pelo se le metiera en la cabeza, que ahora le sobresalía por detrás y se estrechaba por delante, de modo que su rostro era del verde de un brote reciente.

Había visto su imagen aterradora en el espejo de un baño, la versión reptiliana de su cara tras las botellas de *priva*.

Pero también comenzaba a intuir que había algo en su rostro de serpiente que provocaba más fascinación que asco. En todo caso, por las pocas reacciones que había logrado interpretar, parecía resultarles atractivo e incluso hipnótico. Lo miraban, pero no horrorizados. Ni siquiera sus compañeros de la jaula de los borrachos lo rehuían asustados o asqueados, sino que volvían sus rostros fascinados y cautivados hacia él.

Dillon no se sentía ni feliz ni generoso. Estaba claro que la había cagado la noche anterior, al revelar que era un mutante. Y ahora se encontraba en una celda llena de hombres, cada uno de los cuales parecía más malvado, grandote y duro que él; bueno, todos excepto el turista llorica con los pantalones chinos y el polo amarillo canario. Pero no importaba, porque Dillon Poe —la versión hipnótica y serpentina de Dillon Poe— era más que capaz de lidiar con Tatuaje.

Dillon levantó la vista y lo amenazó:

—¡Límpialo tú, tío duro! De hecho, ¡chúpalo! Empezando por mi mano.

Sin dudarlo, Tatuaje sacó la lengua y se puso a chupar la mano verde y escamosa de Dillon, tan ávido como un perro recibiendo a su dueño. Resultaba fascinante observar los ojos legañosos de Tatuaje, la expresión de incomprensión bruta, la inquietud, la rabia, la... impotencia. El pánico que no conseguía expresar.

—Ahora chupa esa mierda del suelo —le ordenó Dillon.

Y, al instante, Tatuaje cayó de cuatro patas y exclamó:

—¡No quiero!

Pero, sin vacilar, bajó la cabeza, y con el pelo largo y entrecano se dedicó a recoger la porquería, y se puso a lamerla como un perro apurando las sobras caídas de una mesa.

Todos los que los rodeaban se quedaron paralizados, absolutamente perplejos. Era como una pintura al óleo, todos con las bocas y los ojos abiertos, y con expresiones de incredulidad. Un hombre se quejó:

—¿Estoy alucinando? ¿Esto es real? ¿De verdad estoy viendo esto?

Dillon se incorporó. Al mutar, su cuerpo ágil y musculado medía varios centímetros más que antes, era un cuerpo de atleta, y se volvió hacia los dos colegas de Tatuaje, que avanzaban beligerantes pero nerviosos.

Uno de ellos intervino:

—¡Oye, Spence, vamos, tío, para de hacer eso! ¡Levántate! ¡Apártate de eso! —Tiró de la camisa de su colega, pero Tatuaje, que al parecer también era conocido como Spence, no dejaba de lamer la pota. De hecho, no podía parar. Intentó hablar, pero solo consiguió emitir gruñidos incomprensibles: cuesta hablar con la boca llena del vómito de otra persona.

El otro matón trató de encararse con Dillon:

—¿Qué le has hecho, raro?

—De verdad que no estoy de humor para que te metas conmigo —replicó Dillon.

También le había cambiado un poco la voz. Su voz normal era un poco demasiado aguda para imponer, y ceceaba un poco. Pero la nueva voz era como un instrumento musical en manos de un maestro. Era una voz que persuadía, que engatusaba, que seducía.

El hombre frunció el ceño y se detuvo. A continuación, meneó la cabeza, confundido, hasta que volvió a sentir la ira y gritó:

—¡Me importa un huevo de qué humor estés, raro!

Dillon se volvió hacia su compañero, que era más joven que Spence, pero tenía el cuerpo escuálido y los dientes podridos típicos de drogata. Habría tolerado muchos insultos, pero ese, el de «raro», lo había oído demasiadas veces en su corta vida, tanto en la escuela como en casa.

«Raro» por no tener amigos.

«Raro» por su torpeza física.

«Raro» por cómo miraba a chicas que no querían saber nada de él.

«Raro» por ser el único de cinco hermanos que no quería saber nada de los paseos y las excursiones y las acampadas y las bicis y todas esas otras pérdidas de tiempo físicamente agotadoras que le encantaban a su familia.

«Raro» por pasarse días seguidos metido en su cuarto viendo a humoristas como Louis, Maron, Frankie Boyle, Seinfeld, Chris Rock, Jeselnik, Jimmy Carr, y los pocos vídeos que habían quedado del padre de los monólogos, Richard Pryor.

Y claro, «raro» por haber sobrevivido a lo que la gente llamaba la Anomalía de Perdido Beach, pero que Dillon, como el resto de supervivientes, llamaba la ERA.

—Tío —dijo Dillon—, no me vuelvas a llamar «raro».

—Vale —dijo el drogata.

—¿Lo prometes?

El drogata frunció el ceño e hizo una mueca, pero añadió:

—Lo prometo.

Y Dillon casi lo deja estar. Casi. En muchas ocasiones, Dillon estaba a punto de hacer lo más sensato, lo más inteligente, lo que debía... Gran cantidad de «casis» y el mismo número de «a tomar por culo». Pero de las dos alternativas, el «a tomar por culo» siempre resultaba la más divertida.

Lo cierto es que estaba disfrutando bastante del miedo en las miradas que lo rodeaban. Del miedo y la confusión y la perplejidad, que expresaban con ceños fruncidos y murmullos y amenazas que no debía de oír la persona amenazada: amenazas de cobarde.

«Sí —pensó Dillon—, deberíais temerme, cabrones. Respiráis porque yo os dejo».

Y una sonrisita horrible se formó en sus labios.

—No me acabo de fiar de ti —dijo finalmente—. Vamos a asegurarnos, ¿eh? Vamos a asegurarnos de que no me vuelves a insultar, ni a mí, ni a nadie. Muérdete la lengua por la mitad.

La jaula entera se conmovió. Todos se inclinaron hacia delante, incrédulos pero fascinados. A fin de cuentas, había un tío duro lamiendo el suelo, como un perro decidido a comerse hasta la última bola de pienso.

—No puedes obligarrrme... aaay... aaarrgg... no puedessss... —se lamentó el drogata.

—Perdona, es que no te entiendo bien —replicó Dillon sin piedad.

El drogata se estaba concentrando intensamente; se apreciaba en su rostro. Intentaba resistirse, pero se esforzaba mucho más por obedecer. Tensó los músculos de la mandíbula hasta que se le hincharon las venas del cuello. Entonces empezó a sangrarle la boca.

—¡Dios mío! —gritó alguien, y añadió—: ¡Guardias, guardias!

—Rechina los dientes adelante y atrás, y muerde fuerte —ordenó Dillon. El ruido de los dientes débiles rechinando sobre el cartílago resultaba escalofriante. Dillon habría cedido si no hubiera visto el tatuaje de la esvástica en el brazo del drogata.

«Sin piedad con los drogatas nazis».

—Oye, ¿puedes cantar el Sieg Heil? —pidió Dillon.

De la boca de aquel hombre salía sangre a borbotones, las lágrimas le surcaban los ojos y le goteaba la nariz. Miraba atrapado, desesperado, aterrado.

—Vamos, señor chico duro, dame un Sieg Heil.

—*Zic jail vijtoria...*

Había más prisioneros gritando, nerviosos, algunos miraban atónitos y fascinados; otros, horrorizados, asqueados. Y Dillon también se sentía asqueado por algo que no tenía nada que ver con su resaca. Experimentaba una sensación electrizante en más de un sentido: el poder también le afectaba. Parecía imposible, total y absolutamente imposible, de completos majaras, pero oía los dientes rechinando sobre el cartílago.

«La vida no debería ser así —se decía—. No debería ser así, ¿no?».

—¡Guardias, guardias!

Los gritos histéricos se acumulaban y los hombres golpeaban los barrotes, pero todo eso ya le parecía bien a Dillon. Quería que vinieran los guardias, porque estaba listo para marcharse.

Una guardia corpulenta se acercó tan campante. Su rostro reflejaba indiferencia y cansancio. Entonces echó un vistazo a través de la puerta con barrotes y llamó de inmediato por radio.

—¡Refuerzos en la jaula! ¡Con cascos y porras! ¡Tenemos un problema!

—Abra la puerta, guardia —dijo Dillon con voz calmada y melosa.

La guardia buscó entre las llaves, encontró la adecuada, giró la llave en la cerradura y abrió justo cuando dos guardias más se acercaban corriendo por el pasillo, con cascos en la cabeza, porras y *tasers* en la mano.

—¡Abran todas las puertas, todas! ¡Ahora! —ordenó Dillon, y oyó los ruidos metálicos y los zumbidos, todos los ruidos de las puertas al abrirse. Entonces se quedó un instante ante la puerta abierta mirando a los hombres de la jaula, que veía empequeñecerse.

Fue un momento extraño, y Dillon reconoció que acababa una vida y empezaba otra. Era como si una cuchilla de carnicero gigante animada —eso se lo debía a Terry Gilliam— hubiera bajado del cielo y anunciado con un golpazo que ahora la vida se dividía entre «antes de la jaula para borrachos» y «después de la jaula».

Lo único que podía hacer era seguir adelante.

«Ese podría ser mi lema. Me serviría para empezar a plantear cosas».

Hacía solo dos días que sabía que tenía ese poder. Lo había puesto a prueba, sutilmente, con uno de sus hermanos. Y luego con su padre, un poco menos sutilmente, pero hasta entonces lo había hecho de formas que no revelaban nada ni habían levantado sospechosas. Pretendía abordar el asunto después de meditarlo bien y decidir cómo iba a usar el poder, si es que iba a hacerlo. Lo primero que pensó fue intentar conseguir que lo aceptaran para actuar en el LA Comedy Club, que pese al nombre que tenía se encontraba en Las Vegas, y no solo en la noche de micro abierto. Pero le parecía poca cosa para un poder tan enorme.

No tenía mucho sentido tener poder si no lo utilizabas, ni tenía sentido utilizarlo si no te daba ninguna ventaja, ¿no? De eso, a fin de cuentas, iba la vida, ¿verdad? ¿De sacar el máximo provecho para ti y quizá para los que te fueran leales? ¿Y enfrentarte a los que dudaban de ti, a los que te odiaban y a tus enemigos?

Pero entonces lo había dejado su novia, Kalisha. Eso no le rompió el corazón —apenas la aguantaba: el sentido del humor de aquella chica no iba más allá del *slapstick*—, pero le había resultado humillante. Solo llevaban dos semanas saliendo, y era su primera novia. En el contexto de la clase de los mayores de Palo Verde High School, volvería a ser un perdedor total, un «raro» al que no querían.

Dillon no toleraba la humillación; le resultaba intolerable. De hecho, ya le resultaba intolerable en la ERA. Allí no era más que otro chaval de trece años sin poderes. Le obligaron a trabajar en los campos, a lidiar con los gusanos carnívoros que llamaban «bichos», a recoger repollos durante horas bajo el sol abrasador, si es que quería comer. Los chicos con poderes, Sam Temple y su grupo, Caine Soren y el suyo, nunca lo trataron más que como una molestia, otra boca que alimentar, otro don nadie impotente a quien mangoneaban Albert, Edilio y Dekka, los peces gordos. Otro don nadie que quedaría lisiado o moriría si se interponía entre Sam y Caine y su guerra de bandos.

Y luego, cuando terminó la ERA, sus padres se mudaron a Las Vegas, lo cual coincidió con una gran mejora en la velocidad de internet y el descubrimiento de la internet oscura: las páginas web que vendían drogas y armas ilegales, e incluso servían para reunirse con sicarios. Y allí se había encontrado con alguien que en teoría vendía trozos de la «Piedra Mágica de Perdido Beach». Eso decía el anuncio. Cien dólares por onza, a pagar con *bitcoins*. Dillon pensaba que sería falso, pero lo compró igualmente, y sí, le llegó un trocito de roca por correo. Durmió con el trocito bajo la almohada durante un mes entero hasta que concluyó que no hacía ningún efecto, y estaba a punto de tirarlo a la basura cuando se le ocurrió probar algo antes.

Por poco se carga la batidora. Y tuvo que rematarlo en el mortero, con lo que la piedra acabó sabiendo a la albahaca que habían triturado antes en él. Y así se la tragó.

Al día siguiente había conseguido que su hermano hiciera algunas cosas, y que su hermana se cambiara de jersey tres veces, y que su padre entrara en internet y pidiera un casco de realidad virtual nuevo y caro.

Pero más tarde, ese mismo día, tuvo una intensa discusión con su madre, así que salió furioso de casa y ordenó a un motorista que pasaba que lo llevara al TGI Fridays, donde, con su nueva voz de serpiente, ordenó al camarero que le sirviera. Estaba claro que había sido un error, porque desmayado no tenía poder alguno, evidentemente, y había acabado revelando su poder en la jaula de los borrachos. Habría un vídeo de la celda que mostrara que era un mutante, uno de los llamados «rocosos», de eso estaba seguro, con lo que la policía y quién sabe qué agencias del gobierno conseguirían su nombre, dirección, foto —de sus dos caras—, sus huellas dactilares, su registro de deudas, y, lo peor de todo, su última evaluación psiquiátrica, donde le habían diagnosticado «personalidad límite», que era como los loqueros llamaban a los «raros». El FBI se dedicaría a entrevistar a sus «compinches» antes de que acabara el día y todos pondrían los ojos en blanco y volverían a contar las historias de Dillon, el perdedor, Dillon, el raro, Dillon, el virgen.

¡Qué mal momento! ¡Qué mal pensado! Hasta entonces no había usado el poder para un fin violento, y ahora que sí que lo había hecho no esperaba que lo trataran mejor que a la criatura que había destrozado el puente del Golden Gate o a los monstruos que habían hecho estallar el puerto de Los Ángeles.

Los dientes podridos del drogata acabaron cayéndosele, y escupió un trozo de carne sanguinolenta al suelo, donde parecía un trozo de hígado de ternera. Tatuaje, que continuaba a cuatro patas, miró con expresión burlona a Dillon, como si fuera a preguntarle si debía lamer la carne también.

Sí, la vida no seguiría siendo como hasta entonces.

Pues vale.

—Voy a salir, damas y caballeros —indicó—. Han sido un público estupendo, pero... —Dillon sonrió al recordar la vieja cancioncilla de los hermanos Marx, y cantó—: «Hola, me tengo que ir. No puedo quedarme, he venido a decir que tengo que irme...».

No hubo aplausos. Podría haber hecho que rieran y le aplaudieran, pero no, aún quedaban cosas sagradas, y él conseguiría las risas con esfuerzo, como tenía que ser. Todas las personas a las que admiraba habían sido bichos raros en el instituto, y todos se habían convertido en personas exitosas, queridas y ricas.

Louis C. K.: 25 millones de dólares de patrimonio neto.

David Letterman: 400 millones de dólares.

Jerry Seinfeld: 800 millones de dólares.

—¡Tachán! —exclamó Dillon con un gesto desenfadado, y tras pensárselo, añadió—: Ah, ya puedes dejar de chupar el suelo.

Y así, Dillon Poe —el Dillon Poe de dos metros de alto y completamente verde— salió por la puerta de la celda y bajó por el pasillo hasta la puerta de seguridad abierta. Atrás quedaron guardias a los que acalló con una sola palabra, así como la sombría sala de espera de la cárcel, y continuó en dirección al vestíbulo del edificio del condado, hacia la brillante luz del sol de Las Vegas.

Una joven guapa que pasó por su lado le echó una mirada que, desde luego, no se correspondía a la forma en que tendría que haber mirado a una criatura verde, con escamas y ojos amarillos, y Dillon le sonrió para agradecérselo.

«¿Podría meter lo de la serpiente en mi actuación?».

Era mediodía en Las Vegas. El aire era caliente, no achicharraba, pero el sol resultaba cegador, lo que contrastaba enormemente con cómo se sentía Dillon. Porque volvía a tener visiones, como la última vez que había cambiado... bueno, puede que no fueran visiones, más bien eran voces. Pero las voces nunca hablaban.

Entonces se dio cuenta de que no eran visiones ni voces, sino más bien el cosquilleo al sentir que lo estaban observando. No solo la débil aprensión que sientes cuando te parece que alguien te mira en la calle; era una sensación muy intensa, insistente, y al mismo tiempo incomprensible. Como si alguien dentro de su mente hiciera de público, sentado en total oscuridad y silencio absoluto, y le observara actuar en su escenario particular.

Dillon era un tío empírico, no le iba el misticismo y mucho menos la religión. Probaba las cosas. Buscaba la verdad, porque los mejores cómicos se dedicaban a eso. Sospechaba que el público oscuro y silencioso tenía que ver con las mutaciones. Así que puso a prueba la hipótesis contraria, y recuperó su insignificante físico humano. Y entonces, efectivamente, el público invisible desapareció.

—Vaya —dijo Dillon, con lo que pareció invitar a un vagabundo que pasaba, quien le tendió su vaso de espuma de poliestireno sucio—. Lo siento, no tengo dinero —se excusó el chico de aspecto ahora normal.

No tenía dinero, solo poder. Pero Dillon era lo bastante cínico como para entender que, como la materia y la energía son realmente lo mismo, también lo son el dinero y el poder. Podía conseguir que cualquiera hiciera cualquier cosa. Cualquier cosa. Lo que quería decir que podía conseguir lo que quisiera.

Él, Dillon Poe, superviviente ignorado de la ERA, debía de ser la persona más poderosa del mundo. Y en vista de eso, se preguntaba: «¿Y ahora qué?».

Y la respuesta fue: «Lo que quieras, Dillon; lo que quieras». Lo único que podía hacer era seguir adelante.

CAPÍTULO 2
Los amigos no dejan
que los amigos griten solos

—¡AAAAAH, MÁTAME! ¡MÁTAME, dios mío, por favor, mátame!

En una ocasión, Malik Tenerife había argumentado de forma convincente que la idea de infierno, de un lugar de tormento eterno, era una tontería, una imposibilidad. Tarde o temprano, incluso hervir en un lago de fuego se volvería aburrido y repetitivo. ¿Después de un año?, ¿de diez años?, ¿de un millón de años?

Pero ahora sabía que había un fallo en su argumento: solo tendría sentido si experimentabas *el tiempo*.

Pero Malik no experimentaba el tiempo. Todo ocurría ahora. ¡Ahora! ¡AHORA! Ahora mismo sentía como si lo hubieran despellejado vivo y lo hubieran dejado descarnado. Ahora mismo sentía como si unas bestias salvajes lo hubieran roído. Ahora mismo su cerebro apenas podía elaborar un pensamiento, pues el dolor lo desplazaba como una ola, dejando solo gritos.

Había oído parte de lo que habían dicho algunas enfermeras desde que Shade y Cruz lo llevaron a toda prisa al hospital. Era vagamente consciente de que el camaleón cambiaformas que era Cruz había estado con él todo el tiempo, ocultándose en diferentes disfraces. Sabía que había cumplido con la única petición que consiguió articular en una sola palabra garabateada en un bloc: «roca». Pero afirmar que Malik «sabía» o «pensaba» era una exageración enorme: la memoria de Malik, sus pensamientos, su esencia como ser humano, no eran más que fragmentos arremolinados en un tornado. Atisbaba los pensamientos, pero no los retenía.

Y sí que era verdad que Cruz había estado con Malik todo el tiempo. Tenía el poder de adoptar la forma de cualquier persona que pudiera visualizar, y había hecho de médico, de enfermera, de camillero. Permaneció a su lado el máximo de tiempo posible porque, aunque sabía que no era nada comparado con el dolor de Malik, también tenía sus propios problemas. Cuando cambiaba, los observadores oscuros siempre la acompañaban, siempre se le metían en la mente. A veces se encerraba en el baño, recuperaba su forma auténtica normal y lloraba.

Le dio roca machacada a Malik en un vasito con agua y consiguió que se la bebiera con una pajita. Luego esperó.

Al principio, el tercer miembro del grupito, Shade Darby, podía ir y venir, usando su supervelocidad para resultar invisible, convertida en un borrón y una ráfaga de aire. Pero ahora la habitación de Malik estaba fuertemente custodiada. La policía de Los Ángeles estaba delante de su puerta, y había dos miembros del SWAT en cada extremo del pasillo, todos equipados con monos negros y pistolas automáticas. Sabían que Malik estaba con Shade y Cruz.

Buscaban a Shade y Cruz sin darse cuenta de que Cruz seguía allí todo el tiempo.

Cruz había aprendido varias cosas útiles pero deprimentes. Se había convertido en una *amateur* bien informada sobre el tema de las quemaduras.

Pregunta de examen sorpresa: ¿Quieres quemaduras de segundo o de tercer grado?

Respuesta difícil: Pues depende de qué te moleste más, la desfiguración permanente o el dolor. La quemadura de segundo grado duele horriblemente, pero se curará. La de tercer grado destruye nervios y puede que amortigüe las sensaciones, pero así llevarás tu propia máscara de Halloween.

—¡Por favoooor, mátame!

Cruz también había aprendido que había algo llamado «quemadura de cuarto grado». Eso es lo que pasa cuando la quemadura atraviesa la piel y se come el músculo, la grasa, el tendón, el hueso incluso.

Tras dar la roca a Malik, Cruz había reabierto la vía de morfina para que el calmante fluyera por sus venas. Pero no había droga capaz de calmar ese dolor. Los médicos se estaban preparando para inducirle el coma, lo que quería decir que detendrían todas sus funciones cerebrales para que, sin dolor ni conciencia, se deslizara hacia la muerte.

—¡Por Dios, que pare ya!

Cruz se levantó de la silla dura y estrecha y apretó la bola colgante para que la morfina entrara más rápido en el catéter que habían colocado en el dorso de la mano del chico.

Malik tenía quemaduras de segundo grado. Y de tercero. Y de cuarto, y el dolor abrasador de las de segundo le penetraba hasta la médula y le retorcía la conciencia, le roía los huesos como si lo hubiera atacado y medio devorado un tigre. El vapor y el napalm supercaliente de la gran bestia de fuego —que los medios de comunicación denominaban alternativamente Napalm o Dragón, y también era conocido como Tom Peaks— le habían atravesado la ropa y la piel, le habían partido y curvado los tendones de los tobillos, le habían fundido los músculos de las pantorrillas, salpicando y abrasándole parte de los muslos y el trasero. Tenía quemaduras de segundo grado en la región inferior de la espalda, y de tercero extendidas por ella.

El fuego también había dejado al descubierto los tendones de la muñeca. Gran parte de la cara estaba intacta, pero por el cuello se extendía una quemadura que ascendía por el lado izquierdo de la cabeza, de modo que la oreja se le había fundido y ahora le quedaba plana, como una especie de bajorrelieve de sí misma. El rostro, así como gran parte del pecho y las partes íntimas, seguían intactos a excepción de unos puntos quemados. Las partes no quemadas eran como islas flotando en un mar de magma.

Una cosa estaba clara: nadie —ni una sola enfermera, médico o especialista— tenía duda alguna de que Malik moriría, probablemente en pocas horas.

Así que Cruz preparó una solución de agua y fragmentos pulverizados de meteorito que transportaba un virus de origen alienígena con el poder de desmontar y rearmar el ADN como un niño jugando con legos. La roca, que era como la llamaban, había generado la Anomalía de Perdido Beach, el lugar que los supervivientes de aquella cúpula imposible denominaban la ERA.

La roca había convertido a Tom Peaks, un implacable burócrata del gobierno, en una bestia mastodóntica que escupía fuego líquido; la roca había convertido a un detestable pero talentoso joven artista llamado Justin DeVeere en un monstruo acorazado, y armado con una espada, llamado Pesadilla; la roca había convertido a un joven perturbado llamado Vincent Vu en la vil criatura que se autodenominaba Abadón.

También era la roca lo que le había otorgado a Shade sus poderes, y a Cruz los suyos. Nadie podía predecir cómo afectaría a Malik. Nadie podía estar seguro de si tendría algún efecto. Pero la alternativa era limitarse a esperar que muriera, gritando de dolor, o sumido en un coma del que nunca se despertaría. Así que Cruz corrió a la cafetería del hospital a buscar una pajita para que pudiera beber y la aguantó ante sus labios temblorosos.

Malik sorbió lo que pudo. Y luego cayó, y siguió cayendo y cayendo hacia el infierno, porque al tomar la roca hubo que apagar el suero de morfina para que pudiera sorber sin atragantarse, y, segundos después, al sentir el agua arenosa bajándole por la garganta, el dolor se alzó como una oleada, como una aterradora erupción volcánica, como una fuerza irresistible.

La roca alteraba a quienes la consumían, pero ¿cómo se manifestaría en Malik? El virus alienígena era listo, sutil y oportunista. Había utilizado el ADN del gato de Dekka Talent para modificar a la propia Dekka. Había utilizado el ADN de una estrella de mar para convertir a Vincent Vu en un monstruo. Pero la roca también producía otros efectos: había convertido a Tom Peaks en una criatura aterradora que, desde luego, no era producto de ningún ADN terrestre, sino más bien una criatura de películas medio olvidadas cuyas imágenes se encontraban enterradas en la memoria de Peaks. Y un desafortunado niño de Islay, Escocia, se había transformado en una criatura de un libro infantil, una criatura que habían tenido que aniquilar los proyectiles de un destructor de la Armada Real.

La propia Cruz, conocida como Hugo Rojas antes de que llegara a aceptar el hecho de que «Hugo» no iba a resultar auténtico en tanto que hombre, había adquirido un poder sin analogía en la naturaleza: podía adoptar cualquier forma, la de cualquiera que hubiera visto, en persona, en foto o en vídeo. Solo tenía que pensar una imagen, y, como si fuera una especie de proyector por encima de su cabeza, podía reflejarla y encarnarla. A la naturaleza se le daba muy bien disfrazarse y conseguía que un insecto pareciera una hoja, pero no había nada en la naturaleza comparable con lo que podía hacer Cruz.

¿Había partido el virus de la roca de su propio cambio de género para crear a la Cruz mutante? Eso casi implicaría que el virus tenía sentido del humor.

Cruz permaneció mutada hora tras hora mientras Malik estaba en el hospital, interpretando varios papeles, cambiando de aspecto cada vez más rápido y con mayor facilidad. Y durante todas esas horas aguantó las atenciones viles e insistentes de los observadores oscuros, esos observadores sin voz, sin rostro, sin forma, que surgían cada vez que mutaba. A veces era como si le susurrara un pervertido: no palabras, sino sonidos lascivos que se deslizaban. A veces le parecía que estaba a punto de verlos. Como cuando te vuelves de repente y te da la sensación de que acaba de escapársete algo que captabas con el rabillo del ojo.

Shade Darby fue y vino varias veces. Se quedaba junto a la cama de Malik, le hablaba en voz baja, se estremecía con el dolor del chico, y se secaba las lágrimas con gestos rápidos e impacientes, como si fueran una molestia. Shade acabó convenciendo a una exhausta y emocionalmente destrozada Cruz de que la acompañara al último vehículo que había robado del aparcamiento del hospital, y a ser posible que durmiera un poco. Colocó a Cruz en el asiento del pasajero del Mercedes y la cubrió con un chal de lana, como si pusiera a dormir a un niño. Shade encendió el motor y la calefacción, y, pese a que estaba segura de que no podría dormirse, acabó haciéndolo. Horas más tarde, despertó de un sueño agitado y se encontró a Shade sentada en el asiento del conductor, abriendo una bolsa del Subway.

—Tengo un vegetal con embutido y uno de jamón y queso. Y patatas.

Cruz no dijo nada. Solo abrió la puerta, se inclinó y vomitó en el cemento.

Sin mediar palabra, Shade le pasó una botella de agua. Cruz se dio la vuelta y escupió, se bebió toda la botella y tiró el envase vacío. Luego cogió el bocadillo de embutido, se tragó la mitad y murmuró:

—Gracias.

Shade asintió y apartó la vista.

Era una nueva Shade Darby. Cruz siempre había pensado que su amiga era extraña, brillante e imparable, como dos personas en un solo cuerpo: estaba la chica bonita y algo *punk* con una cicatriz interesante que le subía por el cuello. Esa Shade Darby era simpática, agradable, un poco distante, pero comprensiva. Y luego estaba lo que Cruz consideraba el tiburón, la joven fría y calculadora de mente brillante.

La de ahora era una chica distinta, ni la Shade de trato fácil ni la Shade tiburón. Era una Shade herida, una Shade que no sabía cómo proceder. Una chica cuyas decisiones habían destruido la relación con el único progenitor que le quedaba, arrastrado a Cruz a una vida delictiva imparable y, finalmente, provocado que Malik acabara gritando de dolor terrible, reducido a una versión de carbón y carne fundida del chico al que había amado, y que la había amado.

—¿Cómo estás? —preguntó Shade, prácticamente retrayéndose, como si esperara que Cruz la reprendiera.

Pero mientras Shade había reconocido el daño que había causado, Cruz también había llegado a aceptar su complicidad en todo. Nadie le puso una pistola en la sien para obligarla a seguir a Shade. Cruz era la nueva de la escuela, se había trasladado a mitad de semestre después de que la expulsaran de una escuela católica por llevar vestidos. Evanston, Illinois, continuaba siendo un bastión de tolerancia relativa, pero la maldad que había llegado a formar parte de la vida estadounidense, incluso a los más altos niveles, la había amenazado. Hasta que llegó Shade. Gracias a la amistad con Shade, Cruz estaba segura en la escuela, y aprovechó la oportunidad de tener una amiga. No tardó en percatarse de que Shade estaba obsesionada con la muerte de su madre, que tuvo lugar en Perdido Beach cuatro años atrás, cuando cayó la cúpula de la ERA. Y Cruz sabía que Shade no dejaba de fantasear con vengarse del ser monstruoso llamado Gaya que había empleado sus poderes para asesinar. Pero Cruz también sabía que las fantasías de venganza de Shade no eran más que eso, fantasías. Nadie se vengaba de una cosa muerta, y Gaya, la niña malvada, había muerto, destruida finalmente por el coraje y el deseo de justicia de un niño autista llamado pequeño Pete y del encantador sociópata Caine.

Y, sin embargo, paso a paso, Cruz había seguido la corriente a Shade. También decidió tomar roca, volverse rocosa. Y luego adquirió y aprendió a usar un poder sobrehumano. Y se limitó a plantear objeciones tontas cuando Shade empleaba su supervelocidad para robar dinero y coches y teléfonos para salir adelante.

«Mea culpa. Mea máxima culpa», pensó Cruz, recordando su educación católica.

Héroe, villano y monstruo, esa era la taxonomía en tres partes de los superhumanos, según Malik. Shade había de ser una heroína, pretendía ser una heroína, quería ser una heroína, y Cruz, en la medida en que había pensado en ello, se imaginaba a sí misma como una especie de Robin del Batman de Shade, como su compañera.

«No soy protagonista ni de mi propia vida».

Pero, en ese instante, la chica callada, triste y de mirada hundida no transmitía heroísmo alguno. Tenía el aspecto que Cruz se imaginaba que debían de tener los soldados tras una batalla demasiado larga.

—¿Y qué hacemos? —preguntó Cruz. Se enfadaba consigo misma por haberlo preguntado, odiaba la debilidad que le hacía recurrir a Shade en busca de respuestas incluso entonces, teniendo a Malik a pocos metros de distancia con tubos metidos por la garganta y las venas, con tubos que recogían su orina rojo sangre, con toneladas de gasas y litros y más litros de ungüento que ocultaba el macabro espectáculo en el que se había convertido su cuerpo.

Shade inclinó la cabeza para mirar por la ventanilla, en dirección al hospital.

—Supongo que le harán implantes de piel y...

—No —la cortó Cruz, meneando la cabeza—. No se plantean arreglarlo, están esperando a que se muera.

El rostro de Shade se contrajo, cerró los ojos de golpe, y su boca dibujó una mueca. No intentó secarse las lágrimas que le bajaban por las mejillas.

—Su única esperanza es la roca —comentó Cruz—. Sus tejidos están demasiado dañados. Las piernas... Yo estaba cuando le cambiaron las vendas. Sus piernas no son más que huesos con trozos de carne quemada pegada, como... como esas patas de pavo que venden en las ferias. Ha sido horrible, terrible. De esta no sale, Shade. Malik se morirá si la roca no...

Shade lloró en silencio durante un rato, con la frente apoyada sobre el volante y las manos caídas en la solapa.

—No sé qué hacer —dijo finalmente—. No sé...

Pero Cruz no oyó el final de la frase porque justo en ese momento sintió un dolor tan atroz recorriéndole el cuerpo tan repentina y violentamente que solo pudo gemir y gritar de pánico.

Shade también gritó de dolor, con el rostro deformado como una figura de un cuadro medieval sobre tormentos infernales.

Y el dolor no se detenía ni remitía: las dos chicas se estremecían y agitaban y aullaban de dolor como si se estuvieran quemando vivas en el coche. Shade gritaba y se golpeaba el cuerpo como si estuviera en llamas. Cruz abrió la portezuela del coche presa del pánico, pensando que se había incendiado.

Era lo peor que cualquiera de las dos había sentido en la vida, y no paraba. Y pese a tener los ojos empañados en lágrimas y los sentidos afectados por el dolor destructivo, Cruz se dio cuenta de que no eran las únicas: la gente salía en riadas del hospital llorando, gritando, rodando por el suelo, arrancándose los pelos.

—¡Cambia! —gritó Shade—. ¡Ahora!

Cruz la entendió, aunque le resultaba casi imposible concebir un pensamiento. El dolor la ayudó a cambiar, y entonces Cruz, la chica trans de metro ochenta, adquirió la apariencia de una mujer negra y corpulenta con rastas. Cruz se convirtió en lo primero que le había venido a la mente, en su compañera mutante rocosa, la superviviente de la ERA Dekka Talent.

El cambio simultáneo de Shade aún había resultado más drástico. Su rostro se estrechó y pareció echarse hacia atrás, como una persona en un túnel de viento. Su cabello rojizo se convirtió en una cuña sólida de estilo *punk rock*. Su cuerpo parecía cubierto de algo parecido al plástico, como una versión menos lograda de un *power ranger*. Las rodillas le cambiaron de sentido: hicieron un ruido como de piedras mojadas cayendo y se volvieron insectoides, inhumanas.

En pocos segundos, Shade había pasado a ser el demonio vibrante de la velocidad en el que se convertía a voluntad.

Y Cruz era Dekka. El dolor había remitido, había disminuido, resultaba manejable, pero persistía como una fuerza física, como quedarse junto a un río que arrasara con todo y sentir su poder, aunque solo te alcanzaran unas gotitas. Ya no se encontraban en aquel río, pero sentían su poder devastador y sabían que bastaría un error para...

—Malik —dijo Shade, ralentizando el habla a una velocidad normal para que Cruz pudiera entenderla. Era como arrastrar un dedo sobre un disco de vinilo para que girara más lentamente: arrastraba las palabras, pero las hacía comprensibles.

Shade salió disparada y recorrió la sala de urgencias, un escenario infernal de pacientes y médicos y enfermeras que se retorcían atormentados, llorando, gritando y escapándoseles todos los fluidos corporales. Shade continuó por pasillos donde los pacientes salían a rastras de sus lechos de enfermos porque necesitaban desesperadamente hacer algo, cualquier cosa, para escapar. Vio a una enfermera que estaba a punto de clavarse una jeringuilla y se desvió un milisegundo para arrebatársela.

Hasta que llegó a la habitación de Malik.

Y allí estaba el chico.

De todas las cosas que se esperaba Shade, esta no era una de ellas, porque Malik se tenía en pie. En pie. Se había quitado los tubos de la garganta y estaba desenrollándose gasas y despegándose compresas, mostrando su saludable piel negra, sin heridas, sin cicatrices.

«¡Imposible!».

Por todas partes remitían los terribles chillidos, que daban paso a gemidos y gritos de estupefacción.

Shade tenía que limitarse a mirar mientras trataba de entender el horror absoluto de lo que estaba viendo. La roca transformaba a quienes se la tomaban. El poder que concedía la roca requería una transformación física, un cambio.

Este Malik, el que tenía carne y músculos, no era Malik. Era un Malik mutante, como un chiste desesperado y nada divertido. No se había convertido en sí mismo, sino en una versión de sí mismo, en un recuerdo vivo de sí mismo.

—¡Ha desaparecido! —exclamó Malik—. ¡El dolor ha desaparecido! ¡Estoy mejor, Shade! ¡Estoy curado!

CAPÍTULO 3

Veteranos de guerras pasadas y futuras

—HABÉIS SIDO LISTOS al entrar por la ventana trasera —indicó Astrid Ellison a sus invitados—. Nos han tenido vigilados los últimos cuatro años, pero era bastante básico. Veías a un poli o un coche del FBI de vez en cuando, pero en las últimas semanas se ha intensificado.

—¿Es posible que haya micros? —preguntó Dekka Talent, aceptándole una taza de té.

Astrid soltó una risa nada divertida.

—Claro que hay micro: lo encontramos con la ayuda de un tipo que nos envió Albert. Lo vinculó a un canal de YouTube, y si alguien está mirando o escuchando deben de estar hartos de escuchar reproducciones de Tim & Eric.

—Albert, ¿eh? —dijo Dekka mirando a Armo.

Armo, abreviatura de Aristotle Adamo, era muy muy grande, muy fuerte, y no demasiado listo pese a su nombre de pila. Era un chaval blanco patológicamente desafiante que había terminado con Dekka, y, por raro que parezca, la asociación entre la dura, seria e inquebrantable lesbiana afroamericana y el hetero blanco impulsivo, temerario e incontrolable parecía funcionar. Ninguno de los dos se explicaba el porqué. Mientras Dekka evitara hablarle como si le diera órdenes y le permitiera disentir siempre que quisiera, él acabaría haciendo, la mayoría de las veces, lo que había que hacer.

Y que un loco pudiera convertirse en un oso raro casi polar tenía valor. El poder de Armo era escaso comparado con el de Dekka, pero en las peleas nunca estaba de más tener de tu parte a alguien que estuviera como una puñetera cabra. Y nadie se volvía más loco que Armo cuando empezaba la pelea.

—¿Quién es Albert? —preguntó Armo.

Sam Temple estaba sentado frente a ellos en una silla Poäng de IKEA, de cuero marrón y madera clara.

—Según a quién preguntes. La mayoría de la gente de la ERA lo despreciaba. Pero comían gracias a que Albert resolvió cómo alimentarlos —el chico se encogió de hombros—. La ERA reveló talentos insospechados en algunos. Albert debe de tener, ¿qué?, ¿diecisiete o dieciocho años ahora? Debe de ser, por lo menos, millonario y me sorprenderá mucho si no es multimillonario para cuando cumpla los treinta. Su compañía —ERAco— tiene cuatro franquicias de McDonald's en Orange County y otra en Oakland. Y su segundo libro sigue siendo número uno. Todavía.

—Secretos de negocios de la ERA —comentó Astrid, torciendo el gesto.

Dekka pensó que era un error suponer que el tiempo hubiera hecho madurar a Astrid: Astrid siempre había sido una adulta. Dekka se la imaginaba ya a los tres años dando clases y creyéndose en secreto la más lista de todos, y de hecho —admitió Dekka— Astrid era la más lista de todos. Tiempo atrás era conocida como Astrid, la genio. Claro que también era conocida como Astrid, la reina de hielo, Astrid, la zorra, e incluso le habían adjudicado otros sobrenombres peores. Que también eran, como mínimo, parcialmente acertados.

A Dekka nunca le había gustado mucho Astrid, pero Astrid había cambiado con el tiempo, tanto en la ERA como después. En el plano superficial, había pasado de ser bastante bonita a resultar impresionante. El peso del dolor y el miedo y una pequeña dosis de humildad habían otorgado profundidad a sus sentenciosos ojos azules. Y comer otras cosas que no fueran rata y repollo le había conferido una tez demasiado perfecta para ser natural, aunque Dekka no detectó nada de maquillaje. Astrid era manipuladora, controladora y se comportaba como si fuera superior, pero también, por extraño que parezca, era la pareja perfecta para Sam Temple. Dekka se alegraba de que cuidara de él, pues a veces Astrid podía volverse feroz.

Armo, que disfrutaba bastante mirando a Astrid, también percibía la fuerza del vínculo entre ellos. Había leído una vez un libro —un solo libro—; trataba sobre los vikingos, a los que consideraba «su gente», su linaje. Si le dabas a Astrid Ellison una espada y una cota de malla, sería exactamente como Armo se imaginaba a una doncella escudera vikinga. Pero Armo la admiraba discretamente. Dekka le había hablado de Sam, y aunque ya no podía alzar las manos y perforarte un agujero, había algo solemne en él. Armo resultaba difícil y testarudo en muchos sentidos (cosa que él lo reconocía alegremente), y nunca intentaría hacerse el listo en ninguna situación, pero veneraba a los guerreros, y, si tenía que creer a Dekka, Sam Temple era la personificación andante de un rey guerrero, una combinación entre Canuto el grande, Cíclope de *X-Men* y George Washington.

Dekka vio que Sam había ganado peso. No estaba gordo, pero sí más grueso de hombros y brazos. Sam Temple, a los catorce años, tenía un poder aterrador, y le cayó encima una responsabilidad enorme para él. Cometió errores, en ocasiones fracasó, pero se había convertido en un gran líder, en una inspiración. Dekka se convirtió en su mano derecha, en su soldado, en su asesora. Dekka y Sam estaban conectados como solo dos soldados de combate que han compartido el hoyo de una trinchera pueden estarlo.

Sin ningún motivo en particular, Sam extendió el brazo a través de la mesita auxiliar y cogió la mano a Dekka. Ella apretó la del chico y la sostuvo durante un largo minuto mientras los recuerdos circulaban de manera invisible entre ellos.

—Sammy... —empezó Dekka, meneando la cabeza.

—Dekka —dijo él.

—Están pasando mierdas, Sam.

El chico asintió.

—Sí. Es lo mismo, ¿no? Que la ERA, quiero decir.

Dekka asintió.

—El mismo asteroide o lo que fuera aquello... la roca... ha venido más de eso, y puede que aún venga más. No lo sé. No sé si alguien lo sabe... igual Shade Darby. Pero los poderes... han cambiado. No sé si es por la cúpula, o porque el pequeño Pete contuvo a la *gayáfaga*, pero sea como sea la cosa esa está descontrolada. La diferencia principal es que ahora tienes que cambiar físicamente.

—¿Como Orc? —preguntó Astrid.

—Quizás, pero pasado de rosca. Y podemos apagarlo o encenderlo. Yo me convierto en... una cosa. Una criatura. Porque lo elijo. Cuando soy la criatura, cuando cambio, hago que las cosas se deshagan. Las hago trizas. Y también a la gente, si me descuido. Armo ha llegado por una vía distinta, pero ahora también es un HDR, un hijo de la roca. Otros los llaman «rocoso», o «rocoso 2.0». —Dekka hizo una mueca. Nunca había sido fan de las redes sociales, y, después de años refiriéndose a ella como «la lesbiana negra» y cosas peores, ahora que la identificaban como «lesbigatita» su opinión no había mejorado—. A Astrid y a ti os llaman HDROs, hijos de la roca originales. Entre los rocosos 2.0. se encuentran Shade Darby y su amiga Cruz. Y como habéis visto en la tele, un montón de gente... esto... desagradable.

—Vimos el vídeo del Golden Gate y el del puerto de Los Ángeles —explicó Astrid.

—Y hay una... cosa —añadió Dekka en voz baja, y se golpeó en un lado de la cabeza—. Al cambiar, cuando mutamos o... iba a decir «oímos», pero no es así, solo sentimos o somos conscientes de unas... bueno... los llamamos los «observadores oscuros». Creo que son ellas. Creo que son las mismas criaturas que dispararon el maldito asteroide en dirección nuestra.

—¿Observadores oscuros? —preguntó Astrid, entrecerrando los ojos—. Qué interesante. Debe de ser una coincidencia.

Su esposo la miraba expectante.

—Es una antigua leyenda californiana —explicó Astrid—, la de los observadores oscuros. Creo que empezó con los indios chumash y la recogieron los españoles, que los llamaron «los vigilantes oscuros». Se supone que son criaturas no humanas que solo aparecen en el crepúsculo en la zona de Monterrey y bajan hacia... bueno, hacia Perdido Beach. De hecho, Steinbeck los citó... Pero, bueno —concluyó la chica, al notar que su lección se estaba alargando demasiado—, debe de ser una coincidencia.

Se hizo un largo y tenso silencio, finalmente interrumpido por Armo, que preguntó:

—Perdonad, pero ¿tenéis algo de comer?

Astrid dio una palmadita en la espalda a Sam y le dijo:

—¿Por qué no haces unos sándwiches?

Algo ocurría entre Sam y Astrid, algo teñido de frustración y lamentos. Sam acabó accediendo, como un hombre condenado que acepta la sentencia justa de un juez. Salió y Armo le acompañó, dejando a Dekka y Astrid solas.

Astrid no perdió el tiempo.

—No vas a arrastrar a Sam en esto, Dekka.

Dekka sintió la típica irritación que sentía cuando se enfrentaba a Astrid.

—Ya no tiene poder. No es más que un chico, un ser humano normal. —Astrid se detuvo, al ver que Dekka alzaba una ceja—. Vale, sigue siendo Sam. Pero no tiene poderes. Irá contigo si se lo pides, ya sabes que sí. Y morirá. —Se le quebró la voz con esa última palabra—. Ya tuvo su guerra, Dekka.

Dekka oyó el eco de su propia voz diciendo esas mismas palabras a Tom Peaks, el hombre que dirigió las horribles instalaciones del destacamento 66 llamadas el Rancho hasta que lo despidieron y escogió el camino de la roca para convertirse en el monstruo Dragón.

—No quiero que venga —aclaró Dekka—. La verdad es que no. Quiero decir, mira: ¿hay una parte de mí que lo busca automáticamente siempre que empieza a haber problemas? Sí, Astrid. Si llego a los cien años, cada vez que haya un *marrón* probablemente seguiré pensando: «Vete a buscar a Sam». Pero tienes razón. Y lo sé.

Astrid suspiró.

—Y él también. Ya lo sabe. Apenas tiene edad de votar y ya se siente acabado. No sabe qué hacer. Tenemos dinero del libro y la película, así que no nos va mal, pero Sam tiene que encontrar su lugar en el mundo, y no puede ser contigo, Dekka.

Dekka se estaba calmando. Dejó caer la cabeza y añadió:

—Ya sabes que no me gustas, Astrid. Nunca me has gustado. Pero siempre estás junto a Sam. Lo quieres, y eso lo respeto a saco. Si alguna vez encuentro a alguien que me quiera la mitad de lo que lo quieres a él, pues sería bastante genial. Nunca haré nada para herir a Sam.

«Qué raro —pensó Dekka—, dos mujeres jóvenes que no podían ser más diferentes, hablando de Sam Temple como si fuera un niño frágil al que había que proteger». Sam y Arno volvieron al salón riéndose de algún chiste y dejaron los sándwiches en la mesa. Armo ya se había zampado medio. Ambos percibieron el ambiente que se respiraba, y Sam lanzó una mirada a su esposa y luego a Dekka.

—Ah, o sea que ya se ha decidido —comentó. Lo aceptaba, atribulado, pero también le frustraba. Se encogió de hombros hasta que levantó las manos que antes tenían el poder de lanzar un rayo de luz capaz de cortar el acero, pero no ocurrió nada—. La verdad es que yo no serviría de mucho.

—Sí, ya estás acabado, eres inútil y patético —se burló Dekka, y meneó la cabeza—. No hagas que te meta una tunda, Sam. No voy a sentir lástima de ti, y si sientes lástima de ti mismo, te juro por Dios que te la quitaré a hostias.

Para alegría de Dekka y alivio de Astrid, Sam se echó a reír.

—Te he echado de menos, Dekka. A ti, a Edilio, a Lana... a la Brisa.

Dekka sintió un nudo familiar en la garganta al oír ese último nombre. Brianna, la Brisa, el magnífico, maldito, desesperado amor de Dekka, unidireccional, no correspondido.

—Arreamos a diestro y siniestro —señaló la chica.

Sam miró fijamente a su amiga.

—Tienes algo más que contarnos, Dekka.

—No se ha vuelto más tonto —señaló Dekka a Astrid, en un tono más ligero.

—Ya no podía serlo más —Astrid le siguió la corriente. Era un viejo chiste entre Astrid, la genio, y Sam, el surfero.

—Suéltalo —Sam no se inmutó.

Dekka juntó las manos, entrelazando los dedos.

—Creo que no apareció en las imágenes públicas, al menos no en las que he visto.

Sam esperó, y Astrid, como si fuera necesario, se levantó.

—Drake —acabó diciendo Dekka—. Mano de Látigo ha vuelto.

OEA-6

EL OBJETO ESPACIAL ANÓMALO número seis no era un trozo grande; de hecho, para cuando entró en la atmósfera llameando se le había desprendido una pequeña parte, y pesaría menos de veinte kilos al impactar. Habían calculado cuidadosamente que caería en el océano Atlántico, cuatrocientas millas náuticas en dirección oeste-noroeste de la isla de San Miguel en las Azores.

Pero el pulso débil de la astronauta Heidemarie Stefanyshn-Piper alteró su curso. Durante un paseo espacial en 2008, la astronauta Stefanyshn-Piper había soltado accidentalmente una caja de herramientas del tamaño de un maletín.

Porque el OEA-6 era más bien pequeño, se bamboleó un poco al chocar con la basura espacial en órbita y adoptó una trayectoria distinta respecto a la original. Acabó alcanzando el agua a treinta millas de la base submarina de Kings Bay en Georgia, al norte de la línea de Florida.

El agua no era profunda de acuerdo con el estándar atlántico. Podrían recuperar la roca. Pero todos los barcos previstos para recuperarla se encontraban a dos mil millas de ella, y tardarían días en hacer ese viaje.

Mientras tanto, enviaron al guardacostas Abbie Burgess a vigilar el lugar.

Catorce horas después, mientras la flotilla de investigación submarina se acercaba hacia ellos a toda máquina, el Abbie Burgess se hundió, y con ello se perdieron veintiuna vidas.

El único mensaje por radio que oyeron procedente del Abbie Burgess fue:

—¡Ay, Dios! Ay, Di...

Un helicóptero de la guardia costera que enviaron al lugar solo encontró fragmentos flotantes del naufragio. Y ningún cuerpo.

CAPÍTULO 4

Y con el número uno tenemos a...

A LA GENERAL DE BRIGADA GWENDOLYN DiMarco no le gustaba la oficina que Tom Peaks había dejado en el Rancho, las instalaciones secretas de investigación y desarrollo en las colinas al este de Monterrey, California. Era demasiado soso, demasiado «oficinista», demasiado normal.

Normal. Pero no era esa una palabra aplicable al propio Tom Peaks. El resquemor por haberlo degradado lo llevó a ingerir una gran dosis de la roca, con lo que se transformó en una enorme criatura reptiliana que respiraba fuego y vomitaba lava, y arrasó con gran parte del puerto de Los Ángeles antes de que lo arrastrara al canal una criatura aún más rara y peligrosa hecha de ADN de estrella de mar.

Peaks había ocultado su locura interior y DiMarco pensó que su despacho tipo cubículo, en apariencia aburrido, formaba parte de su disfraz. Ella había elegido un espacio más cercano a la acción, y la acción en el Rancho transcurría, toda, bajo tierra. Y, en cualquier caso, tampoco es que le encantara el sol.

El despacho actual de DiMarco era una estructura singular que ocupaba un extremo de la gran caverna, y la combinación de cueva con excavación ocultaba toda su obra de los ojos electrónicos de satélites y drones. En los mapas satelitales de Google, el Rancho parecía lo que era antiguamente: unas instalaciones del ejército reaprovechadas.

«Debería llamarlo el Iceberg, no el Rancho», pensó DiMarco, y esbozó una sonrisa macabra ante lo que le parecía que era un buen chiste. Porque, en su mayor parte, estaba sumergido. Bueno, no sumergido en el agua, sino en la tierra. En el lodo. O bueno, en un agujero gigante en el lodo. Así que era un iceberg si te lo tomabas como...

En fin, que el humor no era, de entrada, la especialidad de DiMarco.

Su despacho formaba un rectángulo largo en principio pensado para los contratistas que habían excavado y construido las enormes instalaciones subterráneas. Su ubicación era especial en la medida en que estaba encaramado en un afloramiento de granito que formaba una plataforma de más de treinta metros por encima del suelo de la caverna y se encontraba a tan solo seis metros del techo de piedra escarpada. DiMarco había hecho que lo remodelaran completamente, claro, de manera que sustituyeron el revestimiento de material corrugado por cemento reforzado de más de veinte centímetros de grosor. Y también habían sustituido las ventanas pequeñas y sucias que ya bastaban al supervisor de la construcción por una sola ventana larga, que medía más de siete metros de lado a lado y metro ochenta de alto. Le habían añadido cristal blindado de nivel 8, claro, de algo más de seis centímetros de grueso, que haría rebotar cinco disparos del potente rifle de un francotirador.

Dentro del búnker —como habían apodado de inmediato al despacho de DiMarco— solo había dos paredes interiores. Una de ellas, en el extremo izquierdo, rodeaba al ayudante, la secretaria y el destacamento de seguridad de DiMarco. En el extremo derecho DiMarco tenía su baño privado.

Pero la oficina en sí ocupaba dos tercios de los metros cuadrados, y la dominaba un escritorio de acero enorme hecho con blindaje recuperado de un tanque ruso que había sufrido una desgracia en Ucrania. El escritorio estaba pintado de un verde soso, en contraste muy militar con el resto de la oficina, cubierta de caras alfombras persas y suntuosas estanterías de caoba repletas de todo lo que se había escrito sobre la Anomalía de Perdido Beach y el campo emergente de la exobiología, y gran cantidad de libros sobre aspectos misteriosos de la genética y su manipulación.

El mayor Mike Atwell, el ayudante de DiMarco, se acercó dando cinco largas zancadas desde su despacho hasta detenerse justo delante del escritorio de la general, donde simuló el movimiento de un pívot chasqueando brevemente los talones, y puso el informe matutino sobre su escritorio.

La copia en papel era una formalidad, claro; DiMarco ya tenía la versión digital en su ordenador.

—Siéntese, Mike —dijo DiMarco.

A los treinta y un años, graduado en West Point y doctorado no una, sino dos veces —en genética y en historia militar de China—, Atwell era un hombre que nunca tendría el buen aspecto que debería con su uniforme impecable hecho a medida. Se estaba engordando por la cintura, los hombros se le estaban poniendo más verticales que horizontales, y por desgracia tenía una cara de «empollón» que no se la aguantaba.

—Vamos a ver la lista de las diez prioridades —indicó DiMarco.

Atwell asintió y comenzó a recitar de memoria. Puede que no tuviera hombros, pero sí una memoria prodigiosa.

—Ya son más de diez —señaló Atwell. DiMarco lo fulminó con la mirada, pues detestaba que le dijeran lo que ya sabía—. Han visto a Vincent Vu, el que se hace llamar Abadón, el destructor, con su aspecto normal de chico en un 7-Eleven de Long Beach y en una tienda Target de Glendale, además de como Abadón; por motivos desconocidos ha destruido casi un kilómetro de aparcamiento de coches usados. Hay tres muertos.

DiMarco asintió.

—No estoy segura de que Vu sea el objetivo principal, pero prosiga.

—En segundo lugar, su predecesor, Tom Peaks. Lo llaman Dragón en la prensa, a veces Burning Man o Lagarto Caliente en las redes sociales.

—Él es el número uno —insistió DiMarco—. No se puede considerar solamente el daño causado, hay que tener en cuenta también su capacidad mental. Vu sí que tiene una enfermedad mental, y además es un adolescente, no sabe nada y desde luego no tiene planes más ambiciosos. Pero Peaks...

—Sí, señora —replicó Atwell, aunque no estaba nada convencido de que el otro fuera un mal menor—. En tercer lugar, tenemos a Shade Darby y su supervelocidad. Muy poderosa y muy lista, mala combinación. Hemos analizado los vídeos y creemos que puede alcanzar velocidades superiores a los mil kilómetros por hora, lo cual, según las condiciones atmosféricas, puede llegar a Mach 1, la velocidad de... —Atwell no continuó la frase, pues DiMarco lo miraba amenazante, como diciendo «Ya sé lo que quiere decir Mach 1».

—La siguiente es Dekka Talent. Es muy poderosa, bastante lista y tiene más experiencia en el combate físico real que cualquiera de los otros, y probablemente más que cualquier otro soldado en activo ahora, la verdad. En los medios de comunicación la llaman de todo: Gatsein, Gatzila, Lesbigatita.

DiMarco asintió, y su labio superior desapareció bajo el inferior, una expresión tensa que solía preceder a un arrebato de ira.

Pero no lo hubo. Aún no.

—En quinto lugar, está Aristotle Adamo, también llamado Armo.

—¡Yo hice a ese chico! —lo interrumpió DiMarco—. Le di un poder superior al que podría imaginarse, y le ofrecí... —Hizo un gesto con la mano para abarcar el mundo de placer que intentó invocar para controlar al niñato incontrolable. DiMarco se lo había tomado como algo personal: Dekka era el proyecto especial de Peaks; Armo, el suyo, y no le hacía ninguna gracia saber que parecían haberse aliado.

—El sexto es Hugo Rojas, también llamado Cruz. Es una mujer trans o un hombre de género fluido, aún no estamos seguros. Es seguidora, no líder. Parece tener la capacidad de modificar su presencia según desee. Puede encarnar a cualquiera, una persona vieja, joven, grande, pequeña, de cualquier raza o género.

—Ah —DiMarco gruñó y esbozó una sonrisa agria—, seguro que a ella, él, o lo que sea, le pone todo eso.

Atwell reprimió la repugnancia instintiva que le producía la intolerancia y el desdén de su superior.

—La séptima es Francis Specter. Solo tiene catorce años; su madre y su padre son miembros de una pandilla de moteros que trafica con meta y se sabe que fue una de las pandillas atraídas a la cueva de Perdido Beach. No sabemos si consumió roca o pasó suficiente tiempo en el agujero como para que no le afectara tanto.

—¿Qué sabemos de sus poderes?

Atwell soltó aire.

—Me temo que muy poco. Al parecer puede atravesar objetos sólidos o hacer que los objetos sólidos la atraviesen. Acabamos de localizar un vídeo corto de una cámara de tráfico en Glenrio, Nuevo México. ¿Puedo? —Atwell señaló el mando a distancia en el escritorio de DiMarco. Entonces pulsó el botón para abrir un panel deslizante tras el cual había un monitor de televisión grande. Pulsó algunos botones más, y apareció un vídeo en blanco y negro, entrecortado y lleno de grano, de una chica con el cabello negro como el azabache cruzando una autopista concurrida. Un coche viró como loco para evitarla, seguido del remolque de un tractor Costco que chocó con ella a más de cien kilómetros por hora... y la atravesó. El tractor entero, con su remolque. Francis Specter siguió caminando y salió del alcance de la cámara como si no hubiera ocurrido nada.

DiMarco hizo que Atwell lo reprodujera dos veces.

—Fascinante. Lo primero que he pensado es que modifica su densidad, o la densidad de los objetos sólidos, pero entonces aumentaría el tamaño aparente. La teoría actual del laboratorio es que se desplaza a una dimensión desconocida y lo que hace es «mover» el objeto a través de una quinta dimensión espaciotemporal.

—El conductor dice que lo único que vio fue un arcoíris borroso.

—¿Un qué?

—Dice que en el instante en el que la vio parecía un arcoíris andante, borroso.

—¿Y por qué no lo vemos en el vídeo?

—Bueno, una de dos —comentó Atwell—: o bien el conductor podría estar alucinando, o ella da la espalda a la cámara y el efecto solo se aprecia en su piel.

DiMarco tamborileó con los dedos y miró el borrón del fotograma congelado.

—Padres criminales. Si lo que hace es doblar el espacio, será imposible encerrarla o detenerla. Qué pena. Habrá que disparar a matar.

Disparar a matar.

—Glenrio está justo en la frontera entre Nuevo México y Texas —señaló Atwell—. Las autoridades de Nuevo México no cooperarán, pero la pandilla entra a menudo a Texas, y tenemos gente entre los *rangers* que puede hacer... lo que haga falta.

Como estudioso de la historia militar, Atwell comprendía que le estaban dando una orden ilegal, una orden que violaba la ley y la Constitución. Y que se oponía a su juramento como oficial. Le intranquilizaba, pero no tanto como para negarse.

—¡Que disparen a matar! Y no me preocupa la reacción de los demás. Tenemos nuestros propios activos, no necesitamos a la policía —añadió DiMarco—. ¿El octavo?

—El superviviente de Perdido Beach Drake Merwin, también llamado Mano de Látigo, al que millones conocen por el libro de Ellison y la película. Se ha aliado con Peaks, lo que ya de por sí es un problema, pero lo peor es que la gente corriente cree que es Alex Pettyfer, el actor que lo interpretó en la película. En realidad, es peor de lo que podía mostrarse en una película no recomendada para menores de trece años, mucho peor: es un psicópata y un sádico. Un asesino, un violador, un torturador, un mal bicho.

—¿Que disparen a matar? —DiMarco frunció el ceño—. No, no creo; lo queremos. Asumo que está al tanto de este tipo. Lo del brazo de látigo no me interesa como poder; al parecer es indestructible. Podrías pasarlo por una trituradora y verter el pringue sangriento en el océano, y volvería días o semanas más tarde. No, nada de disparar a matar a Drake, Mano de Látigo: aún podría resultar útil.

Atwell tomó nota, ocultando su desaprobación. Comprendía que había que tomar medidas drásticas, pero él no se había alistado en el ejército para trabajar con animales salvajes como Drake Merwin.

—El número nueve es Malik Tenerife. Un estudiante de primero de Northwestern con coeficiente alto; fiel, creemos, a Shade Darby. Solo tenemos información preliminar sobre él. Peaks le provocó quemaduras graves en la batalla del puerto. Los médicos pensaron que no sobreviviría, pero salió por su propio pie del hospital, aparentemente sano, lo que tuvo un efecto inusual. Acabo de recibir un vídeo...

DiMarco golpeó con los nudillos en el escritorio, impaciente por continuar.

Esta vez el vídeo era de un cámara profesional de noticias y mostraba a una enfermera de mediana edad con el rostro surcado de lágrimas.

—Ha sido horrible, horrible. Me ha parecido que me quemaba. Qué dolor... He mirado y he visto que no estaba herida, pero el dolor, el sufrimiento... era insoportable. De verdad que he pensado que, si no paraba pronto, me mataría.

—Ajá —dijo DiMarco, pensativa—. Queremos al señor Tenerife, si podemos conseguirlo. Vamos a ver lo fiel que es a la chica que lo arrastró a todo esto.

—Y por último el número diez sigue siendo Justin DeVeere, también llamado Pesadilla.

DiMarco lo miró con dureza.

—El joven Justin está detenido y ahora trabaja para nosotros. —La general apuntó con un dedo en dirección a la caverna que quedaba fuera de su ventana—. Está enjaulado y controlado, y ha pasado a ser soldado del ejército estadounidense. Ni siquiera su espada puede atravesar treinta centímetros de cemento reforzado y quince centímetros de acero de vanadio electrificado.

Atwell se pasó la lengua por los labios, nervioso.

—Señora, creo que nos conviene recordar que tanto Dekka como Armo estuvieron retenidos aquí, y los dos escaparon.

—¡Se escaparon de Tom Peaks, no de mí! —DiMarco enfatizó las últimas palabras—. Sea como sea, si nos ponemos a contar a nuestros propios monstruos, pues qué demonios, tenemos cosas peores que Pesadilla encerradas aquí abajo.

«Sí —pensó Atwell, angustiado—, y que Dios nos perdone a todos». En el Rancho se habían desarrollado varias investigaciones peligrosas: habían intentado controlar y convertir la roca en un arma añadiéndole varias hebras de ADN animal. A veces, como en el caso de Armo, había funcionado. Otras veces parecía que la roca se burlara de ellos, pues empleaba un ADN totalmente distinto —de un mosquito que pasara, por ejemplo— para crear monstruosidades insostenibles. Una de ellas se había convertido en un híbrido entre ser humano y ácaro, en una babosa estúpida que no era capaz de mover sus ocho patitas humanas diminutas y deformes.

El Rancho también había sido el precursor de los cíborgs, mezclas de ser humano y máquina: robots con cerebros humanos, sistemas de armas con una cabeza humana pegada, o a veces solo un cerebro.

Se hizo el silencio cuando DiMarco formó un triángulo con los dedos y apoyó la barbilla sobre las puntas, indicando que estaba pensando. Durante cinco minutos largos, Atwell permaneció sentado mirando al vacío, intentando convencerse de que lo que hacían era correcto, de que al cabo de unos años podría mirar a sus hijas a la cara y justificar lo que estaba haciendo. Pero aún le costó más con lo que la general DiMarco le dijo a continuación:

—Nos reprimen con reglas y regulaciones completamente inapropiadas para este momento histórico. Hemos de poder disparar primero y preguntar después. Estos no son los típicos delincuentes de la calle, son terroristas con superpoderes, la mayoría muy jóvenes porque, Dios sabe por qué, solo un adolescente es lo bastante estúpido como para tragarse deliberadamente un virus alienígena mutagénico. Pero, sean jóvenes o viejos, ya han causado daños por valor de miles de millones de dólares, y ya no hablemos del coste de centenares de vidas. QUE DISPAREN A MATAR. ¡Que disparen a matar! Debería ser así por defecto, y solo salvar a los que podamos usar. O trabajas para mí o te disparo.

—Sí, señora —dijo Atwell, y de repente pensó en el congreso Wannsee, la infame reunión que condujo al Holocausto. Allí también hubo *apparátchiks* sin agallas que asentían y decían: «Sí, señor».

Entonces llegaron las malas noticias que tenía que dar. Había estado buscando el momento apropiado, pero DiMarco no estaba de buen humor.

—Hay algo más, general. La roca madre. La tenemos guardada aquí, como ya sabe, pero acabamos de recuperar los datos del Okeanos Explorer, y hay una discrepancia.

Los ojos de DiMarco casi fulminan la frente de su subordinado.

—¿Una discrepancia?

—Pesaron la roca a bordo. Nosotros la hemos pesado ahora. Y faltan casi nueve kilos.

—¿Faltan casi nueve kilos? —volvieron a sumirse en el silencio, interrumpidos por un manotazo en el escritorio, que sobresaltó a Atwell—. ¡Maldita sea! ¡Eso son kilos y kilos de dosis! Ya basta. Me he hartado de seguir las reglas. Prepare una petición de movilización de la Guarida Nacional, y que se declare el Estado de Emergencia. ¡Tenemos que interrogarlos a todos! Empezando con los que iban a bordo del Okeanos. Quiero que los interroguen, y me importa un pimiento cómo lo hagan.

Atwell se inclinó hacia delante. Estaba demasiado preocupado como para mantener su compostura habitual.

—¡Pero, señora, tendría que aprobarlo la Casa Blanca!

La expresión desdeñosa de DiMarco ilustraba la definición del diccionario de la palabra «cínico».

—¿Y cree que no quieren? ¿Esta Casa Blanca? Nos lo aprobarán en seis horas, doce como mucho. Y yo no voy a esperar.

Atwell reprimió la preocupación en su rostro y asintió.

DiMarco tamborileaba con los dedos en el escritorio.

—El mayor problema que tendremos —señaló— no son los monstruos que conocemos, sino los que vendrán.

Atwell frunció el ceño.

—¿General?

—¿Realmente cree que esta tanda de rocosos es la última? Sabemos que al menos varios kilos de la roca original de Perdido Beach se encuentran en manos privadas: pandillas de moteros, cazadores de tesoros, gente que busca emociones fuertes. Sabemos que Shade Darby tiene todo o parte del OEA-3. Y sabemos que ha ocurrido algo con nueve kilos de roca madre. ¡Y no hablemos ya de las amenazas extranjeras! Por Dios, Atwell, ¿no se da cuenta de lo que pasa?

—Creo que...

DiMarco volvió a golpear el escritorio, tan fuerte que su taza de recuerdo saltó.

—Esto es una invasión alienígena, Atwell. Se presenta con forma mutagénica, no de hombrecitos verdes, pero sigue siendo una invasión. ¡La única forma de sobrevivir es aniquilar total y completamente a cualquiera que use la roca y no trabaje para mí!

DiMarco giró la silla hasta situarse de espaldas a Atwell y miró el mapa del mundo que ocupaba la pared.

—Si somos fuertes e implacables, podemos detener a todos y cada uno de los que tenemos fichados, uno a uno. Pero ahí fuera puede haber un mutante demasiado poderoso para nosotros. Y eso es lo que me preocupa, Atwell: el villano desconocido.

CAPÍTULO 5

Galletitas con un lunático

EL ANTIGUO JEFE DEL DESTACAMENTO de Seguridad Nacional Tom Peaks salió del agua del puerto de Los Ángeles agotado y derrotado. Pese al poder que Dragón poseía, lo había acabado derrotando un chaval que parecía una estrella de mar gigante. Le había resultado humillante, y por desgracia el acompañante de Tom Peaks no era precisamente delicado al respecto.

—Te han dado pero a base de bien —se había burlado Drake.

—Necesitamos un sitio para escondernos —lo apremió Peaks.

Drake se rio, despectivo.

—El hombretón que pensó que yo sería su compinche... Tu cara es conocida, Peaks. Todo el mundo te la tiene jurada. Yo tengo un sitio, tengo un sitio donde puedo esconderme, pero ¿qué escondite tienes tú?

Peaks miraba con ojos empañados a Drake. El psicópata sádico poseía el mismo atractivo anguloso de siempre, el paso del tiempo o las heridas terribles que había sufrido no le afectaban. Era cruel y sanguinario, y Peaks no necesitaba su brazo de pitón de tres metros de largo para convencerse de ello. Ni hacía falta ver fotos forenses de sus víctimas de los últimos cuatro años, que también había visto. Ya se percibía en los ojos de Drake.

«Soy el Dragón, pero él es el monstruo», pensó Peaks.

Pero Peaks sabía que necesitaba tiempo para recuperarse. La mente apenas le funcionaba, como un mando a distancia con la batería casi gastada: a veces los botones respondían, pero otras no. Si fuera un ser humano normal, se habría autodiagnosticado una depresión. Así que dejó que Drake lo guiara. Robaron un coche y condujeron hasta el desierto, hasta el parque nacional Joshua Tree, hasta el vacío de la zona de Quail Mountain, donde Drake los condujo cada vez más arriba, hacia lo más profundo de las colinas resecas por el polvo, hacia montones descomunales de rocas, a través de espinos enredados y suculentas con hojas como de velcro, hasta una grieta que parecía demasiado estrecha para que la atravesara un hombre, pero sí: a duras penas, pero se podía entrar.

Era una cueva. Peaks sintió el aire relativamente fresco y el olor a almizcle, moho y carroña, de carne en descomposición. Estaba oscura como la noche, y durante un instante Peaks se preguntó si lo había llevado hasta allí engañado. Pero lo cierto es que, si Drake hubiera querido matar a Peaks, lo podría haber hecho en cualquier momento.

Entonces Drake encendió un mechero y lo acercó a una vela. Y luego a otra, y a otra más. El interior era una nada mil veces más pequeña que la gran caverna del Rancho, un espacio más vertical que horizontal, estrecho en la abertura y en el extremo más alejado, con forma de sobre abultado por en medio. El techo de la cueva era invisible, una oscuridad que recordaba a las altas catedrales góticas. El suelo no debía de tener más de seis metros por la parte más ancha, y cuatro veces esa profundidad, y había unas rocas caídas que conducían hacia la piedra sólida en la parte del fondo. De día puede que entrara una luz débil, pero llegaron de noche, y la única fuente de iluminación eran las velas.

Peaks deseaba que hubiera menos velas, porque lo que iluminaban era una pesadilla. Drake había usado clavos rieleros para crucificar a tres personas. Tres cuerpos colgaban de las paredes de piedra, con los gruesos clavos de acero oxidado atravesándoles las muñecas. No tenían apoyo en los pies, así que debían de colgar con todo su peso de los huesos de las muñecas. Uno era un hombre en avanzado estado de descomposición, totalmente desnudo, cuya carne no era más que cecina, y cuyo rostro parecía la piel de un tambor extendida sobre un grito.

Las otras dos eran mujeres; una, casi tan descompuesta como el hombre. La otra estaba más... fresca, a falta de una palabra mejor. Pese a hallarse en una cueva en mitad de la nada, las moscas la habían encontrado, y le salían gusanos gruesos y blancos de las cuencas de los ojos.

—Por Dios bendito —susurró Peaks.

Drake asintió.

—Sí, a los romanos se les daba bien prolongar mucho, mucho tiempo la muerte.

—¡Los asesinaste!

Drake se rio.

—No, solo los he clavado aquí. Me divertí con ellos, claro, pero los mató el hambre. Hay que darles agua de vez en cuando o va demasiado rápido. La sed puede tardar entre tres días y una semana en matarte. ¿Pero el hambre? Coño, eso puede tardar entre cuatro o cinco semanas. Más, si les das algún zurullo de murciélago o coyote para comer —sus labios crueles sonrieron—. ¿Ves a esa zorra de ahí, a la pelirroja? Tardó treinta y cuatro días. Gritando, suplicando, llorando. Como si fuera mi equipo de sonido particular.

Peaks sintió náuseas. Sabía lo que era Drake. Había visto fotos de gente, sobre todo mujeres, desolladas por Mano de Látigo. Había oído o leído todas las historias de los supervivientes de la ERA. Había visto la película basada en el libro de Ellison. Pero las fotos y las historias y las películas no podían prepararlo para la realidad. Porque, para empezar, la realidad olía.

«¿Dónde me he metido?».

En su arrogancia, Peaks siempre se había imaginado que utilizaría a Drake como una herramienta práctica, como si ese cabrón enfermo fuera un destornillador que pudiera sacar según le conviniera. También pensó que podría utilizar y controlar a Dekka Talent...

«Nota mental —pensó—: Nunca asumas que joven equivale a débil o complaciente».

Pero, y con ello trataba de tranquilizarse, tenía a Dragón en su interior, y si Drake intentaba algo... Sin embargo, aun así, a pesar de todo, Peaks estaba acojonado de la muerte.

—Hablando de morir de hambre, ¿tienes comida? —preguntó Peaks, intentando fingir que no estaba impresionado.

Drake asintió.

—Algo. Yo no necesito comer, pero a veces me gusta... el sabor. Y a Britanny, la cerdita, le gusta mordisquear una galletita de vez en cuando. No puede tragar, claro. —Drake se levantó la camiseta y mostró un cuerpo fuerte, esbelto, con abdominales marcados y el bulto del rostro de una chica sobresaliendo como una verruga espantosa en la parte superior del pecho.

Mucho tiempo atrás, Drake se había fundido con Brittany, que una vez, muchos años antes, fue uno de los «soldados» de

Sam y Edilio, una chica moral, religiosa y decente que se había vuelto completamente loca. Los alambres de metal de su aparato dental roto aún sobresalían de la boca a la que gustaba masticar y escupir alguna que otra galletita.

Que Peaks apenas hubiera reparado en la «acompañante» de Drake era un reflejo de lo horripilante que era la cueva, con las velas parpadeantes que mostraban huesos descoloridos y pieles destrozadas. El chico extendió su brazo de pitón y agarró una caja de galletas Ritz que lanzó a Peaks.

—Puedes comerte estas, pero dale una a Brittany, la cerdita.

Y Tom Peaks, que había sido una de las personas secretamente más poderosas del país, se percató de que carecía de fuerza de voluntad para negarse. Con cuidado, puso una Ritz en la boca con el aparato sobresaliente y observó con fascinación mórbida mientras masticaba y dejaba que los restos cayeran por el vientre de Drake.

—¿Y ahora qué, maestro? —preguntó Drake—. Me prometiste a Astrid. Tengo sitio para ella en la pared.

—Hay personal de seguridad con Ellison y Temple, y ahora se habrá duplicado o triplicado —respondió Peaks masticando migajas—. Pero dentro de un mes... —se encogió de hombros—. Se está desmoronando todo, Drake. La civilización se resquebraja y se derrumba. La ley y el orden ya no serán sostenibles.

Drake inclinó la cabeza, genuinamente interesado. Lo de la civilización derrumbándose parecía hecho a su medida.

—Creímos que podríamos contenerlo, pero no podemos —resumió Peaks.

Drake volvió a chasquear el látigo, y de la oscuridad surgió una lata caliente de cerveza, que Peaks se bebió, agradecido.

—Cuéntame —dijo Drake—. Cómo lo ves, paso a paso.

Peaks reflexionó.

—Bueno, plantéatelo así: la Anomalía de Perdido Beach, la ERA, fue un golpe tremendo para todo aquello en lo que creían los seres humanos. Y cuanto más descubríamos, peor se ponían las cosas. Lo que ocurrió dentro de la cúpula tendría que resultar imposible según las leyes de la física. Lo que significa que las leyes de la física, o bien son una gilipollez, o son como un código informático y pueden *hackearse* o —Peaks se encogió de hombros— todo es una ilusión.

Drake asintió.

—Somos su tele.

—¿La de los observadores oscuros?

—Como se llamen. Brittany, la cerdita, dice que son dioses, ¿verdad, cerdita?

Rechinaron los dientes en la boca de su pecho, y una voz susurrante y ahogada opinó:

—Dioses del infierno, no del cielo.

—¿Lo ves? Es divertido hablar con ella.

«Me estoy volviendo loco —pensó Peaks—. Me estoy volviendo absolutamente majara. Estoy en una cueva decorada con víctimas de una crucifixión, hablando con un asesino en serie que da galletitas a la chica que vive en su pecho».

—Así que —insistió Drake—, ¿qué pasa si la civilización se hunde y arde?

Peaks se encogió de hombros.

—Entonces volvemos a la evolución, a la supervivencia de los que mejor se adapten, de los aptos. La gente se adapta para sobrevivir, y los que no, no sobreviven.

Drake había quemado unas ramitas y ahora tenía encendida una pequeña hoguera. Peaks observaba el humo que se alzaba. Había otra abertura en la cueva, eso estaba claro, algo que hacía de chimenea.

—¿Qué quieres, Drake? —preguntó Peaks.

—¿Yo? Divertirme, como siempre.

—¿Eso? —Peaks señaló en dirección a los cuerpos colgantes.

—Y más. Mira, lo que pasa, Tom, es que no me pueden matar. Todo el mundo lo ha intentado. Pero de alguna manera vuelvo una y otra vez. Es un poco raro hasta que te acostumbras. Como cuando Brianna me cortó en pedacitos y los repartió por todas partes. Me recompuse. Luego mi querido Sammy me quemó y me convirtió en cenizas. Pero quedaba un trocito de mí, de cuando me cortó Brianna, y con eso bastó. —Drake meneó la cabeza, como recordando tiempos mejores—. Yo no... no pensaba ni nada. Pero cuando ese último trozo empezó a crecer, pues, enseguida, *pum*, volví a ser yo. Brittany, la cerdita, y yo. Así que, mira, no me preocupa adaptarme o evolucionar, o incluso sobrevivir.

—Así que no irás a la universidad —dijo Peaks, sin cambiar de expresión.

Drake mostró sus dientes lobunos.

—Soy un chico simple, con necesidades simples.

—Tortura. Violación. Asesinato.

—No hables si no lo has probado. ¿Te suena aquel tío, el tío rico que desapareció hace un par de años? Pues es este —señaló al hombre crucificado—. El primer día me ofreció un millón de dólares. Y al siguiente, mil millones. —Drake sonrió, disfrutando de los recuerdos—: ¿Y tú qué buscas, Peaks?

Tom Peaks lo pensó. Había sido un hombre respetado y poderoso. Tenía familia, carrera, cosas que le gustaban e importaban y que disfrutaba. Pero todo eso ya había desaparecido.

—Sobrevivir —respondió Peaks.

«Por Dios —pensó—. ¿Eso es? ¿A eso se ha reducido todo? ¿De dirigir el destacamento 66 a rezar por sobrevivir a cualquier precio... en solo una semana?».

Drake se rio.

—Tú no eres como yo, Peaks. A mí no pueden matarme, pero a ti sí. Tarde o temprano te cogerán.

Peaks quería replicarle, pero algo en su interior se deshacía como una galleta rancia. Se sentía asqueado, hasta lo más hondo. Había perdido a su familia... su carrera... el sentido de la vida. Contaba con un poder tremendo como Dragón, pero también conocía las bazas del gobierno, y sabía que Drake tenía razón: lo encontrarían y lo matarían.

—Ni siquiera puedes procesar todo esto, ¿verdad? —se burló Drake. En su pecho, Brittany esbozó una sonrisa metálica socarrona—. Como mucho habrías durado seis semanas en la ERA. Caine Soren te tendría lamiéndole los zapatos por un pedazo de rata hervida. Crees que eres la repanocha con tu rollo de Godzilla, pero apenas sobreviviste a Dekka y Shade Darby. Alégrate de que nuestro querido Sammy ya no tenga sus poderes. Pelele.

El insulto le hirió el orgullo, y Peaks casi le replica. Casi. Lo cierto es que estaba asustado. Le asustaba el futuro, le asustaba lo que había hecho. Drake lo tenía aterrorizado. Ahora por fin entendía la reacción extrema de Dekka cuando le contó que Drake estaba vivo.

Pero, más allá de las burlas, Peaks percibía que Drake buscaba un líder. Drake no tenía ningún plan, ni lo tendría, aparte de pensar en su próximo asesinato.

—Necesitamos lo mismo que ellos si quieren sobrevivir. Necesitamos caos. Sin caos, el gobierno acabará imponiéndose. Esto se ha convertido en una pelea de todos contra el gobierno.

Drake alzó una ceja. Brittany babeaba.

—Si la civilización no se derrumba del todo —aclaró Peaks—, nos acabarán cazando, uno tras otro.

—Ajá. —Drake estaba de acuerdo—. Apuesto a que te vendría bien un trago un poquito más fuerte. —Extendió de golpe su tentáculo y al recogerlo llevaba media botella de vodka—. Ten, te dará valor.

Peaks le quitó el tapón y tomó un sorbo largo, tras lo cual añadió:

—Tengo que saber todo lo que sepas sobre los observadores oscuros. ¿Qué quieren? Y lo que es más importante, ¿ayudarán?

—No ayudan. Solo miran. A veces se vuelven impacientes. A veces se ríen. A veces notas que no quieren que hagas algo. Pero no interfieren... Mira... —Drake se inclinó hacia delante. Su rostro proyectaba sombras dignas de la casa del terror—. Todo esto, la roca, la ERA, todo esto... Es una serie de televisión, Tom. Solo están esperando a ver cómo acaba.

CAPÍTULO 6
¿Sientes mi dolor? ¿Y ahora?

—MALIK... ¿CÓMO... TE ENCUENTRAS hoy? —preguntó Shade.

A Malik no le costó mucho salir del hospital. Todos los que se encontraban en él o cerca de él, desde el empleado del aparcamiento pasando por los vigilantes armados que había fuera de su habitación hasta el jefe de medicina, cayeron al suelo atacados por un dolor insoportable.

Shade conducía. Malik iba de copiloto, con Cruz sentada detrás de él. La ráfaga de dolor proyectado había cesado y Malik volvía ser Malik otra vez.

Casi del todo.

Al mirarlo de refilón, Shade notaba diferencias sutiles. Malik no era totalmente Malik, sino una versión de Malik, una reconstrucción de Malik basada en su propio recuerdo, un Malik mutado. Le había desaparecido la cicatriz del labio. Tenía los hombros más anchos. El rostro más estilizado. Era un avatar muy realista de Malik.

Shade sabía que lo que veía Cruz aún era más inquietante. Sentada detrás de él le veía la nuca y el cuello, zonas que Malik no se veía a diario, por lo que no se las imaginaba, así que la nuca era menos detallada, como una fotografía borrosa o una animación barata.

Shade lo entendía: cuando Cruz cambiaba, se convertía en cualquiera que hubiera visto, o en alguien que hubiera conocido en la vida real. Pero la parte de delante, la que veían las cámaras, había de ser más detallada que la trasera. A veces, si solo tenía una imagen delantera, la espalda era tan vaga como un espacio vacío, con lo que podía llegar a parecer un Morgan Freeman impecable, pero vacío por detrás de las orejas.

La ropa de Malik era lo menos convincente de todo: demasiado limpia y sin arrugar, como si fuera de papel y no de tela. Y su cabello rizado y desordenado, como de caniche, ahora se parecía demasiado a un lazo negro demasiado definido.

—Soy... distinto —comentó Malik—. Estoy... ya no siento el dolor, pero sé que está ahí. Es como estar al otro lado de un cristal traslúcido. Yo... —pareció perder el hilo durante un instante. Un instante demasiado largo.

Shade buscó la mirada de Cruz por el retrovisor. Se dirigían hacia el noreste, alejándose del Pacífico, alejándose de Los Ángeles, sin un destino en mente excepto «aquí no».

Malik volvió a hablar, y su voz parecía más apagada en cierto sentido, como si viniera de lejos.

—He cambiado, ¿no? —Se tocó el brazo y se frotó la piel.

Shade sintió un nudo enorme en su interior. Quería llorar, quería acabar con su vida, escapar del peso aplastante de la culpa, que sabía que seguiría aplastándola, que nunca la dejaría en paz.

—Sí, conejito. —Tiempo atrás, ese era el apodo cariñoso con el que le llamaba cuando eran íntimos.

Malik asintió.

—Me temo que estoy un poco confundido.

Shade asintió, pero no podía hablar. Se secó las lágrimas tan discretamente como pudo.

Cruz se dio cuenta y dijo:

—Malik, te quemaste. Mucho. Muchísimo, amigo mío —entonces añadió una palabra repleta de tristeza—. Fatalmente.

—Pero... —empezó Malik, y volvió a quedarse callado, pensando, al entender lo que Cruz quería decir, que era espantoso—. Si vuelvo a ser normal, me moriré, me moriré de un dolor terrible, ¿verdad? ¿Shade? —El pánico agudizó sus palabras.

Shade agarraba tan fuerte el volante que se le ponían los dedos blancos.

—Sí, Malik —susurró.

Luego hubo otro silencio largo, y cada silencio era más condenatorio que el anterior, cada silencio era como una cuchilla en el corazón de Shade, en la confianza en sí misma. Quería decir que lo sentía, que lo sentía muchísimo, pero esas palabras no significarían nada, ni para él, ni para ella.

—Nunca me he visto a mí mismo como soy ahora, ¿verdad? —preguntó Malik—. Quemado, quiero decir.

—Estabas vendado... —aclaró Cruz.

—*Los* siento —señaló Malik.

Las dos chicas sabían lo que quería decir, pero Shade preguntó igualmente, porque si no lo hacía parecería indiferente.

—¿Los?

Shade no era indiferente, estaba destruida por dentro. Pero tenía que conducir el coche. Y pensar qué hacer a continuación. Así que debía entender a Malik, lo que implicaba entender dónde lo había llevado y enfrentarse al coste humano de sus decisiones estúpidas, estúpidas y temerarias. Y si seguía por ese camino, los sentimientos de culpa y odio hacia sí misma solo irían en aumento. El tiburón frío y de ojos muertos que

Cruz siempre decía que formaba la otra mitad de Shade pugnaba por crecer en ella, pero el peso del odio que sentía por sí misma era mayor. Shade se notaba al borde de un precipicio, tambaleándose junto a un agujero negro interminable.

—Los observadores oscuros —respondió Malik—. Nunca podré librarme de ellos, ¿verdad?

—No lo sé —respondió Shade.

—Y antes, ¿qué he hecho? La gente gritaba. He sido yo, ¿no? ¿He hecho daño a esa gente?

Shade volvió a buscar la mirada de Cruz en el espejo, suplicante.

—Tienes un poder, Malik, y quizá puedes... —empezó Cruz, pero entonces Shade notó que dudaba. Shade sabía, y Cruz también, que estaba dictaminando una especie de sentencia de muerte—. Parece que puedes proyectar dolor. Tu dolor, creo. De alguna forma, puedes infligírselo a la gente. Al mutar, casi éramos inmunes, como cuando hablabas del cristal traslúcido, como si supiéramos que estaba allí, pero no nos alcanzara.

La voz de Malik sonaba infantil, herida e incrédula.

—¿Quieres decir que hago daño a la gente?

—No les hace daño, no les causas heridas —replicó Shade, rápidamente—. Solo es dolor.

—¿Solo dolor? ¿Solo dolor? —replicó entonces Malik, y de repente se echó a llorar.

Shade nunca había visto llorar a Malik. Parecía imposible, y nada imposible a la vez. Malik era fuerte, pero era un ser humano decente, de corazón, un buen tío en este mundo. Y ahora era una buena persona capaz de provocar un dolor terrible a los demás.

—¿Y aún está pasando? —preguntó Malik, sollozando con voz infantil.

—No, ya ha parado —lo tranquilizó Cruz—. Ha durado unos pocos segundos, puede que un minuto. Igual puedes controlarlo. Igual puedes... ya sabes... usarlo.

Todo era chungo en aquella conversación, era como atravesar un campo de minas psíquico.

—¿Usarlo? —replicó Malik—. ¿Como tortura? ¿Ese es mi poder? ¿Así escapo de la muerte? ¿Provocando dolor a la gente? —El tono infantil estaba desapareciendo para dar paso a una indignación creciente—. ¿Voy a vivir el resto de la vida con los observadores oscuros en la cabeza? ¿Y ahora solo puedo hacer daño a la gente? ¿Esa es mi vida? ¿Eso es lo que soy ahora?

Tenía las palabras en la punta de la lengua, pero Shade no decía «lo siento». Decirlo sería como pensar que esas palabras significaban algo. Como si diciendo algo estúpido fuera a resultar menos atroz lo que había ocurrido.

Lo que había ocurrido por su culpa. Si se disculpara sería como pedirle perdón, y ni quería ni merecía su perdón.

—Quiero verlo —acabó diciendo Malik—. Quiero ver qué soy de verdad. Mi cuerpo real, no este... —Chasqueó un dedo contra su bíceps como si esperara descubrir que era insustancial.

—Malik, no puedes cambiar, el dolor te... —le advirtió Cruz.

—¡Aaaaaah! —gritó Malik, y para horror tanto de Shade como de Cruz ya estaba mutando, su carne demasiado enjuta comenzaba a arremolinarse y recomponerse.

—¡Páralo! —gritó Shade, y deslizó el coche hasta el arcén—. ¡Para, para, para! ¡No lo hagas!

Pero la ropa de Malik se había convertido en humo, y la ilusión de carne sana había dado paso a una criatura de carbón y carne roja furiosa y hueso descolorido, y Malik chillaba y chillaba mientras Shade gritaba:

—¡Páralo, páralo, páralo!

—¡Miradme! —gritaba Malik, mirando sus muñones espantosos por piernas—. ¡Miradme!

—¡Cambia, Malik, ahora! —intervino Cruz.

—¡Miradme!

Durante un segundo, la Shade más dura se impuso lo bastante como para espetarle:

—¡Maldita sea, Malik, cambia! ¡Ahora!

Su voz atravesó el dolor cegador y ensordecedor que le destrozaba el cerebro, y Malik empezó a cambiar. Cruz observó horrorizada y fascinada al mismo tiempo la carne cubriéndole los huesos, invirtiendo de manera inquietante el daño que el vapor supercaliente y el fuego líquido le habían provocado.

—Lo siento, lo siento, lo siento —finalmente brotaron las palabras inútiles, porque la única alternativa cra el silencio. Y se evaporaron: irrelevantes, insuficientes, inútiles. Shade se aferraba al volante como si intentara romperlo por la mitad, incapaz de mirar al chico. Hasta que se volvió y con una mano agarró el hombro reconstituido de Malik.

—Házmelo a mí. ¡Haz que yo lo sienta, haz que yo lo sienta! ¡Hazme daño! ¡Solo a mí!

Malik meneaba la cabeza diciendo que no, que no, pero Cruz insistió:

—Hazlo, Malik. Mira a ver si puedes concentrarlo.

—¡No quiero hacer daño a Shade!

—Shade necesita sentirlo —intervino Cruz, y meneaba la cabeza, maravillada ante aquella locura, ante la locura y el sentimiento destructivo de que todas las cosas, en todas partes, se hundían cada vez más, de que el mundo entero se tambaleaba hacia una meta que solamente llevaría a la destrucción.

—Voy a intentarlo —dijo Malik.

Shade se armó de valor.

—Uno... dos... tres... —Cruz contaba los segundos, esperando sentir el dolor brutal de antes. Pero nada—. Cuatro... cinco... seis...

—¡Aaaaaaaarg! —gritó Shade de repente—. ¡No, no, nononono! ¡No! ¡No! ¡No! —Sus gritos resonaban en el coche, ensordecedores. Shade arañaba frenéticamente la puerta con unas manos que no controlaba, solo la huida ocupaba la mente reducida al instante a un estado animal.

Entonces Shade se hundió y enmudeció, a excepción de la respiración entrecortada.

Durante mucho rato nadie tuvo nada que decir. A Shade le caía sudor por la cara, sumado a lágrimas amargas. Hasta que volvió a incorporarse al tráfico.

—¿Dónde vamos? —preguntó Cruz.

Shade apuntó con la barbilla hacia delante.

—Por ahí.

Condujeron hacia las montañas, hacia las grandes montañas secas, hacia el desierto, alejándose de la gente, del puerto de Los Ángeles, alejándose sin parar, pero nunca de la única persona que Shade más quería abandonar: a sí misma.

Y, sin embargo, por mucho que la consumiera el sentimiento de culpa, que la destrozara el dolor que Malik había vuelto a mostrarle, no obstante, en lo más profundo de lo más hondo de su mente, el tiburón empezó a moverse liberado de algún modo por el dolor, como si fuera una penitencia. No había otro camino a seguir. Malik no estaba en condiciones de tomar decisiones. ¿Y Cruz? Bueno, pensó Shade, Cruz había estado increíble, pero solo como apoyo. No estaba dispuesta a hacerse responsable. No estaba dispuesta a liderar. Solo el tiburón podía hacerlo.

«Porque hasta ahora lo he hecho tan bien...».

Eran tres fugitivos huyendo de todo el gobierno estadounidense, y puede que de uno o más monstruos mutantes. Nadie podía volver a casa. Ya no eran hijas e hijo, ya no eran niños en absoluto, ya no eran nada de lo que iban a ser. Eran monstruos, los tres. Monstruos que pretendían ser héroes.

—Cruz —dijo Shade—. Cojo esta salida hasta Desert Hot Springs. Googlea «Casas en venta». Encuéntranos una que lleve un tiempo vacía; por lo menos dos semanas.

Como cualquier ciudad del desierto de Mojave, Desert Hot Springs era plana y poco poblada. Prácticamente ningún edificio tenía más de una planta. Todas las casas eran tipo rancho, y los negocios estaban señalados con letreros anodinos quemados por el sol. Pasaron junto a parques de caravanas vallados, gasolineras, restaurantes familiares modestos, siguiendo en dirección a cadenas montañosas secas que nunca parecían acercárseles.

Cruz encontró una casa en venta y se dirigieron hacia ella. No estaba vallada y era un tanto solitaria al encontrarse muy apartada de la carretera; una sola palmera desgreñada vigilaba un patio por lo demás desprovisto de vegetación.

Shade pasó junto a la casa y aparcó medio kilómetro más allá.

—Perdonad —dijo, y luego mutó y salió corriendo. Treinta segundos más tarde ya había vuelto—. Está totalmente vacía. He entrado por una ventana de atrás. Podemos esconder el coche en el garaje.

Dentro, la casa estaba limpia y completamente vacía, y olía a limpiador de alfombras y pintura fresca. Pero la llave del agua estaba abierta. El calentador no, pero no había agua realmente fría en esa parte del mundo. Cruz prácticamente corrió hacia la ducha y permaneció media hora bajo el chorro tibio, deseando que el agua le penetrara en la mente y borrara el recuerdo, las dudas, la ira y el miedo, dejándola limpia por dentro y por fuera. Cuando terminó se vistió con su ropa de antes, pues no había toallas.

Shade levantó la vista cuando Cruz reapareció.

—Necesito una tienda. Grande. Hay un Target, pero está un poco lejos, así que conduciré hasta allí en vez de correr. Vuelvo en una hora.

Malik y Cruz se sentaron sobre la alfombra beige recién aspirada y apoyaron la espalda contra la pared también beige. La electricidad seguía funcionando, y Cruz encendió el aire acondicionado. Encontró una vieja taza de plástico rojo marca Solo en la parte trasera del armario, la limpió y le llevó un vaso de agua a Malik, quien, agradecido, se lo bebió de un trago.

—A Shade se le ocurrirá algo —comentó Cruz, y se estremeció al percatarse de lo poco convincente que sonaba.

—Sí —dijo Malik. Pero no la escuchaba. A Cruz no, vamos.

—¿Sientes a los observadores? —preguntó la chica.

Malik asintió despacio, con los ojos fijos en nada.

—Es como... como... como si te tocaran. Como si se metieran... dentro de tu cabeza. Los siento dentro. Se meten en sitios... recuerdos... —El chico meneó la cabeza—. Supongo que ya lo sabes. Cuando me resisto, se ríen de mí.

—Se dio un golpecito en un lado de la cabeza—. Aquí dentro. Es como si hubiera otra gente dentro de mi cerebro, Cruz, como... —Volvieron las lágrimas amargas, inevitables. Lágrimas de derrota.

El dolor del cuerpo quemado, o el de la mente invadida. Esas eran las opciones de Malik ahora. Lo veía claramente: dolor o locura. Porque al final, Malik sabía que los observadores oscuros lo derrotarían. Eran incansables e implacables, esos zarcillos oscuros que buscaban en su interior, que lo atravesaban, tratándolo como una especie de mediateca donde podían teclear sus recuerdos y reproducirlos como si su corta vida fuera una película biográfica.

—Malik —dijo Cruz suavemente—. Puede que esto sea una estupidez...

No hubo respuesta.

—Puede que sea una locura, pero... pero si pueden verte, igual va en ambos sentidos, ¿sabes? Igual puedes descubrir algo sobre ellos.

Malik la recompensó entrecerrando los ojos, el primer gesto reconocible que hacía desde que salieron del hospital.

—Igual... —dijo el chico, pero negando con la cabeza.

Y un minuto después.

—Igual... —Y esta vez no negó con la cabeza.

Entonces reapareció Shade; el ruido del coche entrando en el garaje la anunció. Traía sacos de dormir y analgésicos de los que iban con receta, cuya desaparición repentina de las estanterías tras lo que parecía una ráfaga de viento desconcertaría al farmacéutico. Y también comida, zumo de naranja, y una botella de vodka.

Comieron y bebieron, y Malik se tragó un puñado de pastillas por si cambiaba de forma al dormir. La oxicodina solo serviría para amortiguar un poco el sufrimiento, pero era lo único que tenía.

Malik se durmió el primero.

Shade y Cruz se lo quedaron mirando, hasta que sus ojos se encontraron.

—Sé lo que sientes —dijo Cruz.

Shade meneó despacio la cabeza.

—Bueno, puedo adivinarlo —insistió Cruz, impaciente—. Pero Shade, no puedes dejar que esto te destruya.

La comisura del labio de Shade iba a esbozar un gesto peculiar, que acabó siendo negativo.

—Pero ya lo ha hecho, Cruz. Ya lo ha hecho.

CAPÍTULO 7

Hay más de una clase de depredador

—¿QUIERES UN TIRO, NIÑA?

Francis Specter, de catorce años, tenía los cascos puestos, y Lars Frederiksen cantaba sobre vivir «en las granjas» y que lo hubieran criado moteros.

Francis no había estado «en las granjas», un eufemismo para la prisión juvenil, pero sí que la habían criado moteros. Moteros como «Cabeza de Mango» Briscola, el «viejo» actual de su madre, que se había ganado el apodo por estampar la moto contra un semáforo y abrirse la cabeza. Tras pasar por quirófano, un segmento del cráneo le sobresalía más de medio centímetro del cuero cabelludo, y en esa región de quince centímetros el cabello antes oscuro crecía en un tono naranja espantoso, de ahí «Cabeza de Mango».

Cabeza de Mango Briscola tenía cuarenta y cinco años, una edad bastante avanzada para la cultura pandillera motera, la barba poblada y grasienta salpicada de polvo de Cheetos, el rostro marcado y enfermizo, y los dientes en descomposición. Muchos adictos a la meta tenían los dientes así, y era por eso, entre otras razones, por lo que Francis Specter respondía...

—No.

—Oooh, vamos, corderito, métete un poco. —Y le pasó una ampolla llena de polvo blanco—. Así nos montamos una fiesta.

—Tengo catorce años, chungo.

Cabeza de Mango sonrió.

—Si ya manchas...

Tensa, Francis se alejó mientras Cabeza de Mango seguía con sus chiflas estentóreas.

—¡Tarde o temprano nos montaremos una fiesta, tú y yo!

Francis no tenía otro lugar donde ir; no es que hubiera precisamente un millón de alternativas. La pandilla, los hunos de Mojave, vivía en lo que llamaban un «complejo» formado por tres caravanas, dos chabolas, una Winnebago muy oxidada sobre bloques de hormigón, un excusado exterior, asqueroso y apestoso, y un tanque de GLP oxidado con el logo de la pandilla mal pintado, que era una representación muy estilizada de una huna muy rubia y muy blanca blandiendo un hacha de guerra.

Francis había leído acerca de los hunos originales por internet. Vinieron de Asia y desde luego no eran blancos, pero no había sido tan insensata como para comentárselo a Cabeza de Mango o a su madre, y desde luego no al líder de la panda, que tenía una bandera de la rana Pepe ondeando sobre su caravana. Y los hunos originales tampoco eran traficantes de droga.

El complejo se encontraba a pocos metros de la 392, que conducía hacia la interestatal 40, y Francis, si quisiera, podría caminar kilómetro y medio por la carretera de dos carriles, y atravesar la nada de arena roja hasta el Russell's Truck and Travel Center, un restaurante con parada de camiones, tienda y gasolinera. Más allá, la caminata sería muy muy larga, de ciento veinte kilómetros, hasta Amarillo, Texas. Eso era todo, aparte de pequeñas «ciudades» sin valor en las que solo había restaurantes de comida rápida y gasolineras.

Su única vía de escape, su única ventana el mundo, era su teléfono y la conexión a internet, desesperadamente lenta, con lo que cualquier página de Wikipedia tardaba en cargarse un minuto entero.

Solo por aburrimiento, Francis se había tragado parte de lo que la pandilla llamaba la roca de Jesús, unos trocitos de piedra de un sitio llamado Perdido Beach. La roca emitía un débil brillo verde en la oscuridad, y la pandilla había decidido que era su inspiración, una especie de tótem de la suerte. La pandilla no respetaba nada salvo la lealtad a la pandilla, el silencio ante la policía y una especie de adoración negligente, distraída y medio burlona de la roca, sobre cuyo auténtico poder no sabían nada. Solo Francis había sido lo bastante astuta como para vincular la piedra «sagrada» de la pandilla con el monstruo que había aniquilado el puente del Golden Gate.

Una noche se había llevado uno de los pedacitos de roca al desierto, tendió una manta, y, echada boca arriba mientras se fumaba un *peta*, observó la única maravilla auténtica que podía disfrutarse en el vacío de Nuevo México: el cielo magnífico repleto de un millón de estrellas, más de las que nunca vería un habitante de la ciudad. Entonces, un poco fumada y sosegada, por motivos que no sabía explicar más allá de «Estaba aburrida», machacó el pedacito de roca hasta hacerlo polvo con la empuñadura del cuchillo. Y luego lo esnifó.

Dos días más tarde, Francis fue con su madre al Lowe's Market de Tucumcari. Cogieron la vieja camioneta Chevy de un amarillo pota de bebé que destinaban a comprar comestibles para los diecinueve miembros del complejo. Francis estaba encargada de robar filetes: tenían dinero para algunas cosas, pero para filetes desde luego que no.

La habían pillado con dos bandejas de chuletón en la mochila y la chica había salido huyendo del dependiente y del *segurata* gordo. Su madre, que se suponía que tenía que distraerlos si esa desgracia ocurría, se había desmayado y estaba sentada despatarrada entre cajas aplastadas de Cheerios y Wheat Chex.

Francis corrió hasta la entrada de la tienda, pero le cortaron el paso, por lo que echó a correr de vuelta hacia el fondo, con la intención de dirigirse hasta la zona de almacenaje y escapar por la zona de carga. Pero entonces, procedente de ninguna parte, apareció un hombre grande, y la chica ya no sabía dónde ir.

Así que se... La verdad, no tenía palabras para explicar lo que ocurrió a continuación. Recordaba la sensación de pánico, pues sabía que, si la pillaban, la pandilla no tenía ni los medios ni el interés por sacarla de la cárcel. El miedo le hacía ver las cosas de un modo distinto. Extraño. La pared exterior de la tienda, repleta de cajas de lejía y rollos de seis de papel higiénico, pareció «torcerse». Era indescriptible, Francis no tenía palabras para hacerlo, pero sentía como si hubiera saltado al otro lado y se encontrara de repente en la zona del aparcamiento, en la parte de atrás de la tienda.

Desde entonces no se lo había contado a nadie. Pero cuando pudo, cuando se aseguró de que nadie la veía, se puso a experimentar. Era raro, porque el mundo parecía tan sólido como siempre... hasta que adoptaba lo que le parecía un «estado de ánimo adecuado». Cuando lo hacía, lo veía distinto. Y para su sorpresa, también se veía distinta: parecía brillarle la piel, como la luz del sol en un charco grasiento. Como un arcoíris.

La mano de arcoíris de Francis «atravesó» sin esfuerzo las paredes de la caravana; se acercó caminando, aunque le pareció que se deslizaba, hasta el tanque de GLP; se echó en su catre infestado de pulgas en la casucha donde dormía y lo atravesó también sin esfuerzo.

Entonces cogió valor para el «jódete» final: atravesó la caravana del líder de la pandilla. No como si hubiera entrado en ella, sino como... como si «entrara» y la «rodeara», como si la caravana fuera una caja plana dentro de la cual veía al «gran hombre» comiéndose un burrito, como si él saliera por la tele y ella fuera una persona tridimensional sobrevolándolo. Pero no, tampoco era eso, porque no solo acababa de verlo comerse un burrito, sino que veía que el burrito le entraba por la garganta hasta llegarle al vientre. Francis vio el corazón y los pulmones y el interior y el exterior del hombre, todo simultáneamente.

También puso a prueba su valor, además de su poder, cruzando una carretera concurrida y dejando que un camión Costco con remolque la «atravesara» y «rodeara».

Francis Specter había adquirido un poder: era una rocosa 2.0.

Pasó mucho tiempo conectada a internet, y sus investigaciones la llevaron a páginas donde se hablaba mucho sobre dimensiones extra e incluso de un universo holográfico.

Y entonces se encontró con un fragmento de vídeo donde se veía a alguien identificado como Dekka Talent, que parecía un felino negro enfadado y bípedo, y que llevaba rastas que acababan en cabezas de serpiente, pero subida a una motocicleta de primera. A una motocicleta, y eso que era negra. Los hunos de Mojave consideraban tal cosa una especie de delito racial, como si las motos solo fueran para blancos.

Hacía tiempo que Francis se planteaba huir. No pasaba un solo día sin que Cabeza de Mango o alguno de los otros le tirara los trastos; no pasaba un solo día sin que le ofrecieran meta, mescalina, *oxi*, y a veces cocaína. Con catorce años, sabía que tendría que estar en el colegio, pero su último día en la escuela fue tres años atrás, cuando su madre era una respetable bibliotecaria escolar, no una yonqui demacrada de dientes marrones y ojos hundidos.

Pero cada vez que se había planteado escapar, la pregunta era siempre la misma: ¿dónde? Se encontraba a un millón de kilómetros de cualquier parte. Si trataba de hacer autostop, o bien la acabarían pillando o la recogería algún camionero vicioso o la descubriría algún miembro de la pandilla. Dirían que era una traidora y le darían una paliza, lo que, teniendo en cuenta la experiencia, la dejaría agarrotada y dolorida en el mejor de los casos, y sangrando e incapacitada en el peor. A un «traidor» anterior lo habían enterrado en el desierto a pocos kilómetros de donde se encontraban.

Pero ¿y la «peligrosa» chica gata negra de la moto? Bueno, Francis se imaginaba que Dekka Talent la llamaba secretamente. Dekka se había convertido en su destino.

Francis puso en marcha un plan. Pero primero, lo más importante: el dinero.

En el siguiente viaje en busca de suministros a Tucumcari, Francis se alejó de los demás y se dirigió al banco Wells Fargo, donde no le costó nada sortear la pared y entrar. Era domingo, así que el banco estaba cerrado y vacío. Pasó un rato mirando dentro, abriendo cajones sin encontrar nada, hasta que se enfrentó a la puerta de la pesada cámara de acero.

No importaba lo gruesa que fuera la puerta: Francis solo veía una serie de líneas geométricas que la mareaban un poco, ya que no tenían ningún sentido. Pero también sorteó la puerta y entró en la cámara. Entonces accedió sin esfuerzo a las cajas fuertes. Salió deslizándose con 3.200 dólares en efectivo más un fajo de tarjetas de residencia falsas, un collar muy bonito que probablemente fuera de oro auténtico y una bolsita con lo que Francis esperaba que fueran monedas raras.

Se alegró al percatarse de que, cuando era Arcoíris, el nombre medio en broma de su ser extradimensional, podía transportar cosas, su ropa, para empezar, lo cual era extremadamente útil. Pero también, obviamente, el botín del banco.

Francis ocultó su alijo en el desierto bajo una roca plana. Y también tenía la llave de repuesto de la *chopper* de Cabeza de Mango, una Harley con manillar tipo cuelgamonos, en los tejanos.

Y entonces esperó a que cayera la noche.

«La noche», que la gente se durmiera, lo que nunca pasaba antes de las tres de la madrugada, pero finalmente los borrachos aulladores y los colgados de meta agitados se tranquilizaban, se desmayaban, y solo quedaba alerta el perro de la pandilla, un pitbull del que habían abusado mucho y al que Francis obsequiaba con algún que otro trocito de «comida humana».

En cuanto se aseguró de que había tanto silencio como fuera posible, Francis sacó su alijo de dinero y el resto del contrabando, una garrafa de casi veinte litros de agua. Y entonces fue de moto en moto, vertiendo tacitas de agua en cada depósito de gasolina. La gente creía que era el azúcar en el depósito lo que se cargaba el motor, pero Francis había descubierto que eso era una leyenda urbana: el azúcar no se disuelve en la gasolina. Pero el agua sí penetra en la línea de combustible y...

Puede que las motocicletas se pusieran en marcha, pero no llegarían muy lejos.

Entonces la chica se metió la «roca sagrada» en el bolsillo

profundo de la chaqueta, se subió al sillín de la moto de Cabeza de Mango, metió la llave, y tras soltar aire profunda y regularmente, encendió el motor.

El perro ladró. Una voz en la noche protestó: «Qué co...» hasta desvanecerse.

Francis se marchó acelerando lentamente por la 392, saboreando la vibración del potente motor; la invadía una esperanza pequeña, pero que iba en aumento. A lo lejos, por delante de ella, se veía el brillo fluorescente espantoso del bar de carretera Russell's. Pero había algo más adelante, algo inusual. Francis aminoró y levantó la vista y justo entonces vio una forma fantasmal, de un gris pálido, salir disparada en silencio por encima de su cabeza, menos de doscientos metros por encima. Parecía un avión, pero era demasiado silencioso.

Francis decidió ignorarla y continuó pocos segundos más hasta que vio un destello de luz cegadora tras ella, seguido un poco más tarde de una sacudida que hizo saltar la superficie de la carretera.

Por el retrovisor, el complejo de los hunos de Mojave explotó formando una bola de fuego naranja. No era un final inesperado para la pandilla: para cocinar meta hay que saber y ser disciplinado si quieres evitar que te explote todo. Pero ¿a esas horas? ¿Quién dejaría un fuego encendido en el «laboratorio» a esas horas?

Francis se desvió y paró en el arcén. Menos de un kilómetro y medio, un minuto de distancia, la separaba de la aniquilación en llamas de su pandilla... y de su propia madre. Francis cerró los ojos bruscamente, porque no quería imaginarse a su madre saltando por los aires, y al mismo tiempo trataba de evitar las intensas pero vergonzosas emociones que se arremolinaban en su interior.

«Qué alivio».

Pensó que debería llorar. Pero no lo conseguía, no podía. Hacía tiempo que había dejado de fantasear con rescatar a su madre. Su madre había dejado de ser su madre en cualquier sentido normal. Ya hacía años que Francis había dejado atrás esas emociones.

—Adiós, mamá —susurró. Y tras dudar un poco, añadió—: Te quiero.

«Tendría que llorar. Tendría que tener la necesidad de llorar».

Con un nudo en la garganta, temblando de miedo y a sabiendas de que ella misma debería haber muerto, Francis siguió avanzando con la moto, pasó junto a Russell's y se metió en la autopista. Había poco tráfico, y, como era muy consciente de que no tenía permiso de conducir, Francis no rebasaba el límite de velocidad.

Pero sentía que la observaban, y eso la molestaba, y cuando alzó la vista vio el avión gris fantasmal cerniéndose por encima, recortado contra las estrellas. Se retrajo, y Francis pensó que ya no volvería a verlo. Pero entonces, en el cielo, vio una llamarada.

En lo que duraba un latido, Francis lo entendió todo. No era meta cocinándose lo que había hecho estallar el complejo, sino el fantasma gris del cielo, el fantasma gris que había visto varias veces en las noticias de la tele: un dron Predator.

Y acababa de disparar un segundo misil.

Francis aceleró, y la moto pasó de cien a ciento sesenta kilómetros por hora en dos segundos mientras la carretera, a menos de cien metros de distancia, estallaba. La ola expansiva casi la tumba, y la moto coleó bruscamente al salpicarle la grava y sentir la oleada de aire caliente.

Francis siguió avanzando, y el miedo se le acumulaba dentro junto con la esperanza. El complejo había quedado reducido a humo y llamas. Su madre debía de estar muerta, y puede que llegara el día en que la llorara como era debido, pero ahora mismo eso solo significaba que, con toda probabilidad, nadie la seguiría.

A excepción, claro, de quien quiera que acabara de usar el dron Predator para lanzar misiles, uno de los cuales, increíblemente, acababa de abrir un gran agujero en la I-40 en dirección oeste. El primer pensamiento de Francis cuando volvió su mente volvió a funcionar con claridad fue que la DEA, la Administración para el Control de Drogas, estaba aplicando mano dura contra las pandillas de las drogas.

Pero lo que pensó a continuación, y eso era más peligroso, fue que las cámaras de seguridad del interior del banco Wells Fargo también estaban activadas en domingo, en cuyo caso...

«¡Ha sido por mí!».

Tenía algo de efectivo, el depósito de gasolina a medias, la carretera abierta y ningún objetivo, salvo, quizás, sumarse a la chica negra en la Kawasaki.

Eso, y un poder cuyo uso apenas empezaba a comprender.

CAPÍTULO 8
La simbiosis del bien y del mal

—SEGÚN GOOGLE MAPS, hay dieciséis kilómetros y medio hasta el límite del condado. Ida y vuelta son casi treinta y tres kilómetros.

—¿Y? —preguntó Cruz, indiferente.

Se encontraban en el patio trasero de su hogar ocupado ilegalmente, con Cruz sentada sobre los escalones de cemento, y Shade yendo y viniendo por lo que antes debía de ser césped, pero ahora era una parcela de tierra salpicada de alguna que otra mala hierba.

—Quiero que me cronometres. Quiero ver lo rápida que soy. Y quiero ver si esto funciona. —Shade levantó una maraña de tiras de nailon negras y una camarita negra.

Cruz meneó la cabeza lentamente: no porque lo negara, sino porque no se lo creía.

—¿Te parece que esto es lo más importante? ¿De verdad? Estamos de okupas en la casa vacía de alguien, Malik se está volviendo loco y...

Shade apretó los dientes, frustrada.

—Escúchame, Cruz. Cuando quieras tomar la iniciativa y pensar nuestro siguiente plan, hazlo, ¿vale? —Shade se golpeó el pecho, enfadada—. Yo no quiero hacerlo, ¿vale? Esto me supera de largo. ¿Lo pillas, Cruz? ¡Pero muchísimo! Hago lo que puedo, y al menos intento averiguar qué poderes tengo.

Cruz dejó que la ira se consumiera.

—¿Para qué es la cámara?

—Tengo una idea, seguramente estúpida. —Shade empezó a calmarse—. Mira, creo que cuantos más secretos pueda guardar el gobierno, más problemas tendremos. La gente cree que los rocosos son la gran amenaza y el gobierno es la solución. Necesitamos que piensen lo contrario, al menos unos cuantos. Necesitamos que al menos algunos no crean que somos un nuevo tipo de cucaracha que hay que aplastar.

Cruz asintió, adoptando una expresión precavida.

—Voy a cambiar. Me ataré la cámara tan fuerte como pueda y saldré disparada tan rápido como pueda. En cuanto me veas desaparecer, pulsa el cronómetro en tu móvil, y en cuanto reaparezca, dale otra vez.

En realidad, no era el teléfono de Cruz: pertenecía a alguien llamado Janice Harms. Ya se habían acostumbrado a hacer estas cosas, a robar habitualmente. Shade podía apropiarse de unos cuantos entrando a toda prisa en un centro comercial o un Walmart, y siempre había alguno con una contraseña fácil. Entonces, lo apagaban enseguida para que no lo encontraran, y nunca usaban un mismo teléfono más de veinticuatro horas. Cada día robaban muchos teléfonos en Estados Unidos, ni el destacamento 66 podía rastrearlos todos, y ya no digamos enviar investigadores.

Shade se concentró en la tarea, ahora fácil, de transformarse.

«Qué raro —pensó—, qué fácil se ha vuelto. Modifico mi cuerpo radicalmente, como una especie de pubertad instantánea, pero ya lo hago casi por instinto. Igual me quedaría así, si no fuera por...».

Pero no le convenía seguir pensando de esa manera, porque entonces acababa recordando que Malik no podía escapar de los observadores oscuros.

Shade cerró los ojos un instante, concentrándose en sí misma, tratando de olvidar todo lo demás: a Malik, a Cruz, a su padre, a todas las personas cuyas vidas había arruinado. En cuanto mutó, los observadores oscuros se pusieron a acecharla, como fantasmas susurrantes.

Salió disparada con un gran impulso y siguió corriendo, moviendo los brazos arriba y abajo, con las piernas formando un borrón, y una energía de vete a saber dónde. Recorrió la carretera, y no le costó dejar atrás a coches y camiones que iban a más de cien kilómetros por hora, adelantándolos tan rápido que parecían ir arrastrándose.

Más y más rápido, hasta que los coches veloces también formaron borrones, hasta que el paisaje desierto no parecía más que una mancha marrón, hasta que los tejanos y la camiseta que llevaba sobre su cuerpo angular e insectoide mutado se hicieron trizas, con un trozo incluso quemado por la fricción del aire.

La experiencia de desplazarse a velocidad máxima no era como lo que había visto en las películas. Puede que el mundo que iba dejando atrás fuera un borrón, pero, como su percepción también estaba acelerada, desplazaba su centro de atención y veía ese mundo como una serie de imágenes congeladas, como si aislara un solo fotograma de una película.

Pero el sonido estaba distorsionado, y eso no podía evitarlo. Su velocidad no era nada comparada con la de la luz, pero se aproximaba y en ocasiones excedía a la velocidad del sonido. Los ruidos que le venían de delante, en la dirección hacia la que viajaba, lo hacían en un tono mucho más agudo de lo normal. Los ruidos que venían de detrás, o eran bajos y arrastrados como si avanzara a menos de Mach 1, o ya no los captaba por encima de ese punto.

Shade superó Mach 1, lo cual confirmaba el ruido sordo que resonaba por todo su cuerpo, y luego se produjo un silencio profundo. Pero, en general, romper la barrera del sonido era una mala idea, ya que anunciaba su presencia con estruendo.

Tenía que aprender más sobre ese poder y sobre cómo explotarlo. Por ejemplo, ahora entendía que podía resultar realmente invisible, como una especie de hélice de avión: quien la viera notaría el viento, oiría el ruido y vería algo, pero ese algo sería, como mucho, un borrón. Y el cerebro humano tenía ciertas debilidades que explotar, como la persistencia de la visión, la tendencia humana a continuar viendo lo que ya se ha visto, y el sesgo de confirmación, la tendencia humana a ver solo que se espera ver. La gente podía mostrarse increíblemente ciega a lo que tenía justo delante de su cara.

Quince kilómetros. Los recorrió en cuarenta y cinco segundos. Desaceleró en el último medio kilómetro, dio un golpecito al cartel que indicaba el fin del condado, se dio la vuelta, y volvió corriendo.

—Ciento siete segundos —indicó Cruz, con el teléfono en la mano como prueba.

Shade dijo algo mientras zumbaba a hipervelocidad, cambió de forma y lo repitió.

—Casi mil trescientos kilómetros por hora. Más o menos. Más rápida en línea recta, cuando no tengo que girar.

—Supongo que te has dado cuenta de que estás medio desnuda —señaló Cruz.

—*Sip*. —Shade tiró de los tejanos. La cintura estaba rota por la costura trasera, ya no tenía rodillas, los bajos estaban hechos trizas. De la camiseta solo quedaba intacto el cuello ribeteado—. Tengo que encontrar algo lo bastante elástico como para soportar el cambio, pero lo bastante fuerte y ajustado como para recorrer distancias a gran velocidad. Y tengo que correr parte del camino con la mano en la cabeza para sujetar la cámara, así que necesito tiras mejores. —Y probablemente botas, no zapatillas: las suyas habían quedado destrozadas.

—Mira en Amazon, en la categoría de «vestuario de superhéroe» —comentó Cruz, y eso era lo más parecido a un chiste que había dicho en varios días.

—He roto la barrera del sonido —anunció Shade—. Ha sido raro. Pero he descubierto algo acerca de mi cuerpo: se ajusta automáticamente. He notado que perdía contacto con el suelo, y entonces la forma de mi cuerpo ha cambiado. Como un alerón en una carrera de coches. Cuanto más rápido iba, más tiraba la gravedad.

—Bárbaro —dijo Cruz—. ¿Y entonces?

Shade se dejó caer junto a Cruz en los escalones.

—Pues no sé. Supongo que he pensado que me serviría para despejarme. —Shade suspiró—. Lo que pasa, Cruz, es que no tenemos manera de ganar. Por listas que seamos, tarde o temprano el gobierno nos atrapará. Pueden equivocarse y seguir siendo el gobierno. Si nosotras nos equivocamos una sola vez, se acabó.

—¿De verdad ese es nuestro enemigo número uno, el gobierno?

—Los demás que son como nosotros, los rocosos, no nos persiguen, no si no trabajan para el gobierno. El niño estrella de mar no tiene ni idea de dónde estamos, y no le interesamos nada.

—Así que, ¿vamos a derrocar al gobierno? —preguntó Cruz con malicia, en lo que daba por hecho que era un comentario mordaz. Cuando Shade no la hizo callar de inmediato, el rostro de Cruz se ensombreció—. Me tomas el pelo.

—El mundo está cambiando, Cruz. Ha cambiado. Hay demasiada roca por ahí, no solo aquí, sino por todo el mundo. Los chungos de Washington decidirán que lo que hay que hacer es matarnos a todos.

—Shade, tenemos leyes. ¿Te acuerdas de la Constitución y todas esas cosas?

—¿Sí, contamos con eso? —se preguntó Shade en voz alta, y meneó la cabeza—. Trescientos kilómetros al norte de aquí se encuentra Manzanar, que fue donde el gobierno estadounidense encerró a ciudadanos estadounidenses que resulta que eran de origen japonés durante la Segunda Guerra Mundial. La Constitución acabó poniéndose al día con eso, pero últimamente está bastante tocada, le han dado muchos palos. No, el gobierno empezará a matarnos si no nos unimos a ellos. Tienen que hacerlo.

Cruz estaba incómoda, el cemento le había dejado el trasero entumecido, por lo que se levantó, tenía la necesidad de moverse.

—Así que ¿nos unimos a ellos?

—¿Crees que el gobierno no empezará a utilizar la roca contra la gente normal? Tú serías una espía increíble, por ejemplo. Yo podría entrar a toda velocidad en casa de alguien y recoger pruebas... o colocar pruebas falsas. O incluso matar a alguien. Las posibilidades son infinitas. Y solo nos aceptarían si pudieran controlarnos, convertirnos en esclavos.

—Vale, así que huimos a una isla tropical donde nadie haya oído hablar de los rocosos.

—Cruz, no hay ningún sitio en la tierra en el que la gente no haya oído hablar de nosotros. Y desde luego no hay ningún sitio donde la CIA o quien sea no pueda seguirnos.

Cruz se alejó unos pasos, se volvió y se acercó de nuevo.

—Así ¿qué? ¿Nos escondemos hasta que nos atrapen y nos maten?

—No. Necesitamos al público. A la gente. Necesitamos que la gente nos apoye; así al gobierno le costará más asesinarnos y ya.

—¿Y?

Shade se encogió de hombros.

—Tenemos que hacer algo importante, algo que demuestre que no se puede jugar con nosotros, tiene que ser algo bueno y justo por lo que la gente... —Ahí perdió el hilo.

—¿Nos quiera? —replicó Cruz irónicamente—. ¿Que quiera a una chica blanca que puede ir a mil trescientos kilómetros por hora, a una latina trans que se vuelve invisible o se convierte en cualquiera y a un chico negro que provoca descargas de dolor insoportable? Que no somos precisamente Los Vengadores, ¿eh, Shade? Así que, si no tienes previsto curar el cáncer en tu tiempo libre, yo esto no lo veo.

Pero Shade no la escuchaba; estaba pensando en voz alta.

—Si pudiéramos desarmar y entregar a Tom Peaks, o mejor aún, al niño estrella de mar... O si pudiéramos montar un rescate a lo grande, que sí, que no sería tan fácil si no hay un gran incendio, un terremoto, lo que sea, que convenientemente ocurra justo donde estemos. O...

Una de las lecciones deprimentes que habían aprendido era que la vida no se parecía a los cómics, donde siempre había alguna emergencia que necesitara de un superhéroe. Ante una emergencia extrema, nunca estaban lo bastante cerca como para poder hacer algo al respecto. Spiderman podía ir saltando de telaraña en telaraña por Manhattan y siempre se encontraba con que estaban cometiendo algún delito, pero Malik, que era como era, había echado cuentas y, según las estadísticas, Shade podía dedicarse a correr por cualquier ciudad en una semana y no encontrarse con ningún delito a punto de perpetrarse.

De hecho, Malik había llegado a una conclusión desalentadora.

—Lo cierto es que los superhéroes solo resultan realmente útiles si hay supervillanos. Lo de los supers es una pérdida neta y total para la especie humana. En resumen, que Magneto tenía razón: los seres humanos siempre odiarán y temerán a los mutantes con poderes, y tienen buenos motivos para ello.

Shade se había quedado a media frase. Cruz se resistía a preguntarle, pero suspiró y dijo:

—¿O?

—O —continuó Shade, torciendo el gesto— les atacamos a saco, y que les entre miedo de perseguirnos. Y los ponemos en evidencia —y dio un golpecito a la cámara que tenía en la mano.

Los ojos de Cruz se encontraron con la mirada furiosa e intensa de Shade.

—Volvemos al sistema de Malik: héroe, villano, monstruo. A ver, la verdad: todos somos monstruos, mutantes, rocosos, hijos de la roca, como quieras llamarnos, somos monstruos que hacen de héroes o de villanos. —Entonces, como si le preocupara que Shade se planteara seriamente la opción de volverse villanos, Cruz añadió—: Por cierto, yo voto por lo de hacer de héroes.

Shade asintió despacio.

—La verdad es que Malik tiene razón: es una simbiosis. Si preguntaras a la gente normal si quiere criaturas con superpoderes corriendo por ahí, diría que no, que los maten, que los exterminen. Solo llegarán a querernos si somos los únicos que se interponen entre ellos y algo peor.

Entonces Cruz intervino, reticente:

—Creo que... igual tienes razón. Puede que todos los cómics se hayan equivocado con lo de la identidad secreta. Quiero decir, que, si no eres más que un raro enmascarado, la gente no te ve como un ser humano, y ¿por qué alguien normal apoyaría a un bicho raro enmascarado y desconocido con superpoderes?

—Necesitamos un enemigo, y lo que tenemos es el destacamento 66, el gobierno. Y hemos de dar un motivo a la gente para que nos apoye a nosotros, no a ellos.

—¿Así que...?

—Así que al Rancho —acabó diciendo Shade—. Al sitio del que nos habló Dekka, en el norte. Podríamos entrar, grabarlo todo y subirlo a internet.

Cruz negó con la cabeza.

—¿Y eso de qué serviría?

—Porque lo que hacen en el Rancho es ilegal, inconstitucional y está mal. —Shade se levantó y miró a Cruz de refilón con ojos de tiburón—. Mejor aún, es chungo y perturbador, y a nadie le gusta lo chungo.

«Y porque causaremos el caos y en tiempos de caos la gente busca héroes», pensó Shade.

Cruz no dijo nada, solo exhaló largo y tendido.

—Todo es malo, ¿no? Todas las opciones son malas. Yo solo quiero... —Hizo un gesto frustrado con las manos, como alguien que se peleara con un cubo de Rubik defectuoso—. Solo quiero retroceder en el tiempo.

—Hasta antes de conocerme. —No era una pregunta, y Cruz no contestó.

Shade asintió. Aceptaba la ira y la frustración de Cruz.

—Voy a buscar algo rápido para conducir —anunció—. No quiero correr todo el camino, y en cualquier caso quiero que vengáis los dos conmigo. Saldremos dentro de una hora. Díselo a Malik.

Shade se alejó, mutando mientras se desplazaba, hasta hacerse un borrón y desaparecer.

Cruz tenía sus órdenes. Y por primera vez solo habían sido eso: órdenes. Órdenes que Shade le había dado, órdenes que sabía que Cruz obedecería porque no sabía qué otra cosa hacer.

«No puede hacer nada salvo ayudarme a cavar un agujero todavía más profundo. Para enterrarse conmigo en él».

CAPÍTULO 9
¿Apoderarse de qué?

—¡VAYA, VAYA, HOY ES MI DÍA de suerte!

Dillon Poe procedía de una familia rica. Tenían una casa con cinco dormitorios, cinco baños, piscina, jacuzzi y garaje para cuatro coches en una urbanización cerrada de Las Vegas llamada el Promontorio. Los padres de Dillon nunca le habían negado nada (legal), y él desde luego nunca se había preocupado por el dinero.

Pero aun así nunca había tenido un millón de dólares, y resultaba una experiencia interesante. El millón lo formaban las fichas apiladas que había colocado en torres inestables entre la mesa de la ruleta y él mismo, y cuyos números iban del 0 y el 00 al 36.

El crupier movió la mano sobre las hileras de números y dijo:

—No hay más apuestas.

Dillon tenía diez mil dólares en el número 32, su número de la suerte, pese a que había un límite de mil dólares en las apuestas. Se encontraba en el Venetian, uno de los casinos más vulgares, chabacano, estruendoso y seguramente orientado a impresionar a pueblerinos entrados en años, tres de los cuales se encontraban en la mesa de la ruleta junto a él.

Dillon había «hablado» con los tres turistas y el crupier y el jefe de sala más cercano, y no veían nada raro en que el número 32 saliera cada vez... sin que hubiera salido una sola vez.

El ojo en el cielo, la vigilancia constante en vídeo que convierte a todo casino en una especie de estado autoritario semibenigno, tendría que haber alertado a seguridad, pero Dillon había mirado hacia el hemisferio de cristal que ocultaba la cámara más próxima y le había dicho: «Vosotros, los de ahí arriba, no veis nada de esto». Y había tenido suerte, porque al darse cuenta de que levantaba la vista, activaron el micrófono. Así que a ellos tampoco les parecía raro que Dillon ganara sin parar o que su rostro fuera, decididamente, reptiliano.

A nadie le parecía raro. No es que no vieran lo que era: es que no les molestaba. Los hombres lo miraban, y, sin darse cuenta, asentían aceptándolo. Con las mujeres y algunos hombres ocurría algo más. Les resulta atractivo, y eso a Dillon le parecía increíblemente divertido. Le gustaban las serpientes, y, como parte del «voluntariado» obligatorio de la escuela, iba dos horas a la semana a colaborar con Reptile Rescue. Ya había ido varias veces porque el lugar había aparecido en programas de televisión, pero lo curioso es que había visto a muy pocas mujeres a las que les gustaran los reptiles.

Con la posible excepción de los fans de Miley Cyrus, lo cual parecía material para un chiste, pero tenía que trabajarlo más.

El crupier hizo girar la ruleta, que rodaba con tanta soltura como si levitara, y lanzó la bola. Dillon disfrutó del ruido de la bolita blanca girando en el carril antes de caer, repiqueteando y rebotando alegremente hasta quedarse en el número 4.

—He ganado —dijo Dillon, y el crupier se puso a empujar las fichas en dirección a él—. Ya sabe que se supone que no he de estar aquí. Soy demasiado joven. Es duro ser joven en Las Vegas. No puedo entrar en el casino. No tengo veintiún años. —Entonces adoptó el ritmo de un humorista—. Puedo pasearme por el casino. Puede recorrer ciertos pasillos del casino. Pero no puedo tocar una carta o un par de dados. Miren, es que se trata de proteger nuestra inocencia. A fin de cuentas, en Las Vegas, la inocencia se mide en efectivo. En el burdel legal de Shari, la inocencia sale a quinientos pavos por cabeza.

El crupier sonrió, pero una mujer mayor situada al final de la mesa sí que soltó una risotada.

—Es verdad —continuó Dillon, dirigiéndose a ella ahora—, la edad para beber en Las Vegas es de veintiún años, la de jugar es veintiuno, pero en cuanto cumples dieciocho te quedan solo tres años para adaptarte al vacío espiritual que define al adulto de Las Vegas.

La segunda parte no había gustado tanto como la primera, por lo que se quedó un poco desanimado. «Como este estúpido juego», pensó. Los juegos no resultaban tan divertidos cuando sabías que ibas a ganar.

Dillon se levantó de repente y se dirigió, a través del brillo vulgar e insistente de las tragaperras, hasta el restaurante Yardbird, donde recorrió las mesas de los comensales hasta que vio que servían comida. Entonces ordenó a la gente que había pedido la comida que se marchara. Hasta que lo hicieron, no se percató de que no había puesto límite a cuánto debían caminar. De verdad esperaba que no terminaran convertidos en pilas de huesos descoloridos en el implacable desierto de Nevada. El chico se dijo que en el futuro debía ser más concreto: no tenía por qué causar daño innecesariamente, ¿verdad?

«Excepto si resulta divertido».

Dillon notaba que el público invisible de su cabeza no compartía su preocupación, y que a los observadores invisibles no les gustaba que se pasara las horas en la mesa de la ruleta. Transmitían su impaciencia de formas que no lograba explicar. El público quería que hiciera algo. Era insistente, implacable y resonaba sin esfuerzo en la mente de Dillon.

«¿Queréis espectáculo, gente invisible de mi mente? ¿Es eso? ¿Queréis espectáculo?».

Dillon se comió lo que quiso, y a continuación ordenó a uno que pasaba por allí que le trajera un pastel de queso. El chico puso los ojos en blanco cuando estalló una pelea en la cocina, y se rio en voz alta cuando, apaleado, herido y jadeante, el hombre le trajo gran parte de un pastel de queso, perseguido por cocineros que blandían cuchillos.

—Vale —dijo Dillon—. De verdad que tengo que intentar... por otro lado, que le den. —Levantó la vista ante el turista apaleado y añadió—: Ese pastel está un poco destrozado.

—Voy a llamar a seguridad —anunció el trabajador enfadado de la cocina que le quedaba más cerca.

—Ah, no hará falta —replicó Dillon—. Usted mismo puede encargarse. Hay que castigar a este hombre.

—¿Castigar? —El ladrón del pastel estaba perplejo.

—Claro, por supuesto. Quiero decir, que en los viejos tiempos el castigo por robar era que te cortaran una mano.

¿Se lo estaba imaginando o el público invisible se estaba inclinando ahora hacia delante, a la expectativa?

—Pero soy compasivo —continuó Dillon, y le indicó al ladrón del pastel de queso—: Este cocinero le va a cortar el dedo índice derecho y usted le va a dejar.

Y, en efecto, el hombre que le había traído el pastel suspiró, puso la mano plana y abrió los dedos mientras murmuraba:

—Esto no es justo, no es justo.

El cocinero hizo una mueca y dijo en español: «Lo siento, mientras alzaba su cuchillo de más de treinta y cinco centímetros y lo hacía caer con un ruido escalofriante».

Tuvo que insistir tres veces, y para entonces la sangre estaba por todas partes. Se estaba formando un charco en la mesa, y había salpicado en las caras tanto de la víctima como del cocinero y del propio Dillon. Todos los que oyeron su voz lo ignoraron, pero las mesas más lejanas gritaron y apartaron las sillas y taparon los ojos de sus hijos.

Dillon levantó el dedo cortado y se lo dio al cocinero.

—Esto lo querría cocinar, es una salchicha.

«¡Vamos, público, reíros!».

¿Se habían reído? Pues no los había oído, pero ¿les parecía divertido? ¿Tenía el público oscuro e invisible sentido del humor?

«Hola, ¿está encendido este micrófono?».

Dillon retrocedió por el pasillo mientras gritos de horror y dolor se alzaban a sus espaldas. El chico estaba confuso y ansioso. Por una parte: ¡poder! Por la otra: un público muy difícil.

«Pero bueno, aun así, es público».

Dillon lo tenía muy en cuenta, y también el poco «material» con el que contaba, como lo llamaban los humoristas. Era como si lo hubieran arrojado de repente al escenario de Comedy Store con un grupo de VIPs entre el público. Se sentía como si estuviera en una prueba fallida donde le hiciera sudar a saco, y sin saber qué hacer para que el público continuara entretenido.

El chico se situó entre las mesas de *crap* y las de *blackjack* y exclamó:

—¡Escuchadme todos! ¡Daos una bofetada! Una bofetada fuerte.

Y observó los resultados. Todos los que estaban cerca de él levantaron una mano y se dieron una bofetada. Pero donde no alcanzaba su voz, la vida continuaba con normalidad.

—*Sip*. Tal y como pensaba. Todo está en la voz.

Se le estaba empezando a ocurrir un chiste en el que aparecían el antiguo programa de televisión *La voz* y Adam Levine, pero no acababa de verlo claro. Entonces miró a su alrededor y el quiosco del cajero principal. Se acercó hasta allí y pidió a uno de los empleados que lo dejara entrar, y le dejó, claro. Le preguntó dónde podía encontrar el sistema de megafonía, y le mostraron el micrófono y le explicaron cómo utilizarlo.

—Probando, probando. La radio de Dillon Poe está en el aire, aquí en el Venetian. ¿Cómo están todos hoy? ¿Bien? Pues muy bien, todos los que puedan oírme, que levanten la mano.

Era media tarde, no precisamente la franja horaria más concurrida del casino, pero, aun así, entre jugadores y empleados, había unas doscientas personas. Y todos y cada uno de ellos levantaba la mano. Las camareras que llevaban bandejas de bebidas levantaron las manos y cayeron botellas de cervezas y vasos de cóctel que rebotaron en la alfombra.

—Vale, muy bien —dijo Dillon. Reflexionó un instante, y entonces vio una tragaperras dedicada a *Walking dead* y sonrió, inspirado de repente—. Todos sois zombis comecarne. ¡Comeos a todos los que veáis!

Por desgracia, uno de los cajeros corrió de inmediato hacia él haciendo rechinar la mandíbula, por lo que tuvo que modificar un poco la orden antes de que empezaran a faltarle extremidades.

Un crupier de *craps* agarró de repente a una mujer y empezó a morderle la nariz. A un hombre que iba en silla de ruedas lo atacaron tres personas. El hombre gritó débilmente pidiendo ayuda mientras intentaba morder a la gente que le mordía. Una mujer que empujaba un carrito hacia el mostrador de recepción se detuvo, sacó a su bebé del carrito y, con los ojos surcados de lágrimas mientras balbuceaba disculpas y súplicas desesperadas para que alguien la detuviera, se puso a mordisquear al niño.

—No, no —protestó Dillon—. Usted no, señora. ¡Tiene que haber límites! —El chico encendió el micrófono y se corrigió—. No se coman a niños menores de... —Entonces pensó en una edad apropiada, y sonrió. Claro que sí. El límite en la ERA, la edad a partir de la cual la gente hacía *puf*, eran los catorce años—. No se coman a nadie menor de catorce años.

La mujer devolvió a su niño sangriento que no dejaba de llorar al carrito, y justo entonces la atacó por detrás un viejo que le mordió débilmente en el cuello.

Dillon dio una palmada de puro asombro. ¡No dejaba de hacer lo imposible, y no dejaba de surtir efecto!

En todas partes se oían gritos de indignación, de dolor e ira, disculpas a gritos mientras la gente clavaba los dientes y mordía como... en fin, como zombis. Pero como zombis conscientes. Zombis que sabían que estaban haciendo cosas espantosas. Las lágrimas se mezclaban con la sangre.

Era un caos. Y dado que la edad media de los clientes del Venetian era de noventa años... No, prueba con algo distinto. Dado que la edad media era senil... Tampoco. Dado que la edad media era jurásica. Sí, eso era divertido. Jurásica. En cualquier caso, dada la edad de los zombis de Dillon, resultaba tronchante y, pese al frenesí, no parecía que alguien fuera a acabar asesinado.

«Esa será mi regla: que sea divertido, sobre todo, y que no muera nadie».

Dillon disfrutó de la locura durante un rato y trató de evaluar la reacción de los observadores oscuros. Le parecía que les estaba encantando —*yeah, baby*—, pero también que no les bastaba. No les bastaba. Al chico le agobiaba la necesidad de tener que pensar la siguiente frase, la siguiente chifladura, y había dormido muy poco. Estaba cansado.

Dillon salió pavoneándose del casino hacia los ascensores de las habitaciones de los pisos superiores entre el tumulto enloquecido de gente que mordía y arañaba y lloraba y se disculpaba mientras lo hacía. A pesar de lo que pudiera verse en las representaciones de zombis en el cine y la televisión, no resultaba fácil para una mandíbula humana —especialmente para las mandíbulas de los clientes septuagenarios del Venetian— llegar a perforar la carne. Pero entonces vio a un hombre mayor al que se le daba relativamente bien morderle la oreja a una mujer mientras ella intentaba arrancarle un trozo de hombro.

—Vamos —insistió Dillon, extendiendo las manos, dirigiéndose a los observadores oscuros—, tenéis que reconocerlo: es divertido.

El equipo de seguridad que no estaba al alcance de su voz salía de puertas ocultas sin saber que Dillon era el origen de todo aquello. El chico asintió cuando pasaron junto a él a toda velocidad, cogió el ascensor hasta el último piso y ordenó a una camarera que abriera la mejor *suite*. Había un hombre durmiendo en una de las camas y el chico le ordenó que se marchara de ahí. El hombre, que no llevaba nada más que los calzoncillos, salió de inmediato.

Dillon se preguntó dónde debía de haber ido.

«Concreta, Dillon, concreta. El mejor humor siempre es concreto».

Todo aquello podía convertirse en un espectáculo. El chico se imaginaba en el programa de Jimmy Fallon, con un número de cinco minutos, y luego congraciándose con Jimmy.

«Violencia entre viejos, Jimmy. ¡Gente vieja que creía que era una oferta especial! Entre los platos del día: sushi humano. ¡Y de postre, oreja a la moda! Y ya sabes cómo son los viejos: ¡camarero, oiga, camarero! ¡Este bíceps está frío! Ja, ja, ja, ja».

¿Bíceps? ¿Muslo? ¿Hígado?

Hígado. El hígado siempre resultaba divertido. Y sería como una alusión al *Silencio de los corderos*. A la gente le gustaba Anthony Hopkins, aunque interpretara a un caníbal.

«Pero ¿y los observadores oscuros? ¿Pillarían esa alusión?».

La *suite* era tremendamente chabacana y hortera como solo podía serlo en Las Vegas, y Dillon se lanzó a la cama gigante y vio su propio reflejo en los espejos que había en el techo. Era la primera vez que se veía con ese cuerpo, y pasó un rato admirando lo que veía. El instituto habría resultado una experiencia muy distinta si hubiera tenido aquel aspecto.

Y entonces reflexionó sobre un hecho increíble: él, Dillon Poe, era seguramente la persona más poderosa de la Tierra. Podía hacer cualquier cosa, o por lo menos cualquier cosa que pudiera ordenar a otro ser humano. No podía volar, o vivir para siempre, pero si un ser humano podía hacerlo, Dillon también.

«¡Increíble!».

Pero tras pensar un rato en cómo podía usar ese poder, tuvo que centrarse en un par de hechos: y es que no tenía mucha imaginación, y, aparte de hacer humor, nunca había tenido ningún plan o ambición particular. Al público oscuro le había gustado su actuación en la jaula de los borrachos y la dedotomía improvisada, así como el ataque zombi entre los vejestorios. Pero Dillon sabía que un poco de diversión espontánea no era lo mismo que una actuación bien pensada y preparada. (Jerry Seinfeld era su gran héroe, y Jerry era un artesano meticuloso.) Casquería por aquí y por allá, eso era fácil de hacer, pero el público siempre quería más, y él no tenía nada más. Todavía no.

Necesitaba un hilo conductor, un objetivo. Un punto de vista. Había escuchado casi todos los *podcasts* de Marc Maron, y Maron siempre resaltaba el carácter concreto del humor. Tenías que adoptar una postura, un enfoque, y, lo más importante, ser tú mismo.

Y también, por mucho que le reventara reconocerlo, las cosas no eran divertidas si no tenías con quién compartirlas. Así que hizo una llamada. Sí, resultaba raro, pero aún se ponía nervioso llamando a Saffron. Tenía un año más que él, y, por lo menos en su opinión, era el tipo de chica a la que, normalmente, nunca lograría acercarse.

—¿Saffron? —dijo al teléfono, encantado con la confianza engolada que había sustituido a su débil chillido más habitual.

—¿Quién es?

—Soy Dillon. Dillon Poe, de la escuela. Solo te llamaba para...

—Estoy ocupada...

—... decirte que vengas al Venetian ahora mismo. Roba un coche si tienes que hacerlo.

Dillon le dio el número de la *suite* y colgó. Dos minutos más tarde, sonó el timbre de la *suite*. El chico recorrió el enorme comedor con ventanales que iban del suelo al techo y daban al casino Treasure Island al otro lado del Strip. Abrió la puerta y se encontró con un hombre y una mujer, ambos muy en forma, y los dos vestidos con blazers idénticos con las palabras «The Venetian» bordadas en los bolsillos superiores.

—Seguridad del casino —dijo la mujer bruscamente—. Tiene que venir con nosotros.

—No, no tengo que hacerlo.

—No tiene que venir con nosotros, pero tenemos que saber quién eres. Su identificación, por favor.

Dillon meneó la cabeza.

—Eso tampoco lo necesitan. Váyanse.

Y les cerró la puerta de golpe.

Saffron Silverman solo tardó catorce minutos en llegar al Venetian, y cuando Dillon le abrió la puerta se echó a reír. Era evidente que venía de estar echada junto a la piscina. Iba en bikini y su pelo negro aún estaba húmedo. Dillon se fijó en un tatuaje que tenía en la cadera: era de Nemo, el pez de la película. Los padres de Saffron eran de esos antiguos hippies que se habían conocido en un concierto, de ahí su nombre característico. En la escuela, Saffron tenía su grupito de bichos raros, de chavales que podrían sacar sobresalientes, pero que molaban demasiado para hacerlo. Saffron era la reina no rara de los raros, el objeto de deseo de chicos y chicas que pasaban demasiado tiempo escribiendo ficción de fans y creando *mash-ups* de *La guerra de las galaxias*. Era de estatura media, con cabello gótico negro y una nariz decidida que definía un rostro más llamativo y único que bello.

—Hola —dijo Dillon, incapaz de evitar el sonrojo.

Saffron parpadeó y frunció el ceño.

—¿Quién eres?

—Dillon. Ya sabes, Dillon Poe, ¿el payaso de la clase de historia mundial? —Lo había formulado como una pregunta, no como una orden con la que le exigiera que le creyera. Se resistía a usar su poder con ella. O bueno, por lo menos ahora que estaba realmente en su habitación.

«Acabo de conseguir que la tía más buena que conozco venga a verme».

Saffron meneó la cabeza.

—No, no eres él. No te... pareces a él. —Había cierta admiración en su voz: le gustaba lo que veía. Dillon dedicó un instante a mirarse en el espejo más próximo. Sí, seguía siendo verde. No algo verde, sino verde. Y sí, en la carne del dorso de las manos y de los brazos y la cara, y seguramente en todas partes, se habían marcado líneas que formaban escamas. Y, sin embargo, Saffron parecía casi hipnotizada.

—¿Por qué estoy...? ¿Dónde estoy? —preguntó Saffron, frunciendo el ceño.

—Estás en el Venetian —le indicó Dillon con amabilidad—. Entra. Deja que te busque un albornoz.

Encontró uno en un armario y se lo abrió como un perfecto caballero serpiente.

«Podría...», pensó.

Pero no. No con Saffron, con quien había soñado despierto muchas veces durante el último año. No solo se trataba de que hiciera cosas que le mandara: quería que ella formara parte de todo aquello. Fuera lo que fuera. Era lista y tenía mundo. Y era una escritora de la que todos decían que tenía una maravillosa imaginación oscura.

Puede que Dillon fuera la persona más poderosa del mundo, pero sabía lo suficiente de historia como para recordar que los antiguos reyes que tenían todo el poder seguían contando con hombres sabios que les aconsejaban. Saffron tenía que ser su hombre... chica... mujer... sabia. Entonces dio con el ejemplo perfecto: Saffron sería su Merrill Markoe. Markoe había sido la novia y también la guionista principal de uno de los dioses cómicos de Dillon, David Letterman.

«Mi Merrill Markoe».

—¿Has oído hablar de Adán en el Jardín del Edén? —preguntó Dillon—. Le pregunta a Dios: «¿Por qué hiciste a la mujer tan hermosa?». Y Dios responde: «Para que la amaras». Y el hombre pregunta: «Pero Dios, ¿por qué la hiciste tan tonta?». Y Dios dice: «Para que te quisiera».

Saffron frunció el ceño. No era el momento de reírse, sobre todo de un chiste sexista.

«Me he equivocado de chiste —se riñó Dillon—. Lo acabas de soltar porque estás nervioso».

Dillon se la comió con los ojos cuando pasó por su lado, rozándole con el hombro desnudo al ponerse el albornoz, y le produjo un estremecimiento.

—Siéntate —le dijo, y de inmediato añadió—: No, en el sofá no, en el suelo. —Dillon se sentó frente a ella—. Tengo que decirte algo, Saffron.

—Vale. —Ella se comportaba como si se acabara de despertar: estaba confundida, consciente, pero aún recordaba sueños que arrastraba en la conciencia.

—¿Sabes qué? Que puedo mandarte cualquier cosa, Saffron.

La chica se rio desdeñosa, pero no cruel.

—En tus sueños.

—Ya no —dijo Dillon, sonriendo por dentro al recordar sueños en los que aparecía Saffron—. Puedo ordenarte cualquier cosa. Por ejemplo, si te dijera que te metieras el dedo en la nariz, lo harías.

—Estás chalado —replicó Saffron. La chica se dispuso a levantarse, meneando la cabeza como lo hace alguien cuando no entiende lo que ha hecho—. Ni siquiera sé por qué he venido.

—Saffron: coge el meñique derecho y métetelo en el orificio nasal izquierdo. ¡Espera! ¡Solo hasta el primer nudillo!

Como estaban en la *suite* de un casino de Las Vegas, había

espejos por todas partes. Dillon hizo que se diera la vuelta para que pudiera verlo.

La chica frunció el ceño y exclamó:

—Pero ¿qué...? —Pero no sacó el dedo.

—Dime lo que ves.

—Me veo a mí misma. Tengo un dedo en la nariz.

—¿Y recuerdas que yo te he dicho que lo hicieras?

Saffron tardó en responderle. Dillon casi la veía pensar, hasta que comentó:

—No puedo sacar el dedo, está atascado.

El chico meneó la cabeza.

—No, no puedes sacarlo hasta que yo te lo diga. Mira. ¿Saffron? Sácate el dedo de la nariz. Ah, y ya te puedes mover... si quieres, lo que tú quieras.

Durante lo que pareció mucho rato Saffron se miró el dedo, y luego a Dillon.

—Eres uno de ellos. Un mutante. Como en la tele. ¡Eres rocoso!

—Bueno —dijo el chico, encogiendo levemente los hombros—. No soy un monstruo.

—No. —La chica se levantó y lo rodeó despacio. Entonces frunció el ceño, como si se estuviera concentrando mucho, y extendió un dedo, vacilante, para tocarle la mejilla—. ¿Eres... verde?

—Solo tras demasiados burritos —respondió el chico, y añadió, con voz más normal—: Eso parece. Pero la gente no parece asustarse.

—¿Asustarse? ¿Y eso por qué? Eres... hermoso. De verdad lo digo. No puedo dejar de mirarte.

Era una sensación extraña, que te inspeccionaran de esa forma. Dillon se sentía vulnerable y todopoderoso al mismo tiempo. Y aun así le resultaba erótico.

—El casino está lleno de polis y seguridad y ambulancias que sacan a la gente. Pensaba que había habido alguna movida terrorista. ¿Has sido tú?

Dillon asintió.

—¿Por qué?

Él se encogió otra vez de hombros, cada vez más incómodo y al tiempo más excitado.

—He puesto a prueba mi poder. Por lo que parece, cualquiera que oye mi voz tiene que hacer lo que le digo. Sea lo que sea.

El chico no le habló de la jaula de los borrachos o del incidente con el pastel de queso. No quería parecer inmaduro.

—¿Y eso cómo puede ser?

—¿Quieres algo de comer o beber? Puedo llamar al servicio de habitaciones...

La chica meneó la cabeza lentamente, y un largo mechón de cabello negro le cayó por delante, dividiéndole la frente en dos.

—¿Por qué yo?

—Esto, yo...

—¿Es por el sexo?

—No —mintió el chico rápidamente—. No, yo nunca te haría, ya sabes... —Dillon sonrió, y ella le devolvió la sonrisa... ¡sin que él la obligara a sonreír! Claro que tenía que recordarse que no sonreía al antiguo Dillon, sino al nuevo y mejorado Dillon.

—Bien —dijo la chica, sonriendo aún—. Porque entonces tendría que pasarme el resto de la vida vengándome. —La boca de la chica aún dibujaba una sonrisa, pero su voz no. Entonces cambió de tono—. Así que... vaya, Dillon, ¿qué vas a hacer con este poder?

—Bueno —respondió el chico con cierta vergüenza—. No

estoy seguro. Es por eso por lo que... —No terminó lo que quería decir.

—¿Por eso me has traído aquí?

—Algo así.

De repente Saffron soltó una risotada brusca, que sonó como un ladrido.

—Ay, Dios mío, ¿quieres que sea tu secuaz? ¡Soy una mandada! ¡Ja!

En realidad, Dillon pensaba en que fuera su «novia», pero en cuanto la palabra anticuada «secuaz» salió de la boca de Saffron, el chico también se rio y dijo:

—¡Sí!

—¿Y tienes nombre?

—¿Dillon?

Saffron meneó la cabeza con lástima.

—Ese nombre no es de supervillano. Lex Luthor es nombre de supervillano. O Ultron o algo así.

—¿Soy un supervillano? —A Dillon le sorprendió un poco esa idea. Pero ya había hecho maldades, eso tenía que reconocerlo.

—Claro que eres un supervillano. El control mental no es de héroes, es de villanos. —Saffron asentía, asentía y lo miraba desde diversos ángulos, reflexionando—. ¿Dominator? ¿Mente Maestra?

—¿En serio? —se rio Dillon, poniéndose en situación—. ¿Y necesitaré un traje especial?

—Nada de capas, querido —replicó Saffron. Había usado una frase de película que reconfortó a Dillon—. Y desde luego nada de spandex. Ahora, te veo con algo... —Saffron agitó las manos como si quisiera crear un traje en el aire—. Algo elegante. Eres demasiado hermoso para que te cubran la cara con una máscara.

Saffron había vuelto a usar la palabra «hermoso», con lo que Dillon se sintió feliz y un poco atontado, como si se saliera de su cuerpo. Nadie, ni siquiera su madre, que lo adoraba, le había dicho nunca que fuera «hermoso». Dillon notaba que el público invisible se impacientaba y casi protestó en voz alta:

«¡Dadme un momento, que me estoy esforzando!».

—Hermoso, ¿eh? —dijo él, esperando que ella lo repitiera. Dudaba que fuera a cansarse de oírlo.

—Eres lo que mi abuela llamaría un auténtico encanto —explicó Saffron, y chaqueó los dedos—. ¡Ya lo tengo! ¡Ese es tu nombre! ¡El Encantador!

—El Encantador. —Dillon lo dijo en voz alta. Le gustaba. Y en cuanto asimiló el nombre, se dio cuenta de que Saffron tenía razón: necesitaba algo elegante.

—¿Quieres venir a buscar un traje? Podemos llevarnos lo que queramos, y hay un centro comercial abajo.

—En general no me gusta ir de compras —comentó Saffron—. Pero en este caso... —Se tocó el cuello del albornoz del Venetian—. Yo también necesito algo que ponerme.

Dillon tuvo que contenerse para no ponerse a bailar de pura alegría. Contaba con una secuaz increíble. Lo había pillado todo enseguida, tenía sentido del humor y era evidente que se sentía atraída por él. Podían entrar en cualquier centro comercial, el Fashion Show Mall, el Bellagio, el de ahí mismo en el casino, y llevarse, literalmente, cualquier cosa. Y Dillon podía hacerlo todo con Saffron del brazo, como esos peces gordos que llegaban a Las Vegas con una hermosa modelo de ropa interior en cada brazo, gastando dinero como si fuera agua.

«¡Increíble!».

—Sí, vamos de tiendas. Luego podemos... bueno...

Saffron volvía a compadecerlo.

—No sabes qué hacer con todo esto, ¿verdad? Con el poder, quiero decir. —La chica le puso una mano en el pecho, lo que le produjo un gran placer.

—¿Y si lo pensamos juntos?

—Tío —ella continuó con el tono lastimero—, los supervillanos solo tienen una cosa que hacer: apoderarse del mundo.

Dillon se dio la vuelta de golpe.

—¿Apoderarse del mundo?

—Apoderarse del mundo —repitió ella, sumida ahora en la ensoñación. No dejaba de imaginarse situaciones increíbles.

—Mira, puedo mandar a la gente que haga cosas, pero...

—Dillon —insistió Saffron—, no solo se trata de lo que puedas mandar a la gente que haga, sino de lo que puedes hacerles creer. Puedes meterte en su mente. Puedes hacerles creer cosas que no son ciertas, lo que tú quieras que crean. Como si fueran ordenadores y tú estuvieras escribiendo su *software*. Podrías ser presidente sin ninguna dificultad. Si fueras a la CNN, quiero decir, si es verdad que la gente está obligada a obedecerte... pues podrías ser el rey del mundo.

Dillon se quedó perplejo. Había llamado a Saffron porque estaba buena, porque era lista y tenía imaginación. Y porque no era muy divertido hacerlo todo solo. Pero había acelerado mucho las cosas, y mucho más rápido de lo que él esperaba.

«¿Apoderarse del mundo?».

Claro. Quizás. Pero ¿por qué?

—Creo que todo ocurre por alguna razón, ¿sabes? Así que tiene que haber alguna razón por la que tengas este poder. —Saffron lo miró fijamente a los ojos—. Esta clase de cosas no pasan. Esto forma parte de un plan más amplio. Tenías que tener este poder, lo que significa que tenías que utilizarlo.

Dillon asentía, pero no estaba convencido del todo, y aún pensaba en decirle a Saffron que se quitara la bata y el bikini y... Pero sus pensamientos no estaban solos en su mente; los observadores oscuros, su público, estaban escuchando. Y les gustaba lo que oían. Dillon podía sentir su placer, su expectación.

—Vale... bien —dijo Dillon encogiéndose de hombros—. ¿Por dónde empezamos?

Saffron sonrió.

—Comencemos por la escuela y sigamos a partir de ahí.

Dillon se estremeció.

—¿Quieres que sea un Dylan Klebold con superpoderes? No me va lo de matar gente, solo quiero echarme unas risas.

—No seas tonto, Dillon. No necesitas cadáveres, sino esclavos vivos. Y claro, algo más.

—¿El qué?

—Una reina, Dillon. Una reina.

INTERSTICIO

DEKKA Y SHADE HABÍAN decidido comunicarse solo a través del WhatsApp seguro y encriptado.

Shade: D., soy Shade. ¿Puedes darme información sobre el Rancho?

Dekka: Te envío unas notas. Si vas, ten mucho cuidado. Es un sitio peligroso.

Shade: Tengo una nueva arma.

Dekka: ¿Por qué allí y por qué ahora?

Shade: No me fío del gobierno.

Dekka: ¿Y quién sí?

Shade: No podemos esperar a que se nos carguen. Tengo una cámara. Haré que salga a la luz.

Dekka: ¿Necesitas ayuda?

Shade: No. Cuídate. S.D.

Dekka: OK. Te mando las notas. Buena caza. D.T.

OEA-6

LA DESAPARICIÓN DEL GUARDACOSTAS estadounidense Abbie Burgess movilizó a barcos más rápidos que la flotilla de investigación submarina. Otros guardacostas se acercaron a toda velocidad. Encontraron menos cosas que el helicóptero, y solo un resto identificable: una caja de madera con un sextante antiguo que debía de ser un objeto preciado de coleccionista.

No había señal de ningún barco o criatura hostil que pareciera responsable de la destrucción del guardacostas. Pero un satélite francés captó una imagen borrosa de una criatura que parecía una mezcla nefasta de orca y cangrejo. Los franceses calcularon que debía de medir más de sesenta metros de largo, el doble que una ballena azul.

El nombre que adjudicaron a esta criatura fue el de «quimera», una combinación mitológica de especies distintas.

Al capitán del buque estadounidense Nebraska, un submarino de misiles balísticos de clase Ohio, no le habían advertido que había criaturas marinas mutantes; su «enemigo» era el ejército ruso. El Nebraska se dirigía hacia el norte para ocupar su puesto en el mar de Noruega, donde iba a pasar un mes sumergido, y preparado, si fuera necesario, para disparar sus veinticuatro misiles Trident II, cada uno de los cuales disponía de ocho cabezas nucleares. Teniendo en cuenta todo su armamento, el Nebraska podría provocar 192 hiroshimas en toda ciudad rusa desde Moscú hasta Yeisk, una ciudad más pequeña y aún menos importante que Jurupa Valley, California.

La quimera atacó al Nebraska, que navegaba a veinticuatro nudos a una profundidad de doscientos pies. Los tentáculos de la quimera obstruyeron y paralizaron las hélices del barco. La criatura le retorció los hidroaviones y aplastó la superestructura y sus periscopios y antenas.

El Nebraska se hundió en el fondo oceánico, aunque sin que se reventara el casco. La quimera sacudió a ciento cincuenta oficiales y marineros como los dados en un cubilete cuando, al oírlos, se concentró en alcanzarlos, desgarrando la piel exterior del submarino como si fuera la concha de una ostra que protegiera sus partes jugosas.

CAPÍTULO 10

Se tardan seis segundos en caer ciento cincuenta metros

—CREO QUE SHADE DARBY va a cargarse el Rancho —anunció Dekka, guardándose el teléfono. Como Shade, se veía obligada a robar teléfonos y cambiarlos con regularidad. Eran peligrosos dispositivos de rastreo, pero, por otra parte, resultaban vitales para mantenerse informados acerca del mundo. Y para comunicarse con Shade.

Armo se encargaba de rellenar el depósito de combustible de la Kawasaki. Limpió las últimas gotas de gasolina y volvió a colocar la manguera en el surtidor.

—¿Y ha dicho por qué?

Dekka negó con la cabeza, apoyándose sobre el surtidor de Chevron.

—No. Pero me lo imagino. Es una chica lista. Cree que no se puede hacer nada tal y como están las cosas, así que intenta cambiar el juego atacándolo.

Armo sonrió.

—Bueno, la verdad es que mola una chica que cree que cuando no se puede hacer nada, hay que atacar.

Dekka quería estar de acuerdo con él, pero le recordaba demasiado a Brianna, a la Brisa. Da igual si se puede o no... ¡al ataque! Pero lo más importante era lo que iba a hacer ella misma, Dekka. Junto con Armo. Lo habían hablado con Sam y Astrid y habían llegado a la misma conclusión: no conseguirían sobrevivir si no lograban provocar la anarquía total. ¿Qué clase de victoria era esa?

Lo peor para Dekka era que a Sam no se le había ocurrido ningún plan inteligente. Al experto en rescates en el último momento no se le ocurría nada. Pero Astrid había sugerido una respuesta que puede que se aproximara más a lo que Shade tenía en mente, en cierto sentido.

—¿Qué te ha parecido Astrid? —le preguntó Dekka a Armo.

El chico se encogió de hombros y se puso más serio de lo que solía reflejar su sonrisita despreocupada.

—Es lista. Y guapa también. No es que yo vaya nunca a... Quiero decir, que ese Sam tiene su reputación. Es un guerrero, y el código básico entre guerreros dice que no le tirarás los tejos a la mujer de otro guerrero.

Dekka parpadeó.

—A veces eres realmente raro, Armo.

—¿Solo a veces? —sonrió el chico.

—Y su idea, ¿qué te ha parecido?

Armo volvió a enroscar el tapón del depósito.

—¿Te refieres a salir del todo a la luz y tal? ¿No es eso lo que está haciendo Shade?

—Eso creo. ¿Eso qué te parece? —A Dekka había llegado a gustarle Armo, aunque no tenía en muy alta estima su inteligencia o su obsesión rara con los daneses, los vikingos, o cualquier código guerrero que pensara que estuviera siguiendo. Pero su respuesta la sorprendió.

—Supongo que cuesta más matar a alguien a quien conoces. —Armo se encogió de hombros y apartó la vista, como si esperara que lo humillara por haber dicho algo estúpido—. Quiero decir, que si alguien dice: «Vamos a matar a todos los mutantes», eso tiene un sentido; si dice «Vamos a matar a Dekka y Armo», pues es muy distinto. Ya sabes, si somos gente de verdad para ellos.

—¿*Mutant lives matter?* —replicó Dekka irónicamente—. En este país la mitad de la gente no acepta que los negros, latinos, gays o trans sean realmente personas. ¿Y ahora tenemos que conseguir que les importe la gente que se convierte en raros? No quiero parecer cínica, pero es lo que pasa cuando eres una lesbiana negra: este país no ha sido precisamente amable con gente como yo.

—Bueno, mejor algo que nada, ¿no? Quiero decir que aunque solo sean algunos los que no crean que tienen que eliminarnos... —Entonces, meneando la cabeza, el chico se preguntó en voz baja—: ¿Cuándo se volvió así mi vida?

Dekka sonrió.

—Ya, qué raro, ¿no? ¿Un tío tranquilo y cooperativo como tú, metido en un berenjenal de la rehostia?

Armo se rio.

—Sí, qué raro, ¿no?

—Vale. ¿Entonces qué hacemos? ¿Cómo salimos a la luz? Puedo escribir tuits y posts en Instagram como he hecho un par de veces, pero hay tantas cuentas falsas... Hay una Dekka falsa que tiene tres veces más seguidores que yo. —La chica se encogió de hombros—. Sea como sea, las grandes cadenas de televisión y los periódicos se pondrán de parte del gobierno. Todas pertenecen a multimillonarios que solo quieren ganar dinero. No somos buenos para el negocio, los raros rocosos. La gente no se cree que el mundo vaya a explotar.

Dekka se sentó a horcajadas en la Kawasaki, y Armo se subió detrás. Pero Dekka no puso en marcha el motor. Se quedó sentada en la moto con Armo detrás de ella, sumida en sus pensamientos.

Hasta que Armo le preguntó:

—¿Y tú qué quieres hacer, Dekka?

—¿Qué quieres hacer tú?

—Te he preguntado primero.

—Quiero que hagas una estupidez —reconoció Dekka.

—¿Te refieres a ir a ayudar a Shade aunque diga que no? —preguntó Armo. El silencio de Dekka se entendía como una afirmación, así que Armo añadió—: Sí, yo también.

—Si volvemos a la 5 o la 101, nos estarán buscando. ¿Y si damos un rodeo largo? Podríamos volver desde Yosemite. Desde el este.

—Pero una cosa... Creo que ya es hora de que me consiga mi propia moto.

Dekka se volvió y dijo:

—¿Tu propia moto?

Entonces vio la mirada de Armo fija en tres miembros de una pandilla de moteros que acababan de aparcar junto la tienda de la gasolinera. Dekka añoraría tener a ese grandísimo bobo sentado detrás. No es que Armo hablara mucho, pero iba bien para soltar alguna que otra frase. Lo que proponía tenía lógica: la policía buscaba a dos en una moto, una mujer negra y un hombre blanco. Incluso los policías experimentados tendían a ver solo lo que esperaban ver, y dos motos con un motorista en cada una no eran como una única moto con dos pasajeros.

—¿Algún consejo? —preguntó Armo—. No he tenido moto antes.

Dekka miró las tres motos, las tres Harley-Davidson, las tres customizadas, las tres con cuelgamonos. A continuación, desvió la mirada hacia una moto enganchada a un remolque tras una camioneta, y señaló con la barbilla:

—Si fuera yo, cogería la Yamaha amarilla de ahí. Además, quien tenga una moto tan cara debe de tener un seguro antirrobo.

Armo se bajó de la moto de Dekka y recorrió el parking a paso tranquilo.

—¿Necesitas ayuda? —preguntó Dekka a sus espaldas.

Armo se volvió, retrocedió un poco, e hizo un gesto que quería decir «¿Ayuda, yo?». Ignoró a los moteros, que fueron prudentes y lo ignoraron también, y saltó a la parte trasera del remolque. El conductor se bajó de su asiento y se le acercó a toda prisa, gritando.

Hasta que dejó de correr. Y se quedó paralizado. Y miró boquiabierto a la criatura que ahora estaba sentada en su moto.

—Tiene seguro antirrobo, ¿verdad? —preguntó Armo con una voz distorsionada por gruñidos bajos—. No quiero que sufra, pero necesito su moto.

El hombre asintió despacio y preguntó:

—¿Es usted Oso Furioso?

—¿Si soy qué?

—Oso Furioso..., señor. —El hombre sacó con cautela el teléfono—. ¿Puedo tomar una foto? Porque si no la aseguradora no se va a cre...

—¿Qué cojones es Oso Furioso? —exigió saber Armo.

—Es como lo llaman en Twitter. ¡No me lo he inventado yo, no me eche la culpa!

—Puede tomar la foto, pero si la sube, diga que no me gusta el nombre de Oso Furioso, joder. Suena a muñeco de peluche. Vamos, peña, quiero un nombre más molón.

—Sí, señor... señor Oso.

El hombre que estaba a punto de perder su motocicleta tomó una foto de Armo totalmente cambiado flexionando los brazos. Debido al ángulo que adoptó, y porque el rostro mutado de Armo no era ni humano ni osuno del todo, parecía la foto de un oso polar bípedo, malicioso y probablemente loco, sobre una Yamaha amarilla.

—Oso Furioso —murmuró Armo enfadado, y encendió el motor—. Esto no se va a quedar así.

Y a continuación desenganchó la Yamaha de la parte trasera del remolque, se colocó junto a Dekka y dijo:

—Listo.

Entonces metió caña a la moto hasta que le vibró el cuerpo entero.

Dekka mostró una enorme e inusual sonrisa e hizo lo mismo.

—El tío me ha llamado Oso Furioso —dijo Armo.

—A mí me llaman Lesbigatita.

—Ya, necesitamos nombres nuevos.

—¿Sabes, Armo? Me estaba acordando de una frase que oí una vez. Era de un soldado de la Segunda Guerra Mundial. Toda su unidad estaba atrapada, rodeada, en una situación totalmente desesperada.

—¿Y qué dijo el tipo?

—Nos tienen rodeados... ¡los desgraciados!

Armo echó la cabeza hacia atrás y se rio estentóreamente.

—¡Qué vikingo cabrón, ja! ¡Nos tienen rodeados, Lesbigatita... vamos allá!

Se estaba acabando la tarde cuando vieron el brillo en el horizonte, y ya era de noche cuando se había convertido en un cofre reluciente de joyas.

—¿Atravesamos la ciudad? —le gritó Dekka a Armo.

—¿De verdad me estás preguntando si deberíamos atravesar el Strip de Las Vegas ahí molando en nuestras motos grandes?

—¿Así que sí?

—La respuesta es «Pues claro que voy a recorrer el Strip con mi moto».

—Ya me parecía que ibas a decir eso.

Se deslizaron por la calle pasando junto a la misteriosa pirámide negra del Luxor a la izquierda y el pastiche de New York-New York que brillaba naranja al ponerse el sol. Por todas partes había luces que centelleaban y parpadeaban y se arremolinaban, letreros enormes de diez pisos de alto, y peatones caminando en manadas.

Entonces, de repente, Dekka detectó unas luces distintas, que no eran publicitarias ni para atraer a los jugadores. Luces de policía. Luces de ambulancias.

—Eh —Dekka llamó a Armo.

—Los veo.

—¿Volvemos?

—Igual no es por nosotros. Quiero decir, están todos en ese casino. ¿Cómo se pronuncia eso?

—Venetian.

Siguieron avanzando hacia las luces intermitentes, respetando el límite de velocidad, y no tardó en ralentizarlos el tráfico que se acumulaba. Fueron sorteando los coches parados hasta que oyeron un «Ay, Dios mío» colectivo de un centenar de bocas a la vez, de una multitud que miraba hacia arriba, cubriéndose atemorizada la boca con la mano.

Dekka y Armo siguieron las miradas y los dedos que señalaban y vieron lo que parecía un agente de policía uniformado en lo alto, en el borde de la torre de San Marcos que tenía el Venetian. La torre se alzaba más de ciento cincuenta metros.

El policía permaneció un instante en la cornisa, y entonces...

¡Gritos!

La caída pareció durar eternamente. El hombre estaba cayendo con las manos a los lados, como si saltara en plancha a una piscina.

Caía y seguía cayendo, y acabó chocando con una verja decorativa de hormigón. Se oyó un estrépito horrible, salpicó la sangre, y afortunadamente el cuerpo ya no les quedó a la vista.

Horrorizada, Dekka miró a Armo, con la cara de piedra. El chico dijo: «Ya», que era lo que necesitaba Dekka para subir la moto a la acera abarrotada, meterse la llave en el bolsillo y empezar a cambiar.

CAPÍTULO 11

Solo es dolor

—UAU, SHADE, ¡ESE COCHE debe de costar una fortuna! —exclamó Cruz.

—Bueno, si vamos a entrar en batalla deberíamos hacerlo cómodamente —comentó Shade.

Palm Springs no quedaba lejos, y en Palm Springs había muchos coches rápidos. Lo difícil había sido encontrar algo rápido donde cupieran los tres —Shade tuvo que descartar varios lamborghinis y ferraris de dos plazas—, pero tampoco le costó demasiado, y Shade acabó apareciendo en un Bentley descapotable que superaba los trescientos veinte kilómetros por hora. Con Shade cambiada al volante, el Bentley podía adelantar a cualquier vehículo que la patrulla de carretera de California tuviera circulando. Aunque no a todo lo que estuviera en el aire, y esa era la ventaja del descapotable, que desde él se podía ver un helicóptero sobrevolándolo.

Y el Bentley era muy cómodo. El cuero era tan suave como la mejilla de un bebé. Tenían que conducir casi setecientos kilómetros, siete horas según Google Maps. Pero Google Maps asumía que respetabas el límite de velocidad.

Por desgracia, al conducir a trescientos veinte kilómetros

por hora durante más de dos horas el viento superaba ampliamente la astuta tecnología reductora del coche, con lo que Cruz delante y Malik detrás tenían que agacharse para evitar los golpes de las mejillas y el cabello puntiagudo.

La patrulla de carretera los detectó cuando pasaron por Bakersfield, pero sus coches no podían seguirles el ritmo. Así que los coches con las sirenas puestas llegaban a alcanzarlos brevemente en la 5, se quedaban rezagados y los sustituían controles de carretera que colocaron a toda prisa y que el Bentley evitaba fácilmente pasando por la franja divisoria. Ciento sesenta kilómetros al norte de Bakersfield tenían encima a los helicópteros de la patrulla de carretera, pero en los tramos largos y rectos de la autopista más aburrida del mundo, ni ellos podían seguirlos.

Los chicos giraron por la 198, atajando hacia Monterrey. Esta carretera tenía dos carriles que serpenteaban a través de colinas secas donde solo había generadores eléctricos y alguna que otra vaca. Allí no había controles, pero al virar bruscamente hacia la 101 norte se encontraron con el primero de los helicópteros de noticias procedentes de los canales televisivos del área de la Bahía.

—¡Eh! —gritó Cruz al huracán—. Somos una persecución a gran velocidad —y giró el teléfono para que Shade pudiera verlo. Efectivamente, la CNN estaba emitiendo fragmentos de varios helicópteros de noticias y gente normal fuera de los Burger King o cualquier otro sitio repitiendo que *sip*, que habían visto pasar un coche a velocidades dignas de NASCAR.

—¡Como un murciélago salido del infierno!

—¡Como si huyera del mismísimo diablo!

El titular, en la parte inferior de la página, decía: «Shade Darby, de camino a...».

Se habían convertido en la típica obsesión californiana: la persecución televisada de alta velocidad. Todo el estado los miraba, lo cual, desde el punto de vista de Shade, era perfecto. Cuanto más público, mejor.

El problema era que nunca había pasado tanto tiempo mutada, y mientras se encontrara en ese estado no natural los observadores oscuros seguirían presentes y no podría ignorarlos. Al principio notaba, como siempre, que hurgaban, que la tocaban, que la molestaban introduciéndole oscuros zarcillos que de alguna manera atravesaban el tiempo y el espacio para explorar su mente, como los que buscan chollos en la caja de sorpresas de una venta de garaje. Como si buscaran algo y no supieran el qué. Pero cuando los minutos se convirtieron en una hora y más, ya no tenía tanto la sensación de que estuvieran explorándola bruscamente como de perderse, como si ella también fuera alguien que pasara por ahí y opinara sobre sí misma.

Shade miró a Malik por el espejo retrovisor. ¿Cuántas horas había pasado ya en compañía de esas inteligencias maliciosas? ¿Y seguía resistiéndose? ¿Podía? ¿Cuán fuerte era?

¿Cuánto tiempo lograría Malik mantenerse cuerdo? ¿Y qué haría si enloqueciera?

«Si ocurre eso, que Dios nos ayude».

Shade se sentía muy agobiada. La agobiaban los observadores oscuros, la culpa, dudaba de sí misma, y eso la paralizaba, y encima la ridiculizaban, se burlaban de que intentara resistirse y de su plan sin duda inútil.

«Al final...».

—No —dijo la chica en voz alta, aunque para Cruz o Malik apenas resultó un pitido, al estar prisioneros del tiempo real. Shade seguía conduciendo cuando recuperó su forma normal, y ralentizó a unos razonables ciento treinta kilómetros hora mientras lo hacía. Respiraba con esfuerzo mientras se aferraba al volante.

—¿Qué estás haciendo? —le preguntó Cruz bruscamente, mirando hacia las luces parpadeantes lejanas, pero cuya distancia iba reduciéndose.

—Es que necesitaba descansar.

Los ojos entrecerrados de Malik se encontraron con los suyos en el retrovisor.

Shade conducía a tiempo real, así que los vehículos de la patrulla de carretera la alcanzaron y los helicópteros, de hecho, tuvieron que aminorar.

—Para el coche y hazte a un lado inmediatamente —dijo una voz autoritaria a través de un megáfono.

Cruz levantó la vista, sonrió y saludó como respuesta. Como si no fueran más que unos chavales alocados que conducen a México para las vacaciones de primavera.

Shade sintió un alivio indescriptible al estar sola mentalmente, sin compañía. Pero no tenía tiempo que perder y no quería que helicópteros militares se sumaran a los de las noticias, así que tras unos pocos minutos de normalidad relativa apretó los dientes y cambió de forma de nuevo. El Bentley se alejó de un salto abriéndose paso con facilidad entre coches que iban a un tercio de su velocidad.

Entonces salieron de la autopista hacia las carreteras secundarias. Shade podía saltarse las luces rojas, hallar los huecos durante décimas de segundo entre los coches y abrirse paso fácilmente entre ellos, pero ya no había más tramos a trescientos veinte kilómetros por hora. A Cruz le resultaba aterrador, tanto, que había dejado agujeros marcados en el salpicadero al clavarle los dedos. Y puede que resultara aterrador para Malik, pero Malik estaba callado, miraba fijamente al frente con la vista perdida.

Shade sabía dónde se encontraba Malik ahora. Sabía que estaba atrapado en una batalla con ellos. Una batalla de la que solo podía escapar volviendo a su forma agónica.

«Tú no puedes hacer nada, Shade», se dijo a sí misma. Cada vez que lograba apartar la culpa, volvía, aunque se percató de que la notaba mucho menos cuando mutaba, igual que había resultado inmune a la descarga de dolor de Malik.

Eso implicaba que el poder de Malik no iba a resultar muy útil contra los otros mutantes. Pero ¿y contra los seres humanos normales, como los que dirigían el Rancho?

«¿Lo hará? ¿Puede hacerlo? ¿Puede controlarlo? ¿Tengo derecho a pedírselo?».

«Es una herramienta que quiero utilizar».

«Es un chico que me quiere. O me quería».

«Es un chico al que quería. Y puede que aún le quiera».

Estaba oscuro para cuando alcanzaron el valle de Carmel, donde Dekka les había indicado que se encontraba la entrada al Rancho. Ahora conducían más despacio todavía, a poco más de doscientos kilómetros por hora, en busca de una carretera sin señalizar que Dekka había descrito. Había tres helicópteros sobrevolándolos, el de la patrulla de carretera y dos canales de televisión, vigilándolos ansiosos, observando cómo se estrechaban las carreteras e imaginando que la larga persecución debía de estar llegando a su fin. Y en eso llevaban razón.

—Ahíííí. —Cruz indicó una carretera con una señal que decía «Camino sin salida». Claro que Shade había tenido tiempo de sobra para ver la señal, y el «ahííí» alargado de Cruz resultaba irrelevante.

Giraron por ese camino, y los neumáticos chirriaron a modo de protesta. Al cabo de pocos segundos se encontraron ante tres vehículos acorazados que corrían a su encuentro.

Que corrían a su encuentro y a los que adelantaban sin esfuerzo pese a que se esforzaran por formar un control. Los coches acorazados pueden ir como mucho a ochenta kilómetros por hora; el Bentley seguía avanzando casi tres veces más rápido.

Subían y seguían subiendo por la carretera serpenteante a través de los árboles, y para entonces un cuarto helicóptero, más rápido, más elegante, y mucho más peligroso, se había sumado a la persecución. Pero incluso los helicópteros militares tienen dificultades a la hora de enfrentarse a un vehículo capaz de coger curvas muy cerradas a más de ciento sesenta kilómetros por hora y al doble de velocidad las rectas.

El helicóptero oscuro, un Apache del ejército, dejó de perseguirlos y en vez de eso hundió el morro y les adelantó en línea recta mientras el Bentley daba vueltas. Cuando Shade cogió la curva a toda velocidad se encontró de cara con el Apache cerniéndose tres metros y medio sobre la carretera como un halcón esperando a un ratón, mientras el movimiento de sus rotores levantaba un remolino de polvo y basura y doblaba los arbolillos.

Shade pegó un frenazo, y el coche coleó bruscamente. La chica estaba a punto de saltar del Bentley para atacar ella misma al helicóptero, pero en el último segundo vio el destello de fuego y humo y viró hacia la izquierda cuando el misil pasó volando a escasos centímetros y explotó en los árboles.

El Bentley coleaba, y ni siquiera la velocidad de Shade podía controlarlo. El coche se metió en el arcén, chocó con una barandilla, y salió disparado por los aires como una máquina voladora *steampunk*, tras lo cual se despeñó por la ladera con una caída de más de treinta metros. La ladera era prácticamente vertical, estaba cubierta de pinos y salpicada de afloramientos rocosos.

—¡Shade! —gritó Cruz a cámara lenta.

El Bentley estaba en el aire. El motor pesado tiraba del morro, por lo que caía en picado hacia los árboles, las rocas y la aniquilación. Shade se quitó el cinturón de seguridad y apoyó un pie en el salpicadero y el otro en el reposacabezas. Se agachó y, agarrando a Cruz de las axilas, la lanzó hacia arriba contra la fuerza de la gravedad.

Cruz volaba y gritaba describiendo un movimiento que a Shade le resultaba lentísimo y cómico; se mantuvo flotando durante mucho rato hasta que la gravedad la alcanzó y empezó a caer. Mientras, Shade se había metido en el asiento trasero, donde agarró a Malik con un solo brazo, y se lanzó hacia atrás mientras el coche seguía cayendo, alejándose de ella.

Shade se alzó y chocó con Cruz. Entonces se retorció en el aire, agarró a su amiga, tiró de ella para que le quedara más cerca, le pasó el brazo libre por el pecho, y con los dos amigos en brazos pensó en cómo amortiguar el impacto de una caída que, inevitablemente, iba a resultar dura.

El coche caía con el motor de cara, y con las ruedas girando a poco más de treinta centímetros de la pared escarpada del precipicio. Entonces chocó con un árbol pequeño, golpeó a otro, dio otra vuelta y chocó de lado con un tercer árbol.

El precipicio se volvía más pronunciado por donde iba a caer Shade. La chica resbalaba, corría y saltaba con sus inquietantes patas insectoides, cogiendo velocidad, esquivando árboles, absorbiendo la energía de sus patas inhumanamente potentes, defendiendo a la masa que formaba con sus dos amigos.

El coche la adelantó, chocó con un árbol lo bastante grueso como para destruir el capó, tropezó de morros con una roca grande y continuó rodando, deslizándose de espaldas el resto del camino mientras soltaba jirones de tapicería cara en todas direcciones.

Aún cargada con Malik y Cruz, Shade se estaba acercando al fondo del precipicio y pasó de deslizarse a correr por cuestas menos pronunciadas, hasta que aminoró lo bastante como para soltar a Cruz y Malik sobre agujas de pino. A través de los árboles, Shade atisbaba los edificios cuartelarios por encima y por debajo, tal y como Dekka los había descrito.

Para Cruz y Malik, todo aquello solo había durado unos siete segundos.

—¡Por Dios bendito, Shade! —exclamó Cruz mientras se daba palmadas frenéticas como si esperara que le faltara alguna extremidad.

Shade ralentizó su respuesta y tardó una eternidad en decir un «lo siento» que pudiera oír y entender la gente que vivía en tiempo real.

Donde terminaban los árboles se encontraba el amplio perímetro de un cinturón verde que precedía a una doble valla metálica rematada con alambre de cuchillas.

Shade recuperó su forma normal, la mejor para comunicarse. En la carretera que ahora les quedaba encima, el helicóptero militar se alzaba en busca de su presa desaparecida de repente. Uno de los helicópteros de noticias lo había grabado todo en vídeo, y la nave militar se cernía cerca de él. Una voz masculina gritaba a través del altavoz:

—¡Han entrado sin permiso en un espacio aéreo seguro! ¡Salgan de la zona inmediatamente!

—¡Mirad! —gritó Cruz señalando una hilera de vehículos cargados a toda prisa de hombres y mujeres armados, algunos de los cuales aún se abotonaban frenéticamente los uniformes sobre chalecos antibalas. Los vehículos se dirigían hacia la franja de terreno despejado entre los bosques y la valla del complejo.

—Yo me encargo de ellos —señaló Shade—. ¡Haz que Malik se mueva!

—¡Espera!

Shade lo oyó justo a tiempo, cuando ya había cambiado a medias.

—¿Qué? —Malik había permanecido casi mudo, como si las acompañara un zombi.

—Déjame probar —pidió Malik.

Shade no se había atrevido a pedírselo. Se lo había planteado, pero la poca decencia que le quedaba se lo había impedido. No debía aplicar la crueldad del tiburón a Malik.

—No tienes que hacerlo, Malik —indicó Shade.

—Estarás más segura si lo hago.

Cruz gritó, todavía muy alterada por haber volado a través de densos bosques a velocidades que casi le destrozan la camiseta:

—¿Qué? ¿Ahora eres médium, Malik?

Shade tenía que reconocer que no era imposible del todo, teniendo en cuenta el mundo posrocoso.

Malik miró a Shade, que no conseguía devolverle la mirada.

—No soy médium. Solo sé que estás muy poco preparada para los sentimientos, Shade. La gente normal tiene remordimientos y duda de sí misma muy a menudo, pero ¿tú, Shade? No tienes mecanismos para enfrentarte a todo esto. Y me temo que lo que pretendes hacer ahora es acabar con todo.

Shade se quedó paralizada. Cruz parpadeó mirando a Malik, y a continuación asintió, al entender qué quería decir.

—Yo no... —empezó Shade, pero no le salían las palabras para acabar de decir lo que pensaba.

—Conscientemente no —dijo Malik—. Pero eres imprudente. Tienes un arma. Tienes que usarla. No tienes mi permiso para matarte.

Shade negó solo un poco con la cabeza. Su negativa habría resultado más convincente si hubiera sido capaz de mirar al chico, pero mantuvo la vista apartada, hacia los bosques, hacia el cielo, hacia Cruz, solo durante el tiempo suficiente para ver que Cruz estaba de acuerdo con Malik.

—No, Malik, yo puedo encargarme de esto. No tienes que...

De repente, Malik acercó su rostro al de Shade.

—Es lo único que me queda —gruñó el chico—. Es lo único que me queda, lo único que puedo hacer para ayudar. Así que cállate y déjame intervenir.

Shade dio un paso atrás debido a la ira del chico, pero casi se sentía aliviada. La ira clara resultaba más fácil de digerir que el sufrimiento ausente y silencioso de Malik.

Shade asintió, temiendo que se le quebrara la voz.

Malik cerró los ojos y dijo:

—Tenéis que cambiar las dos.

CAPÍTULO 12

Semper fi

«SOY EL SARGENTO MAYOR Matthew Tolliver, del cuerpo de marines de los Estados Unidos. ¡*Semper fi*!».

Las palabras eran silenciosas, solo estaban en su cabeza, porque si se arriesgaba a decirlas podrían causarle un impacto muy muy doloroso.

Su espacio era una celda, no especialmente pequeña, pero muy alejada de los cielos abiertos y los horizontes inacabables de su niñez en Montana. Había servido en buques de guerra, claro, seis veces en el Mediterráneo, y en ellos afirmar que los cuartos eran estrechos era quedarse corto. Pero en el barco aún le quedaba el mar y el cielo y la brisa fresca en el rostro.

Lo único que tenía ahora era una caja de acero con una pared de vidrio blindado en un extremo, por la que se veía a los trabajadores de bata blanca del laboratorio, grises, borrosos, sombríos, junto con guardias de seguridad privada uniformados, y, de vez en cuando, grandes camiones y excavadoras al pasar. El «bunker» de la General DiMarco quedaba arriba a su izquierda, pero de él solo se veía una onda en el cristal.

Una caja de acero contenía una caja de acero que contenía a Tolliver, porque además de perder su libertad y a su familia y su lugar en el mundo, Tolliver había perdido su cuerpo. Ya no era de carne y hueso y sangre, era una máquina con una cabeza humana, un tanque con una cabeza de hombre metida en una campana de acero acorazada.

«Soy el sargento mayor Matthew Tolliver, del cuerpo de marines de los Estados Unidos. ¡*Semper fi*!».

Tras sufrir un accidente en un entrenamiento en la base marina de Twentynine Palms el destacamento 66 fue a buscarlo, llevándolo a toda prisa para someterlo a lo que se suponía que era un tratamiento experto. Le abrieron la espalda y le sacaron la columna, le cortaron las venas y las arterias, los tendones y los nervios. Le sacaron la columna y la cabeza juntas, y entonces, tras múltiples operaciones —había perdido la cuenta—, el Tolliver biológico quedó conectado a un laberinto de cables, servidores y cargadores.

Solo tardó un mes en aprender a controlar el «brazo» articulado de su lado derecho. Después, solo tardó días en dominar el motor que movía sus cuatro grandes ruedas de tacos. Lo que menos le costó entender fueron los sistemas de armas, que ya estaban optimizados para controladores digitales. Cargado del todo, iba armado con tres sistemas de defensa aérea portátiles capaces de derribar a la mayoría de los helicópteros; tenía seis lanzacohetes y una ametralladora de seis cañones que disparaba hasta seis mil veces por minuto. Además, podía recorrer más de cuatrocientos ocho kilómetros con un depósito de combustible diésel a una velocidad de más de ochenta kilómetros por hora. El cuerpo de tanque era pequeño, denso y estaba muy blindado; pesaba diez toneladas, como unos tres coches.

El punto débil era claramente el bulto redondeado dentro del cual aún sobrevivía la cabeza con el oxígeno y los baños de nutrientes que le proporcionaban. Esa abertura, con una ranura para los ojos, se encontraba donde iría la torreta en un tanque de verdad. Y la abertura era su mundo actual. Era una sardina dentro de una caja sobre una caja dentro de una caja dentro de una cueva.

Tolliver sospechaba que se estaba volviendo loco. Pasaba la mayoría de los días sin hacer nada, nada en absoluto, en la celda. Naturalmente sus armas estaban todas descargadas, o sin duda habría intentado salir abriéndose paso a tiros, aunque las ondas expansivas lo mataran.

Puede que fuera un cíborg, puede que fuera un esclavo con un chip que le causaba dolor en la cabeza, pero todavía...

«Soy el sargento mayor Matthew Tolliver, del cuerpo de marines de los Estados Unidos. ¡*Semper fi*!».

«*Semper fi*». Siempre fiel, el lema de los marines.

«¿Pero fiel a qué?», se preguntaba amargamente. ¿Al gobierno que le había hecho esto?

Y sabía que no era el único. Era muy observador, y durante las pruebas tanto en la cueva como incluso al aire libre había visto a otros parecidos a él, cada uno un poco distinto, como si cada cual estuviera en una nueva fase de desarrollo.

Tolliver se decía que al menos estaba mejor que los nuevos drones a los que se referían con el término tremendamente cruel de «bebés *pum pum*». Eran drones pilotados por cerebros de bebés. Los investigadores del Rancho habían descubierto que ningún ordenador podía identificar el rostro humano con la precisión del cerebro humano. Así que habían... conseguido bebés, de los que habían eliminado las partes innecesarias, de manera que quedaba la cabeza y los ojos de un bebé que «pilotaba» un dron pequeño y rápido cuyas únicas armas eran su propia velocidad y peso. El cerebro estaba entrenado para responder a una fotografía. En cuanto el dron se lanzaba buscaba ese rostro, y, cuando lo detectaba, aceleraba y embestía contra el blanco con una ojiva de acero templado. No se esperaba que el cerebro del bebé sobreviviera. El sargento lo había atisbado en un iKaze, que era como la cuarta parte de un Predator con el morro de cristal, dentro del cual se encontraba un pequeño cerebro rosa y dos globos oculares conectados al cerebro por una cadena de nervios y vasos sanguíneos.

Había visto tantas pesadillas allí dentro... y esta había sido la peor.

Semper fi. Siempre fiel. A los hombres y mujeres, incluidos oficiales militares como DiMarco, que hacían ¿qué?

«Yo, Matthew Tolliver, juro solemnemente que apoyaré y defenderé la Constitución de los Estados Unidos contra todos los enemigos, extranjeros y domésticos; que seré verdaderamente fiel y leal a la misma, y que obedeceré las órdenes del presidente de los Estados Unidos y las de los oficiales nombrados por encima de mí, según las regulaciones y el Código Uniforme de Justicia Miliar. Con la ayuda de Dios».

Ese era el juramento que había hecho dieciocho años atrás, cuando se alistó a los diecinueve años.

Pero entonces era completamente humano. Entonces confiaba en el sistema y se enorgullecía de servirle. Pero ¿cómo seguir siendo fiel cuando su país había perdido los valores? La primera parte del juramento era defender la Constitución. Él servía a la Constitución, no solo a la gente en la cadena de mando.

El sargento movió sus ruedas y se acercó deslizándose a la barrera de cristal.

Algo no iba bien ahí fuera. Algo estaba ocurriendo. Apenas lo veía, pero estaba bastante seguro de que a los dos guardias les pasaba algo terrible.

Algo estaba ocurriendo. Algo inesperado. Algo que hacía que sus carceleros se retorcieran y estremecieran de dolor aparente. Él mismo sentía ese dolor como algo lejano, pero no acababa de alcanzarle, como si se encontrara junto a la crecida de un río y alguna gota le salpicara, pero se mantuviera prácticamente seco.

Años atrás, en Afganistán, una vez iba de patrulla y lo interceptaron. Tolliver y tres de sus marines se encontraban en un desfiladero estrecho rodeados de francotiradores en puntos elevados. La radio no les funcionaba; no tenían forma de pedir ayuda. Era una situación desesperada, y todos lo sabían. Y entonces oyeron el ruido débil de un helicóptero, y en solo tres latidos pasaron de la desesperación a la esperanza.

La situación era parecida.

El sargento no tenía los sistemas de armas cargados. No tenía balas ni misiles. Pero sabía dónde encontrarlos, y cómo utilizarlos.

Y a quién matar si tenía la ocasión.

«Soy el sargento mayor Matthew Tolliver, del cuerpo de marines de los Estados Unidos. Y mataré a estos cabrones con la misma piedad que ellos han mostrado. ¡*Semper fi*!».

CAPÍTULO 13

Dejar que los animales
salgan del zoo

SHADE ESTABA CAMBIADA, y Cruz también. Había decidido imitar la apariencia de Dekka: primero, porque la admiraba, y segundo porque confundiría al destacamento 66 y a cualquier otro que estuviera por allí. Por desgracia, no tendría los poderes de Dekka, pero si la veían por el Rancho puede que ayudara a que la auténtica Dekka continuara un poco más a salvo. Donde quiera que estuviera.

—Vale —dijo Cruz.

—Vale —repitió Malik, con los ojos cerrados. Acto seguido los abrió y vio el Rancho que se extendía por delante. El chico puso las manos como si fuera a abarcarlo, y lo enmarcó con los dedos. A continuación, respiró hondo.

Cruz sintió la ráfaga de dolor invisible procedente de Malik. Era como si alguien hubiera abierto de repente una presa y una ola enorme pasara a toda velocidad por su lado. No la alcanzaba, pero Cruz sentía su potencia. Y veía y oía cómo afecta a los hombres y mujeres del cinturón verde. La mayoría cayó de rodillas, de espaldas, de lado. Otros corrían enloquecidos por el pánico, golpeándose como si estuvieran en llamas. Todos gritaban.

Cruz pensó que la gente expresaba la agonía de muchas

formas distintas. Algunos, en tono agudo; otros, con un registro más grave; algunos, con un solo aullido largo; otros, maldiciendo, y otros haciendo ruidos animales. Un hombre parecía ladrar.

«Así debe de sonar el infierno».

De repente Cruz se percató de que se lo estaba tomando todo con mucha tranquilidad. Seres humanos, hombres y mujeres cuyo único pecado era haberse alistado en el ejército y que los asignaran a esa monstruosidad que era el Rancho estaban llorando como niños pequeños, retorciéndose como animales, corriendo aterrorizados. Y lo primero que había pensado la chica no había sido «¡Pobre gente!», sino un glacial, distante «Qué ruidos tan extraños hace la gente cuando siente dolor».

Malik asintió.

—Ahora, Shade.

Shade pulsó el botón de su GoPro y salió disparada como sale una flecha de una ballesta. Pasó a toda velocidad entre árboles, esquivando sin esfuerzo a guardias desesperados que se estremecían. Alcanzó una puerta vigilada y cogió impulso para saltar alambradas de más de cuatro metros. Un milisegundo más tarde se encontraba en el primer edificio. Se detuvo y oyó ruidos que parecían proceder de la pesadilla de un loco: gritos y chillidos en todas direcciones, algunos amortiguados por paredes, otros estridentes y próximos.

Shade avanzó, y era como atravesar una interpretación moderna del infierno de Dante, un infierno de edificios de oficinas iluminadas intensamente y decoradas en colores neutros. Hombres y mujeres yacían por los pasillos gritando: los tendones se les marcaban en el cuello, les sobresalían los ojos y se clavaban los dedos en su propia carne.

Shade ni necesitaba la velocidad. Podría haberse paseado por el Rancho comiéndose un cono de helado. Pero sentía que Malik había terminado con su ataque brutal. Poco a poco, los efectos de la ráfaga de dolor irían disminuyendo; la gente se secaría las lágrimas, se cambiaría la ropa interior manchada y volvería a trabajar. Pero, como se había visto momentáneamente expuesta al primer ataque de Malik, sabía que tardarían un tiempo en volver a encontrarse bien. A la mente humana le costaba procesar lo que causaba Malik, lo que provocaba ese poder, y no lo dejaba atrás fácilmente. Todavía, ante la memoria afectiva del dolor, era como si Shade tuviera una herida en el cerebro, una herida que apenas empezaba a cicatrizar y que aún tardaría mucho en curarse.

«Una herida que me merezco».

Shade recuperó la velocidad máxima y al cabo de un minuto más o menos halló un modo de acceder desde la parte superior del Rancho hasta el corazón subterráneo del lugar.

Se encontraba sobre un andamiaje recién reparado, vibrando, abarcando con la mirada algo que parecía imposible. Era en gran medida como lo había descrito Dekka, pero ninguna descripción habría preparado a Shade para un tamaño semejante, para el espacio descomunal que podría haberse utilizado como vertedero para restos de media docena de estadios deportivos, de modo que aún cabrían unos cuantos centros comerciales desperdigados.

Era más o menos rectangular, y tenía unas torres enormes e intimidatorias en las esquinas que parecían sacadas de una prisión de máxima seguridad. Las celdas ocupaban gran parte de la pared, algunas en la planta baja, otras apiladas, la mayoría cubiertas de vidrio blindado tan grueso que la escasa luz que se filtraba de su interior era de un verde muy débil. Debido a esas barreras de cristal también resultaba imposible ver cualquier celda por dentro sin situarse casi delante de ella.

La parte subterránea oculta del Rancho aún estaba en obras, con el equipo de construcción y una grúa que debía de estar dando vueltas cuando Malik atacó, porque había perforado una pared de piedra y provocado un pequeño desplazamiento de roca. Shade vio al operario de perfil. Parecía inclinado sobre la grúa, con la cabeza entre las rodillas, o llorando o vomitando.

Por todas partes, guardias uniformados y técnicos de bata blanca permanecían sentados o echados, perplejos, llorando, limpiándose los mocos, apestando por haberse hecho de vientre encima. Ninguno de ellos se había levantado aún, pero pronto lo harían.

Shade sabía que tenía poco tiempo, pero no podía dejar de mirar, y, más aún, de «mostrar». Del experimento anterior con la cámara había aprendido que si iba a toda velocidad solo mostraba un borrón. Así que iba pasando de celda en celda y se detenía contando despacio, manteniendo la cámara fija durante lo que calculaba que era un segundo entero en tiempo real.

Era un recorrido en vídeo de la maldad provocada por el hombre: una celda tras otra albergaba monstruosidades, horrores, resultados de experimentos tan carentes de compasión o decencia humana que a Shade le recordaban a los que el monstruoso nazi, el doctor Mengele, perpetró en Auschwitz. Una toma de un segundo era mucho tiempo para la Shade cambiada, y en muchas de las celdas tuvo que cerrar los ojos. Había cosas que no quería ver.

Sin embargo, y esto era interesante, muy pocas de estas pobres criaturas que estaban en las celdas mostraban los efectos de la ráfaga de dolor causada por Malik. Parecía que, si bien no eran totalmente inmunes, al menos Malik hacía mucho menos efecto en los rocosos. Y eso era bueno y malo. Bueno, porque permitía actuar a Shade; malo, porque Malik no tenía poder contra alguien como Dragón o Pesadilla.

Tenía que haber una sala de control. Shade asimiló el trazado del lugar y vio un edificio oblongo encaramado en una plataforma en el extremo más alejado de la cueva, seguramente la oficina principal. Pero los controles debían de estar en... sí, en lo que, basándose en el óxido que supuraba de un panel de acero, debía de ser la torre más antigua. En un abrir y cerrar de ojos llegó hasta ella y la recorrió metódicamente hasta llegar a la sala más elevada, donde parecía la torre de control de un aeropuerto con el efecto deformante del cristal blindado alrededor, y donde había una consola con una pantalla táctil incorporada. Shade la tocó despacio, presionando un rato con el dedo.

Pero recibió la rápida réplica de «Huella no reconocida».

—Ya me lo imaginaba —murmuró la chica. Entonces agarró a una técnica que estaba sollozando en una esquina, la arrastró de la muñeca y le puso el dedo sobre la pantalla, que se abrió obediente.

Nadie se había recuperado lo bastante como para hacer sonar la alarma, y mucho menos para formar una fuerza de intervención. Shade recorrió el menú de la pantalla hasta asegurarse de que obtenía lo que quería.

Había que abrir los pisos de celdas uno por uno: bloque A, nivel 1; bloque A, nivel 2; bloque B, nivel uno... así hasta ocho veces. Un mapa digital mostraba celdas que pasaban del verde al rojo al abrirlas.

No todos los prisioneros salieron rápidamente; algunos eran lo bastante humanos como para sufrir la ráfaga de dolor de Malik. Algunos ya no tenían cuerpo con el que moverse por sí solos.

Una especie de ciempiés gordo del tamaño de un autobús escolar surgió de una de las celdas y al instante se abalanzó sobre el guardia postrado, dejando su torso como una manzana a la que hubieran dado un mordisco.

«¿Realmente estos científicos locos querían conseguir un ciempiés gigante carnívoro?».

Shade corrió hasta el tejado de la torre y luego dio otro saltito para caer en tiempo real. Le resultó casi cómico lo lenta que iba, pero así asimiló más detalles. Cayó sobre la gran cabina amarilla de una topadora y rebotó en la cuchilla de acero alzada, como un general montado sobre un caballo muy inusual.

A continuación, recuperó su forma normal y miró a un público inédito en la historia de la vida en la Tierra: mutantes y monstruos, cíborgs y rocosos.

—Soy Shade Darby —dijo la chica—. Soy la que he abierto vuestras celdas.

Una criatura más grande que la mayoría, y tan extraña como cualquiera, una mezcla imposible de hombre, robot y puercoespín habló con voz cansada pero penetrante.

—¿Qué quieres?

—Quiero que seáis libres. Que salgáis de este sitio. Que os extendáis. Que os mováis. Los guardias se recuperarán. Así que, ¡corred! Marchaos mientras podáis.

Muchos no esperaron más y echaron a correr. Entre ellos un joven guapo que mientras corría empezó a cambiar, le salía una larga espada del brazo derecho mientras lo cubría una coraza quitinosa.

«¡Pesadilla!».

En fin, no era el momento de enfrentarse a ese chungo en particular; Shade tenía cosas más importantes que hacer. Su objetivo no era ajustar cuentas, sino poner en evidencia al Rancho y liberar a sus víctimas.

«Cosas de héroes —pensó sin poder evitarlo—, cosas de héroes. Por fin».

—¡Todos fuera! —gritó Shade—. ¡Se están recuperando, y no tardarán en seguirnos!

—Con el debido respeto, señorita, no —dijo una voz bronca. Procedía de una criatura tanque con un brazo robótico articulado y un alarmante arsenal de armas que incluía tubos lanzamisiles vacíos. Una cabeza humana se atisbaba a través de la rendija de su visor. Estaba dispuesta de tal modo que quedaba horriblemente claro que no iba pegada a ningún cuerpo.

—¿No? —dijo Shade—. ¿Por qué no, y quién es usted?

—Soy el sargento mayor Matthew Tolliver, del cuerpo de marines de los Estados Unidos.

—De acuerdo, sargento, ¿qué quiere hacer?

—Señorita, primero de todo quiero darle las gracias. Y lo segundo... pues, señorita, lo segundo que quiero hacer es destrozar este lugar, un maldito ladrillo tras otro, un ordenador tras otro, un hombre tras otro. Eso es lo que querría hacer.

Se oyeron muestras de apoyo, de las más tímidas y reticentes a las más violentas. Uno de los más feroces era la criatura puercoespín, un cuerpo tan mal planteado, tan contrahecho, que sangraba por una docena de pinchazos que se había hecho sin querer. Tenía un ojo humano y otro mecánico que le sobresalía un poco como un termostato. La boca era demasiado ancha, como si fuera a presentarse para interpretar el papel de Joker. Los dientes diminutos y afilados como agujas le dificultaban el habla, y le sangraba la lengua al moverla por encima. De la frente, le salían púas como agujas de punto.

—Soy Jasper Llewellyn —dijo el monstruo, mientras le caía un hilillo de sangre por la barbilla—. No hablo en nombre de nadie. ¡Pero antes de huir, quiero matar a unos cuantos de estos cabrones!

Alguien de la multitud siseó una sola palabra, «Venganza», y entonces Shade se dio cuenta, asustada, de que había hecho algo más que liberar a aquella pobre gente y poner en evidencia al Rancho ante el mundo: había condenado al personal del Rancho.

Inquieta, pero sin saber qué hacer al respecto, la chica se limitó a decir:

—Sois libres. Haced lo que queráis.

Entonces levantó la cámara que llevaba colgando y la volvió sobre sí misma:

—Soy Shade Darby. El gobierno de Estados Unidos maneja este espectáculo dantesco, lo lleva un grupo llamado Destacamento 66 de Seguridad Nacional. ¿Ven lo que están haciendo aquí? ¿Ven lo que están haciendo, supuestamente en su nombre? Así que ¿quiénes son los malos? ¿Nosotros o ellos?

No todos los mutantes o cíborgs podían escapar del Rancho. Algunos dependían de exóticos productos químicos que les metían en el cuerpo. Otros tenían tantas malformaciones, estaban tan retorcidos y destrozados por los efectos de los experimentos con ADN y la roca o eran fusiones de hombre y máquina tan mal planteadas que estaban totalmente lisiados. Aunque muchos pudieron escapar, y huyeron a los bosques donde los persiguieron helicópteros de noticias que grababan tanto a los raros como a los helicópteros militares que los acribillaban con disparos asesinos.

Pero otros sí tenían la capacidad de vengarse. Y sus víctimas también huyeron a los bosques.

Las que vivieron lo suficiente como para llegar hasta ellos.

CAPÍTULO 14
Casi casi lo alcanzo

EL CASINO VENETIAN YA HABÍA visto muchas cosas raras, pero ninguna lo era tanto como lo que parecía un felino muy grande, bípedo y sin cola, con el pelo negro y el cabello de serpiente, seguido de un oso polar también bípedo, altísimo y con una cara que parecía humana.

En el casino reinaba el caos. Por lo menos cuatro grupos de técnicos de urgencias médicas atendían a gente ensangrentada, y los rodeaban cordones policiales y de seguridad del casino que se esforzaban por contener a lo que parecían turistas, muchos mayores, pero decididos, por increíble que pueda parecer, a comerse los unos a los otros, a los policías, a los de urgencias y a los heridos. Sí, los propios heridos mordían las manos de los técnicos cuando trataban de aplicarles vendajes. A muchos los habían esposado por su seguridad. Otros esposados yacían de lado tratando de morder el aire, gruñendo y lloriqueando e intentando deslizarse hasta la persona viva más cercana.

Y mientras tanto se oían los gemidos de los que no podían resistirse a las crueles órdenes de Dillon:

—¡Lo siento, es que no puedo contenerme! ¡Que alguien me detenga! ¡Dios mío, no puedo parar!

Dekka y Armo se abrieron paso a empujones entre multitudes uniformadas, heridos, locos y gente aterrorizada, y preguntaron cómo llegar hasta la torre.

En cuanto los detectaron, y Dekka pensó que era indicativo de la locura que estaban viviendo, que no los hubieran detectado de inmediato, un trío de policías de Las Vegas se separó de los esposados y avanzó con las armas listas para disparar, muy concentrados y enfadados.

—¡Quietos o disparamos! —La orden vino de una sargento de policía, una latina cuya mirada indicaba que iba muy en serio.

—¿Quién es el causante de todo esto? —exigió saber Dekka.

—¡Al suelo, ahora!

Armo dio un salto, y con una de sus grandes zarpas tiró el arma de la sargento al suelo, la envolvió con sus potentes patas y le dio la vuelta. La sargento quedó impotente como una niña pequeña en plena rabieta, mirando a Dekka.

—Escúcheme, sargento, sé lo que parezco —empezó Dekka—. Imagino lo que debe de pensar de mí. Pero estoy aquí para parar esta mierda y por lo que veo le vendría bien la ayuda.

—¡Dejadme ir u os acusaré de...!

—¡Maldita sea, díganos qué está pasando! ¡Hay polis saltando del tejado!

Armo soltó a la sargento, pero se mantuvo alerta para volver a atacar.

Dekka se acercó a ella.

—Sargento, entiendo que no sepa qué hacer, pero la verdad es que puedo matar a todos los de este piso... a usted, a los agentes, a la gente, a todos. Puedo reducirlos a malditos mcnuggets.

La sargento no estaba muy convencida, así que Dekka miró a su alrededor y vio una esquina con una docena de tragaperras sin gente cerca. Alzó las manos como si fuera a bendecir algo, abrió la boca y soltó el rugido de un tigre: toda la zona de las tragaperras, la barandilla, las sillas, la moqueta del suelo incluso, se convirtieron en un estruendoso tornado, en un caos estrepitoso.

Dekka bajó la mano y los restos destrozados cayeron repiqueteando al suelo de cemento que ya no estaba enmoquetado.

—¿Lo ve? —dijo Dekka—. Ahora, díganos, ¿qué demonios está pasando aquí?

En la zona de apuestas deportivas las pantallas enormes que normalmente retransmitían las carreras de caballos mostraban el exterior del Venetian. Un segundo policía se encontraba en el precipicio de la torre.

El segundo policía saltó. Igual que el primero. Sin dudarlo, sin drama alguno. Solo un paso hacia la nada y una larga, larga caída.

—Consigue que la gente haga cualquier cosa —acabó diciendo la sargento—. Hacen lo que les dice que hagan, y no se detienen. Hemos cortado el teléfono de la *suite* donde está, y hemos repartido orejeras entre los chicos del SWAT, pero se ha rodeado de personal y turistas e incluso de algunos policías y guardias de seguridad. No podemos llegar hasta él sin disparar a gente inocente.

Dekka asintió como si oyera esas cosas a diario, eso de que una persona con poder se estaba portando mal. Era una historia que había oído demasiadas veces en la ERA.

—Cúbranos —indicó Dekka— y lo derribaremos —y a continuación añadió—, sin tener que disparar a gente inocente.

Un policía, no la sargento, les entregó a toda prisa dos pares de orejeras.

—¿Listo? —preguntó Dekka a Armo, a quien le estaba costando ajustarse las orejeras a una cabeza que desde luego no estaba diseñada para ellas.

—Esta es una movida totalmente de héroes, ¿no? —preguntó el chico, un poco acelerado.

—Lo es si ganamos —respondió Dekka, muy seca.

Se metieron en el ascensor seguidos por miradas esperanzadas, escépticas, o sencillamente abrumadas. Al llegar al décimo piso se pusieron las orejeras. Dekka se mantuvo atenta al ruido del ascensor mientras subían, pero no oyó nada, sino que más bien sintió que llegaban a la planta superior.

Dekka y Armo se miraron, y la puerta se abrió deslizándose.

La alfombra justo delante del ascensor estaba empapada de sangre. El papel pintado también estaba salpicado. Dos agentes de policía y tres más que no iban de uniforme yacían por el pasillo. Hacia el final se encontraba una auténtica falange de hombres y mujeres, viejos y jóvenes, algunos de uniforme, la mayoría no. Unos pocos llevaban armas. Todos miraban alerta y enfurecidos. En cuanto vieron a Dekka y Armo se pusieron a chillar, pero sus palabras resultaban inaudibles.

—Pero ¿qué diablos? —empezó Armo, hasta que se dio cuenta de que Dekka no podía oírlo.

—Escuchad todos, dejadnos pasar —ordenó Dekka.

Nadie se movió. En lugar de eso, una veintena de ellos empezaron a atacarlos. No caminaban sino que corrían, como si Dekka y Arno fueran balones de futbol sueltos que hubiera que recuperar.

Armo y Dekka se miraron y el chico se señaló. A continuación, avanzó hacia la turba abriendo sus brazos enormes, sacando las garras puntiagudas que se engancharon a las paredes a cada lado e hicieron trizas el papel pintado. Resonó un disparo. Armo se estremeció, pero aceleró. La turba y Armo se encontraron, y el frente de atacantes cayó como si fueran bolos.

Pero volvieron a levantarse de un salto. Algunos se abalanzaron sobre Armo intentando rodearle la garganta, arrancándole puñados de pelo blanco y brillante, tratando de cogerle los tobillos. Armo era muy grande y muy fuerte, pero por lo menos había una docena de personas intentando agarrarlo. Claramente procuraba no hacerles daño, pero entonces no podía moverse.

Dekka se abrió paso dejando atrás a Armo. La chica saltó sobre unos brazos extendidos, hizo caer una pistola de las manos de un hombre, golpeó a otro en la cara y acabó alcanzando la puerta del final, la que tenía el número que buscaba, el número que le había dado abajo la sargento.

Dekka no llamó con la mano ni usó el timbre. Levantó las manos, rugió y la puerta (y parte de la pared que la rodeaba) salió disparada. La chica arrojó los restos de acero y madera a la multitud; esperaba no haberlo hecho tan fuerte como para lastimar permanentemente a alguien, pero sí lo bastante como para distraer a una parte del ejército liliputiense contra Armo.

Dekka atravesó la puerta.

Al otro lado había dos personas. Una chica guapa con ojos muy excitados, vestida con ropa cara y con demasiadas joyas en las muñecas y el cuello, y lo que parecía un geco vestido con un frac de verdad. Como si creyera que era James Bond.

El hombre serpiente habló. Dekka señaló las orejeras y vio que retrocedía un poco.

—O vienes voluntariamente y te dejas amordazar o voy a tener que hacerte daño.

Él le gritó algo, pero Dekka no lo oía.

Desgraciadamente, en la refriega del pasillo Armo había perdido las orejeras. Dekka solo contó con medio segundo para ver a una gran bestia echándosele encima. Dekka se dio la vuelta, pero dudó al hacerlo, y Armo consiguió derribarla.

Pero entonces Dekka salió disparada directamente hacia el reptil con frac, a quien golpeó tan fuerte que el chico salió volando por media habitación, chocó con el cristal cilindrado que iba del suelo al techo y cayó sobre la alfombra, aturdido.

Dekka aprovechó aquel instante y asestó un golpe a traición que alcanzó a la chica bajo la barbilla, le hizo girar la cabeza, doblar las rodillas y caer al suelo tan flácida como una toalla mojada.

Armo tenía al joven reptiliano contra la pared, y con sus largas zarpas atizaba una y otra vez a la criatura en la garganta.

Pero entonces la suerte intervino. Un policía herido y ensangrentado, con el uniforme hecho trizas, apuntó con el revólver y disparó una vez. Dekka no sabía si disparaba a Armo o a Dillon, pero lo que ocurrió fue que hizo añicos la ventana que iba del suelo al techo.

Entró un viento repentino que los empujó hacia la abertura, hacia una caída a la que ni siquiera Armo esperaba sobrevivir.

Armo se tambaleó, pero recuperó el equilibrio, para lo que tuvo que soltar a Dillon el tiempo suficiente como para que el reptil gritara por la ventana:

—¡Matad! ¡Matad todos!

Algunos de los que estaban abajo lo oyeron. Y un reportero de la radio tenía un micrófono encendido, así que la voz de Dillon recorrió las ondas y llegó a miles de habitantes de Las Vegas que estaban en sus coches y tenían el aparato encendido.

Entonces Armo tropezó, cayó de espaldas y clavó las garras en la alfombra, al tiempo que se balanceaba de cintura para abajo colgando de la ventana. A continuación, se dio la vuelta, se apoyó en una rodilla y en esa posición golpeó a Dillon tan fuerte en el estómago que Dekka pensó que igual lo mataba. La chica rasgó una parte de la colcha y la ató fuerte en torno a la boca de Dillon. Entonces utilizó su cinturón y el cordón de una bata para atarlo como a un cerdo, con las manos y los pies detrás de la espalda, y las manos atadas también a los pies.

Dekka apoyó una de las orejeras sobre el cuello.

—Vaya. Sí que es verdad que no sigues órdenes, ¿cierto? —le comentó a Armo.

—¿Ves? A veces el trastorno negativista resulta útil.

Armo levantó al furioso y escurridizo Dillon del pelo, y Dekka arrastró a Saffron de un brazo por el pasillo, pateando y empujando para abrirse paso entre los lunáticos controlados por la voz del geco hasta que arrojaron a la pareja en el ascensor como si fueran dos sacos de estiércol.

—Gracias a Dios —dijo Dekka aliviada—. El poder de este tío es de locos.

Armo asintió receloso.

—¿Alguna vez tuvisteis algo así en Perdido Beach?

—Por suerte, no. Bueno, Penny sí, en cierto sentido. Menos mal que la paramos.

Salieron del ascensor y se encontraron otra vez con un

frenesí. La policía y los paramédicos habían cerrado las puertas de la calle para defenderse de una docena de turistas que se habían dedicado a aporrearlas hasta que empezaron a atacarse los unos a los otros. Se oían disparos en la calle. El último grito de Dillon a través de la ventana rota había tenido consecuencias. Sirenas y luces parpadeaban por todas partes, todos los polis de Las Vegas, todos los equipos de seguridad de los casinos, los *marshals* locales, el FBI local y las fuerzas de ciudades contiguas se habían concentrado a toda prisa para ayudar a controlar lo que ahora eran miles de habitantes de Las Vegas y turistas enzarzados en una masacre abierta.

—¡Quietos!

Dekka parpadeó ante un hombre trajeado que la apuntaba con una 9 milímetros automática. Junto a él se encontraba una versión femenina también apuntándole con un arma.

—¿En serio? —dijo Dekka.

—Dekka Talent y Aristotle Adamo, os arresto por el decreto de urgencia.

Dekka, que nunca había sido la persona más paciente del mundo, saltó con la elegancia líquida y la velocidad engañosa que le concedía su ADN gatuno. Hizo caer la pistola del hombre como si fuera un juguete infantil, lo empujó bruscamente hacia la mujer, y Armo se les echó encima como si un ladrillo cayera sobre una margarita.

—¿Qué están haciendo, idiotas? —exigió saber Dekka.

—Somos tu mejor opción, Talent —gruñó la mujer—. Hay una orden de disparar a matar cuando te vean.

—Pero ¿de qué está hablando? Soy ciudadana estadounidense. No puede dedicarse a matar a la gente. ¡Qué diablos!

—Podemos disparar a todos los animales que queramos —replicó el hombre.

—Quiero pegarle —dijo Armo, mirando a Dekka.

—Tú mismo.

Así que Armo extendió la zarpa, alcanzó al hombre en la mandíbula y lo dejó inconsciente sobre la mujer, que se esforzaba por llegar a su arma, que había aterrizado a más de treinta centímetros de donde podía alcanzarla.

Y entonces Dekka sintió un estremecimiento que le advertía del peligro, y se volvió, pues ya sabía lo que vería. Durante la breve escaramuza, Dillon se había quitado la mordaza:

—¡Todos, atacadlos, matad a los mutantes! ¡Matadlos, matadlos!

Y reculó mientras la policía, los sanitarios, los turistas y el personal del casino se daban la vuelta, los miraba fijamente, calibraban su objetivo y salían disparados hacia Dekka y Armo.

—¡Ja! De hecho, vosotros dos, mutantes, mataos el uno al otro. ¡Ahora! ¡Sí! ¡Mataos el uno al otro!

Dekka dio un paso atrás apartándose de Armo, y Armo hizo lo mismo. Pero ninguno de los dos atacó. De hecho, ninguno de los dos tenía el impulso de obedecer.

—¡Hacedlo! —rugió Dillon, mientras Saffron se quitaba las ataduras y corría a su lado—. ¡Mataos los unos a los otros! —Saffron corrió a atacar, por lo que Dillon se corrigió rápidamente—. Tú no, Saffron.

Pero tanto Dekka como Armo estaban ocupados enfrentándose a los ataques de los controlados, zafándose de jubilados, madres e incluso algunos niños de mirada enloquecida, tratando de hacerles el menor daño posible mientras se retiraban hacia las puertas exteriores.

La locura reinaba dentro del casino. Y así no habría manera de llegar al chico con la voz imposible de desobedecer mientras se retiraba tras una falange de decenas o puede que incluso cientos de zombis enloquecidos.

La locura también reinaba fuera del casino. Gritos y rugidos de rabia, disparos, puñetazos golpeando la carne, sirenas, alarmas... ¡caos! Todo ello bañado por la inquietante luz de neón de millones de bombillas.

Dekka y Armo pegaban y pateaban a la turba mientras buscaban sus motocicletas y las acabaron encontrando tiradas en el suelo, pero todavía donde las habían dejado, aparcadas a toda prisa en la acera. La pareja empujaba y se abría paso, aporreando a la gente cuando era necesario. Y entonces, justo cuando Dekka consiguió poner en marcha el motor, una mujer se le abalanzó y cayó de lado sobre el depósito de gasolina de la moto, tan cerca que la chica notó la calidez de su aliento. Y antes de que Dekka pudiera quitar las zarpas de los manillares para apartarla, sus rastas atacaron.

Hasta entonces, el efecto que se producía cuando cambiaba, que sus rastas se convirtieran en serpientes agitadas, no parecía más que una cierta exhibición teatral, un poco de teatro. Pero, en un abrir y cerrar de ojos, una docena de rastas serpentinas atacó y clavó diminutos colmillos negros en las mejillas, la nariz y el cuello de la atacante.

La propia Dekka soltó un grito de horror por lo que ocurrió a continuación. Porque la mujer sufrió un cambio horrible, y a una velocidad brutal. La piel se le secó hasta arrugarse, y adquirió el color gris amarillento de un viejo ordenador de sobremesa. Se le hincharon los ojos en las cuencas, unos ojos que miraron a Dekka horrorizados e incrédulos hasta que acabaron apagándose: como la piel, los ojos se fueron resecando hasta que no eran más que dos pasas blancas y rojas en el fondo de dos cuencas vacías.

Al ver que Dekka se quedaba paralizada, mirando y gritando aterrorizada, Armo se acercó a su amiga, la agarró del hombro y gritó:

—¡Corre!

Dekka reaccionó, apartó a la mujer moribunda, y aceleró.

CAPÍTULO 15
La bacteria grita

MIENTRAS SHADE SE DEDICABA a destrozar el Rancho, Malik yacía de espaldas mirando a los árboles. Formaban patrones intricados, con las hojas más bajas, las agujas de pino más altas, como tapetes de encaje negro en contraste con una extensión de estrellas débiles, que apenas se vislumbraban.

Cruz estaba sentada cerca, mirando hacia el Rancho. Sentía un abanico de emociones, ninguna de ellas agradable. Se fustigaba por no estar allí abajo con Shade, aunque sabía que solo retrasaría a su amiga. Se sentía terriblemente triste por Malik, que había cambiado para siempre, que no solo había perdido su hogar y a su familia por la obsesión de Shade, sino que ahora había perdido el cuerpo y puede que la cabeza.

«¿Y qué puedo hacer yo?», se preguntaba Cruz.

Nada. Nada salvo dejarse llevar, como parte de los restos flotantes de un río llamado Shade.

Le sabía mal sentir ni que fuera un poco de pena de sí misma, pero la sentía igualmente. Antes de conocer a Shade, Cruz apenas empezaba a entenderse a sí misma.

Se había pasado gran parte de la vida intentando inútilmente ser quien no era, complacer a un padre que nunca la querría por quien era realmente, y a una madre acobardada, derrotada y silenciada como si hubiera salido de *El cuento de la criada*.

Cruz había intentado averiguar cómo empezar un tratamiento hormonal. Lo había repasado paso a paso mentalmente: podría tomar hormonas y ver cómo le sentaba, o hacerse una operación de pecho y ver cómo se sentía. Y luego podía someterse a la cirugía importante, con la que sería total y «físicamente» femenina. Empleó un tiempo precioso en intentar entender los aspectos legales, y llegó a la conclusión de que básicamente estaría estancada hasta los dieciocho años. Y entonces, si conseguía trabajo e igual un seguro médico y esto y lo otro y...

Toda esa agitación interna, sus frágiles esperanzas, sus miedos demasiado realistas... habían quedado en segundo plano por la alocada aventura de Shade, y por su decisión de tomar la roca, de volverse rocosa. Y la roca la había cambiado. No tanto como aquello a lo que se enfrentaba Malik, pero la roca también la había trastornado.

«Qué hábil eres, roca alienígena. Qué hábil y qué cruel».

Ahora, gracias a la roca, podía adoptar el aspecto que quisiera. Podía ser hombre o mujer. Podía ser Dwayne Johnson o Meryl Streep. Grande, pequeña, rubia, morena, blanca, negra, asiática... y todo ello era falso.

«Falso».

Era margarina en vez de mantequilla, algarroba en vez de chocolate. Casi cerveza. Un *peta* de orégano. Era mirar fotos de la aurora boreal cuando en realidad lo que querías era yacer bajo un cielo brillante de colores.

¿Cuándo volvería a esos sueños anteriores? ¿Cuándo tendría la oportunidad de experimentar realmente los cambios físicos que esperaba tanto como temía?

«¿Cuándo podré ser yo?».

Pero, aunque fuera justificada, la lástima que sentía de sí misma disminuía cuando miraba a Malik. Ella entendía, mejor que el propio muchacho, el daño que le habían hecho. Estaba en la habitación del hospital cuando le cambiaban los vendajes.

Las vidas de Malik y Cruz habían quedado irremediablemente destruidas.

«Destruidas por Shade».

Sí, por Shade. Por su obsesión. Por su ambición.

«Y por mi ambición de seguirla».

Malik cerró los ojos, y los árboles y el cielo quedaron fuera. Apenas se sentía el cuerpo; su piel no era su piel auténtica, sus nervios no eran nervios de verdad. Lo único auténtico y real en él era su mente. Era su mente, todavía, pero no la controlaba del todo. Seguía siendo él mismo, pero ya no estaba solo en su cráneo.

Malik recordó algo que Cruz le había dicho. Algo sobre aprender de los observadores oscuros. Como una bacteria en el portaobjetos del microscopio que deseara mirar a través de él para ver el ojo que la miraba.

Malik trató de acallar los gritos y los disparos lejanos. Trató de ignorar la masacre que sabía que estaba teniendo lugar colina abajo. Respiró hondo y olió las agujas de pino y oyó el susurro de la brisa. Pero el espacio oscuro dentro de su cabeza se extendía, se ampliaba y ganaba en profundidad, como si lo que estaba dentro de él fuera infinitamente mayor que lo que había fuera. Oscuridad y más oscuridad, pero de alguna forma la oscuridad tenía una estructura, una forma. Era real. En esa oscuridad él notaba su mirada. Lo observaban. Y estaban... intrigados.

«¿Por qué me miráis?».

No le respondían, claro. Nada indicaba que hubieran oído la pregunta que no había articulado.

«¿Quiénes sois?».

La única respuesta fue un zarcillo frío, invisible pero sentido, que se le enroscaba alrededor, que le entraba por dentro, que parecía hojear sus recuerdos como alguien leyendo un libro.

«¿Qué queréis?».

¿Eso era una risa? ¿Se estaban riendo de él?

Malik sabía que él era débil y ellos poderosos. Sabía que veían lo que él no podía ver. El chico recorrió sus recuerdos... ¿o eran ellos los que le instaban a hacerlo? Malik era como era, por lo que buscaba recuerdos, explicaciones, teorías, y se alegraba de hacerlo todavía, sometido como estaba al escrutinio incesante de los observadores oscuros.

Entonces recordó una historia de la época victoriana que leyó para la clase de física, *Planilandia*. Era el fascinante relato de una vida vivida completamente en dos dimensiones, con criaturas que tenían izquierda y derecha, delante y detrás, pero no arriba y abajo.

Estaban atrapados, como el señor y la señora Pac-Man. Pero una persona del mundo tridimensional podría ver a esas criaturas en dos dimensiones.

Desde el punto de vista de las dos dimensiones, el hombre en tres dimensiones podía atravesar paredes infranqueables, ver a una criatura en dos dimensiones por dentro y por fuera. Para la gente en dos dimensiones, el hombre en tres dimensiones no resultaba visible si no se manifestaba en su superficie plana, y entonces lo único que verían sería una sección transversal bidimensional, que se presentaría como un círculo. Para los residentes de Planilandia, el universo en tres dimensiones era imposible de imaginar, y ya no digamos de ver.

Del mismo modo que un hombre 3-D no podía captar ni mucho menos ver una realidad en 4-D.

«Todavía».

Esa palabra persistía en el cerebro de Malik. Parecía como si le hubiera llegado de fuera, y no de dentro.

«¿Todavía?».

Los ruidos del conflicto interfirieron con sus pensamientos: aún se oían las sirenas que empezaron a sonar justo después de que una ráfaga de dolor alcanzara al Rancho, también disparos, una explosión, motores militares sin amortiguar poniéndose en marcha. Gritos dando órdenes y otros combinados con súplicas, pidiendo misericordia.

Malik sabía que Shade regresaría pronto, y que volverían a huir de aquel lugar, que huirían hasta su siguiente vivienda temporal e ilegal.

Shade. Malik sabía que se esforzaba desesperadamente por arreglar las cosas. Y sabía que no podía.

Qué triste, pensó, que para adquirir un poco de humildad hubiera tenido que destruirlo. Una humildad con la que, en otra época, podrían haber seguido juntos, ser todavía lo que habían sido: amantes. La arrogancia de Shade, la obsesión con la ERA y la sed incesante, imposible de satisfacer, de vengarse de la criatura que había matado a su madre no habían desaparecido, pero ahora la realidad las atenuaba. La realidad brutal de las consecuencias imprevistas.

«Primera prueba de tales consecuencias: Malik Tenerife».

Pero Malik no pudo continuar concentrado, porque de repente notó que la atención de los observadores oscuros aumentaba. Parecían entrometerse más que nunca, y sintió que crecía su ira. Fueran quienes fueran, o lo que fueran,

¡no tenían derecho! ¡No tenían derecho a torturarlo de esa manera!

Por poco no lo hizo. Por poco se convence de que era inútil e infantil y de que no serviría de nada.

Estuvo a punto de no volverse contra los observadores oscuros.

Pero Malik se estaba controlando en múltiples frentes al mismo tiempo, y se le estaba acabando la paciencia.

«¿No respondéis? ¿No tenéis nada que decirme, oscuros? Pues yo sí que tengo algo que deciros».

Se armó de valor, de su nuevo poder indeseado, y fijó en la mente no la imagen de los observadores oscuros, dado que no tenían forma alguna, sino la idea de ellos, el concepto de los observadores oscuros, la emoción que le provocaban. Se imaginó un cable de datos que bajara de un espacio extradimensional, un segmento de cable USB conectado a su cerebro, por el que bajaban los espías sin ojos, los ladrones invisibles de la mente.

Los cables, pensó entonces, transmiten la corriente en ambas direcciones. ¿Querían probar la experiencia Malik? Pues vale.

«Disfrutadlo, gilipollas».

Malik disparó una onda masiva de dolor hacia ellos. Gritó y rugió en silencio dirigiéndose a ellos, dirigiendo toda su agonía, su tristeza, su desesperación y su furia hacia ellos.

—¡Ah! —gritó Malik, y abrió los ojos de repente.

—¿Qué? —preguntó Cruz, avanzando de rodillas hacia él.

—Ellos... ¡Ay, Dios mío, Cruz!

—¿Qué? ¿Qué?

—¡Les he dado! Les he enviado dolor. Y Cruz, creo que... creo que igual... lo... sienten. Ha sido como... como... —Malik se incorporó con la mirada luminosa, y una extraña media sonrisa en los labios—. ¿Sabes cuando se te cae un vaso en el comedor, y de repente se hace un silencio absoluto porque todos te están mirando?

—Vale.

—Ha sido así, Cruz. Me han oído. Me han sentido. La pequeña bacteria bajo el microscopio acaba de hacerles un corte de mangas.

Shade estaba lista para marcharse. Había hecho lo que había venido a hacer. Subiría sus vídeos, mostraría al mundo lo que estaba ocurriendo en el Rancho.

Pero se veía atraída hacia la imponente oficina rectangular que quedaba por encima de ella, encaramada en un lateral de la caverna.

Nadie podía detenerla. El Rancho estaba acabado, eso estaba claro. Los guardias acabarían organizando la resistencia de alguna clase, pero ¿cuántos sobrevivirían tanto tiempo?

Entonces Shade vio una escalera de metal y subió por ella en un abrir y cerrar de ojos. Una puerta pesada de acero conducía a la oficina. Estaba cerrada y no parecía que fuera a abrirse enseguida. Shade saltó al tejado, y se asomó por el borde para ver la única ventana larga que tenía el despacho. Era de cristal blindado, capaz de aguantar el disparo de un rifle muy potente.

Pero una cosa era un cristal a prueba de balas, y otra, a prueba de Shade.

La chica arrancó una roca enorme de la pared de la caverna, volvió a apoyarse en el borde del tejado, y lanzó la roca contra el cristal.

No pasó nada.

Pero entonces, gracias a la fuerza que le daba la mutación, además de la velocidad, estampó la roca contra el cristal cien veces en pocos segundos. El cristal se rajó y empezó a resquebrajarse. Se hizo un agujerito lo bastante grande como para meterle un lapicero. Si le dedicaba tiempo podría romperlo y entrar. Pero ¿merecía la pena?

Protegiéndose con una mano de la luz reflectante, Shade vio en el interior a una mujer con el uniforme del ejército que se estaba levantando, temblorosa. Tenía el uniforme torcido y el pelo pegoteado de sudor. Su rostro estaba lívido.

Shade volvió a golpear con la roca, a ritmo de *pam papa pam, pam pam.*

La mujer se volvió despacio, encogiéndose, y se horrorizó cuando vio el rostro boca abajo de Shade.

—¡Eh! —gritó la chica.

La mujer tenía el rostro crispado de ira, y gritó algo que Shade no oyó, pero adivinó. La mujer estaba blanca de furia, tanto que escupía y la baba le colgaba de las comisuras de la boca.

—No la oigo, pero tengo un mensaje —dijo Shade.

Y entonces Shade levantó el dedo medio, y así lo mantuvo el tiempo suficiente como para que resultara fácilmente visible, y esperaba que muy memorable, para la oficial.

Y entonces Shade se marchó corriendo por el suelo de la caverna convertido en un campo de batalla, esquivando a hombres y máquinas y cosas entre medio. Salió disparada por las escaleras, a través de los pasillos, y acabó saliendo, aliviada, al aire libre.

Encontró a Cruz y Malik donde los había dejado, se hizo un borrón hasta detenerse y recuperó su forma normal.

—¿Qué ha ocurrido? —preguntó Cruz con impaciencia—. ¿Estás bien?

Shade dijo: «Mira», y señaló la colina del Rancho. Una mujer vestida con una bata blanca huía de un monstruo hecho de agujas. La mujer tropezó, y la criatura le pasó por encima, acuchillándola cien veces, dejando solo filete ruso a su paso.

Por todo el complejo, hombres y mujeres huían de bestias vengadoras y cíborgs acelerados bajo las luces implacables. De un edificio salía humo. Una explosión sacudió otro y se rompieron las ventanas. Se oyó repiqueteo de ametralladoras. Y, mientras, los helicópteros de las noticias recorrían el escenario adelante y atrás, enviando imágenes al mundo.

—Vámonos de aquí —dijo Shade.

—¡Están destrozando a ese hombre! —gritó Cruz, mientras lo señalaba.

Shade la agarró del hombro.

—¿Y qué crees que hizo para merecerlo?

Pero Cruz no podía dejar de mirar. Era un escenario de película de terror: monstruos contra seres humanos, una masacre sin heroísmo ni nobleza. Una matanza. Una matanza sanguinaria y sin remordimientos.

—Dios mío, Shade —susurró Cruz—. Este es nuestro futuro, ¿verdad? ¡Este es nuestro mundo ahora!

Con los ojos apenas abiertos, Malik dijo una palabra:

—Guerra.

CAPÍTULO 16

Todo va a salir a pedir de Dekka

FRANCIS SPECTER NO SABÍA nada de lo que estaba ocurriendo en Las Vegas cuando vio la señal de la carretera en dirección a la ciudad, sonrió bajo el visor de plexiglás oscuro y giró hacia el norte, hacia la ciudad brillante en la distancia. Pensaba que en las afueras de Las Vegas encontraría un motel donde pasar la noche.

Pensaba que podría utilizar fácilmente su poder para entrar en cualquier habitación que quisiera, pero, además, un sencillo motel le resultaría más lujoso y normal que lo que conocía desde que era muy pequeña. En cualquier caso, le daba aprensión seguir delinquiendo. A juzgar por el tamaño de la explosión del misil Predator, había escapado de la pandilla de forma permanente, y con ello ansiaba haber dejado atrás la vida delictiva de drogas y peleas borrachas y robos. Buscaba la normalidad. Habría cambiado encantada su poder de rocosa por una vida de anónima estudiante de instituto en la que su única preocupación fueran las notas.

Llevaba mucho tiempo de vida salvaje.

Pero ahora, al acercarse a Las Vegas, veía un flujo interminable de coches y camiones saliendo de la ciudad. Era de noche, y casi parecía que la gente huyera. De hecho, el tráfico no tardó en salirse de los carriles que ocupaba e invadir los de los demás, de manera que cualquiera que se dirigiera a la ciudad tendría que abrirse paso entre coches que se le abalanzaran.

Francis se apartó de la carretera para coger una botella de agua en una tienda, pero ya cuando se estaba quitando el casco vio algo aún más extraño que la estampida enloquecida de coches que salían de Las Vegas. Vio dos motocicletas, conducidas o bien por dos personas con unos disfraces de *cosplay* increíblemente convincentes... o bien por mutantes cambiados.

Francis volvió a ponerse el casco y corrió tras ellos.

La general DiMarco salió como pudo de entre los restos del Rancho. Un Atwell exhausto y traumatizado le iba susurrando al oído, informándole de lo que le acababa de comunicar el equipo de valoración de daños, así como de lo que estaban transmitiendo los medios de comunicación y le recordó que aún tenía que llamar al Pentágono, al Departamento de Seguridad Nacional y más.

Había dos cosas que DiMarco tenía claras. Una: que puede que el Rancho estuviera acabado, rematado, si no ocurría alguna cosa que modificara bruscamente la opinión pública y la pusiera en contra de los mutantes.

Y dos: que algo acababa de ocurrir en Las Vegas.

—La cobertura es del cuarenta por ciento en Las Vegas, y del sesenta en el Rancho —comentó Atwell mientras DiMarco asentía rápido y miraba a un doctor que cargaban en una camilla, y cuyo cuerpo parecía una gasa empapada de sangre.

—La cinta entera de Shade Darby está en YouTube, y el contador de visitas está por las nubes.

—Enséñemelo —ordenó DiMarco.

Los dos pisaban la sangre de científicos, técnicos y hombres de seguridad asesinados mientras miraban el móvil de Atwell.

A DiMarco le salió un tic en el ojo, y su boca se convirtió en una mueca furiosa. Vio los vídeos breves de las celdas, y luego cómo Shade las abría. El discurso de Tolliver. Y el arrogante discurso final de Shade Darby a la cámara.

«Soy Shade Darby. El gobierno de los Estados Unidos maneja este espectáculo dantesco, lo lleva un grupo llamado destacamento 66 de Seguridad Nacional. ¿Ven lo que están haciendo aquí? ¿Ven lo que están haciendo, supuestamente en su nombre? Así que, ¿quiénes son los malos? ¿Nosotros o ellos?».

DiMarco y Atwell se encontraban cerca del lugar donde Shade se había dirigido a los recién liberados, en el centro de la gran caverna, y entonces DiMarco se volvió despacio y observó los fuegos, los cristales rotos, el acero retorcido, el humo, los cuerpos. Las extremidades. Les habían sorprendido con una aniquilación completa, deliberada y disciplinada, dirigida por un maldito marine que había asaltado la armería y sembrado el caos a propósito, como solo un soldado profesional sabía hacerlo. (Uno de los misiles de Tolliver había acabado destrozando el buldócer sobre el que se había subido Shade.)

DiMarco solo tenía a un puñado de empleados intactos junto a ella.

—Ahora tenemos veintidós muertos confirmados, noventa y seis heridos graves y otros ochenta con heridas menos graves.

—Esos son la mitad —replicó DiMarco—. ¿Dónde está el resto?

Atwell dudó unos segundos relevadores hasta que dijo:

—Muchos están persiguiendo a los mutantes por los bosques.

DiMarco resopló:

—Claro que sí. Algunos. ¡Pero la mayoría está huyendo de nuestras criaturas!

De repente, notó Atwell con rencor, no eran «mis» sino «nuestras» criaturas.

«No, vil mujer, son tuyas, y los resultados también son tuyos».

Aunque Atwell sabía que ahora su carrera estaba ligada a la de DiMarco. Su carrera en el ejército estadounidense, en el que esperaba servir durante treinta años, acababa de terminar.

«Iré a trabajar para el padre de Janet, a rehabilitar casas antiguas en Kansas. Y nunca hablaré con nadie de esto. Nunca».

—En fin, Mike, pues estamos bien jodidos —acabó diciendo la general. Había conseguido cambiarse y ponerse un uniforme limpio. Atwell no tenía otro uniforme, y la mancha de orina en la parte delantera de sus pantalones apenas empezaba a secarse.

—Podemos reconstruir... volver a empezar alguno de los programas, por lo menos... —Atwell se encogió de hombros.

DiMarco estaba en silencio, mirando alrededor. Sentía que su carrera se deslizaba por el borde un precipicio. Tenía que actuar con rapidez y lo sabía. El secretario de defensa no la llamaba para felicitarla.

—¿Fort Irwin está muy lejos de Las Vegas? —preguntó la mujer.

Atwell lo buscó en Google Maps.

—A tres horas, más o menos.

—Vale. Póngame con el comandante en Irwin. Aún no me han relevado y todavía tengo autoridad.

—¿Puedo preguntarle qué quiere de Fort Irwin?

DiMarco se rio con una risita breve y amarga.

—¿Que qué quiero del centro nacional de entrenamiento con tanques? ¿Qué crees que quiero? Tanques. ¡Eso es lo que quiero: tanques! Y otra cosa...

—Sí, señora.

—Darby tenía información. Tenía que tenerla. Está en contacto con Dekka Talent. Todo viene de ahí, del experimento erróneo de Tom Peaks. Shade es lista, pero Dekka es una líder. Ahora es nuestra principal prioridad. Cueste lo que cueste, lo que tengamos que hacer... esa joven... debe morir.

Casi atrapan a Dillon y Saffron. Al chico se le había metido el miedo en el cuerpo por la facilidad con la que Dekka y Armo lo habían derribado. Dillon tenía poder, un poder increíble, pero con ellos no parecía surtir efecto. Lo que seguramente quería decir que su poder no afectaba a los mutantes.

Y eso era una muy muy mala noticia.

—No tendría que haber matado a esos policías —murmuró Dillon—. Pensé que igual resultaría divertido... Y ahora todos se van a concentrar en librarse de mí.

—Han intentado arrestarte —intervino Saffron, hosca.

Había sido idea suya que Dillon advirtiera su poder con contundencia. La advertencia se había convertido en la orden de que dos policías saltaran de la torre a la muerte. Poco le había durado la determinación de no matar. Oye, si la gente quería matarlo, ¿qué iba a hacer?

Saffron estaba pálida y temblaba de miedo o de furia o de ambas cosas, pero no lo contradijo cuando Dillon anunció que había llegado la hora de salir pitando del Venetian. Lo de ser un blanco y quedarse en un lugar conocido no era buen asunto. Los dos rocosos que habían ido tras él podían volver.

Dillon y Saffron se abrieron paso entre turistas enloquecidos y policías abrumados que aún no sabían qué pinta tenían ninguno de los dos. El Strip era un escenario de pánico, con coches que se subían a las aceras para sortear a los que estaban parados o los cuerpos que yacían en la calle. De vez en cuando se oía la conmoción furiosa de los disparos. Un camión que anunciaba un espectáculo de *striptease* viró exageradamente y cayó de lado, echando chispas por todas partes.

—Tenemos que seguir avanzando —dijo Dillon, cogiéndole la mano a Saffron y tirando de ella.

—Orejeras —sollozó Saffron—. ¡Es lo único que hace falta para detenerte!

«Orejeras y los rocosos», la corrigió Dillon en silencio. Entonces recordó de repente los antiguos anuncios de Verizon: «¿Me oyes ahora?». Quizás podría hacer algo con... debería anotarlo en su libreta de humor... más tarde.

—Tenemos que salir de aquí, encontrar otro lugar, un sitio donde escondernos, donde... descansar... pensar —explicó el chico.

—¿Pensar? —gruñó Saffron—. Cada minuto que pasa estarán más preparados. ¡Dios mío, no me puedo creer que esté ocurriendo todo esto!

Un ejército, eso es lo que Dillon necesitaba, un ejército. No a esos vejestorios que le daban a la palanca de las tragaperras en el Venetian, sino a gente más joven, más en forma, más capaz.

—Tienes razón en una cosa que has dicho —comentó Dillon mientras empujaban a las multitudes asesinas empleando la voz del chico para separar las aguas—. Necesito un ejército. Un ejército de voces esclavas. Pero ¿quién? ¿Dónde voy a encontrarlos?

Saffron no estaba nada preparada para la locura que se extendía por la ciudad. Se encogió de miedo, se estremeció y exclamó:

—¡Ese loco de ahí por poco me apuñala!

Entonces Dillon detectó algo. A una mujer que llevaba un jersey de San Jose State. La agarró cuando intentaba morderle el brazo.

—Deja de atacarme y respóndeme: ¿Por qué estás aquí?

La mujer parpadeó.

—Yo... he venido porque teníamos entradas para el partido, pero resulta que eran falsas. No he podido entrar.

—El partido... ¿es esta noche?

La mujer, que segundos antes buscaba desesperadamente a alguien a quien matar, se encogió de hombros.

—Supongo que sigue...

Dillon y Saffron se miraron. Un hombre con la necesidad espoleada por Dillon de matar, matar, matar, atropelló con su *jeep* a un grupo de peatones frenéticos. Los cuerpos rotos salieron disparados a diestra y siniestra hasta que el hombre se detuvo sobre una pila de víctimas que se retorcían y gritaban.

—Sal de aquí —ordenó Dillon al hombre, que lloraba y se disculpaba y gimoteaba diciendo que no podía contenerse, que no podía parar. El chico se subió al coche, se sentó de un salto al volante y abrió la puerta del pasajero para Saffron, pero entonces vio que la arrastraba un hombre grande y calvo.

—¡Oye tú, calvorota! ¡Déjala en paz!

El hombre calvo soltó al instante a Saffron, quien agarró el reposacabezas y trataba de meterse en el coche cuando un hombre echó a correr hacia ella blandiendo una cuchilla de carnicero, y le rajó la nuca atravesándole la médula espinal. Dillon vio que los ojos de la chica pasaban de estar alerta a reflejar su sobresalto, y luego que se sentía herida, como si no se creyera la injusticia... hasta que finalmente quedaron en blanco. Ya estaba muerta antes de derrumbarse en el suelo.

Dillon gimoteó aterrorizado, dio marcha atrás y aceleró, llevándose a más gente por delante, y a continuación derrapó por el Strip hasta que el tráfico le cortó el paso.

—¡Apartaos de mi camino! —gritó por la ventanilla, pero los otros conductores tenían las ventanillas cerradas por seguridad y no oyeron nada. Así que Dillon ocupó a la fuerza el espacio entre los dos coches más cercanos y, al mirar por el retrovisor, vio el cuerpo de Saffron, con la cabeza totalmente torcida.

La locura masiva que Dillon había provocado rodeaba al coche robado del chico, así que avanzaba a paso de tortuga. Estaba sentado en el coche echando chispas, llorando, suplicando al público de observadores que había en su cabeza que le mostraran el camino.

Pero entonces se dio cuenta de que las cosas no iban así. Si los observadores oscuros sintieran afecto por él, le habrían advertido sobre Dekka y su amigo blanco y peludo.

Dillon se percató amargamente de que solo observaban. No eran más que público, pero, como un público cínico de Nueva York, también les gustaba verlo fracasar.

—Estoy solo —dijo Dillon al volante—. Todos contra mí.

Y se dijo que eso era injusto.

—¡Por Dios! —exclamó Cruz mientras Shade los conducía por serpentinas carreteras de montaña muy poco iluminadas, en un BMW birlado que pertenecía a un genetista del Ran-

cho que en ese momento arrastraba su cuerpo ensangrentado por los bosques. Cruz miraba el teléfono.

—¿Qué? —replicó Shade.

—Algo... Es una locura, de verdad. Qué locura. ¡Las Vegas!
Hay una batalla en la ciudad, miles de personas sometidas a
una especie de control mental. ¡Muertos por todas partes!

—¿Control mental? —preguntó Shade—. ¿Me estás tomando el pelo?

Cruz se inclinó hacia delante, aguantando el teléfono para
que Shade pudiera verlo. Shade ya no estaba cambiada, así que
conducía a una velocidad humana normal porque no parecían perseguirlos, y la redujo a paso de tortuga mientras veía
el vídeo.

—Retrocede —le ordenó Malik, que hablaba por primera
vez desde hacía un rato—. ¡Ahí, para!

El fotograma congelado estaba borroso, pero mostraba lo
que parecía una combinación aterradora de felino y humano
abriéndose paso entre la multitud. Solo durante un brevísi-
mo instante.

—Dekka —dijo Malik—. Está aquí. En Las Vegas.

—Y ahora —dijo Shade—, ya tenemos dónde ir.

OEA-6

LOS SUBMARINOS SON PERRITOS calientes dentro de panecillos. El panecillo es el casco exterior, diseñado para moverse despacio y con eficiencia a través del agua. El perrito caliente es el casco de presión, un cilindro diseñado para aguantar presiones demoledoras.

Fue el panecillo lo que destruyó la quimera cuando arrastraba al Nebraska por el fondo del océano.

Dentro del submarino, la tripulación era como el contenido del sonajero de un niño. Lo que la quimera hacía era arrastrarlo por la arena y alguna que otra roca. A veces el submarino quedaba boca arriba. Otras de lado, o boca abajo. Los movimientos y paradas aparentemente aleatorios lanzaban a la tripulación contra mamparos de acero, haciendo chocar los músculos contra los huesos.

Otras veces, la quimera levantaba el submarino hasta que quedaba casi vertical, y la tripulación rodaba y derrapaba y caía por los aires, estampándose contra las escotillas de presión. Cada sección del casco estaba sellada por temor a que una brecha en una zona los ahogara a todos.

Durante un episodio especialmente horrible, la quimera aporreó el submarino una y otra vez hasta que no quedó ningún miembro de la tripulación sin laceraciones, cardenales, huesos rotos o un tajo en el cuero cabelludo. El médico de la embarcación ya no intentaba tratar a nadie, pues tenía una fractura abierta en el brazo.

Al menos, lo sucedido suscitó una conclusión provisional entre la tripulación coherente que quedaba: fuera cual fuera la criatura increíblemente grande y potente que había ahí fuera, estaban atrapados con ella. Puede que estuviera enganchada por... las extremidades que debía de tener. Porque desde luego parecía que la bestia intentaba zafarse de ellos.

Solo las luces de emergencia estaban encendidas en el Nebraska. Todas las comunicaciones, todos los sensores, estaban apagados. No tenían modo de ver el exterior, no había ojos de buey en el casco de presión. Nadie podía hacer nada salvo arrojarse en una litera y apretar los dientes.

Y esforzarse por no pensar en el hecho de que, entre las cosas que estaban sacudiendo brutalmente, había suficientes cabezas nucleares como para matar a millones de personas.

CAPÍTULO 17
Los eufóricos de la guerra

—APARTAOS DE MI CAMINO —gritó Dillon—. ¡Haceos a un lado!

Lo llamaban Shark Tank, aunque su nombre oficial era Thomas & Mack Center. Como cancha de baloncesto, cabían 17.923 personas, pero cuando Dillon llegó al lugar a pie, temblando visiblemente por el estrés, y sobre todo por la repentina e impactante muerte de Saffron que no dejaba de reproducir una y otra vez en su cabeza, vio que la gente salía en riadas a pesar de que el partido no había acabado, a pesar de que los Runnin' Rebels de la Universidad de Nevada jugaban contra su enemigo, el San José State.

Era evidente que los fans habían recibido las noticias a través sus móviles. Pero la multitud iba tan lenta que aún debían de quedar miles en el estadio.

—Señor, no puede... —empezó un guardia.

—¡Cállese y apártese de mi camino!

Dillon empujaba en contradirección, y no habría avanzado si no hubiera tenido la capacidad de dar órdenes a la gente para que se apartara del camino y que obedeciera de inmediato. Era un salmón nadando corriente arriba, pero un salmón que podía ordenar que se abrieran las aguas.

Entonces agarró al siguiente guardia de seguridad que vio y le gritó:

—¡Lléveme a la cabina de control, ahora!

El guardia murmuró algo sobre autorizaciones, pero obedeció sin dudarlo y condujo a Dillon a través de una puerta sin identificar, por una serie de pasillos largos hasta un tramo de escaleras que se abría a otro pasillo. Y luego por la puerta hasta una amplia cabina adornada con monitores que brillaban y media docena de hombres y mujeres concentrados en ellos.

Tras los monitores y escritorios había un ventanal largo abierto que daba al estadio.

—¡Escuchadme! ¡Quiero un micrófono que puedan oír todos los del lugar!

Tres personas prácticamente se pelearon por llevarle un micrófono de mano.

—¿Está encendido?

Lo estaba.

—Dejad de moveros todos y escuchadme. —Su voz resonaba de manera agradable. Dillon vio que todos los que estaban en el estadio se detuvieron.

—¿Quién sabe cómo calcular una multitud? —preguntó el chico a la gente de la cabina—. ¿Cuánta gente sigue habiendo dentro?

Se oyó un murmullo de voces que sugerían diversas cifras, pero parecían estar de acuerdo en que por lo menos debía de haber siete mil personas escuchando el sonido de su voz.

Dillon se dirigió hasta el borde de la cabina, donde se encontraba el ventanal.

—Haced que me ilumine un foco. —Y dijo al micrófono—: Todos sois mis esclavos. Sois mi ejército de esclavos. Me obedeceréis. Decidlo. ¡Decid que me obedeceréis!

Miles de rostros perplejos se dirigieron hacia él y, con una sola voz, rugieron:

—¡Te obedeceremos!

—¡Soy el Encantador! He venido a lideraros. ¡Regocijaos!

No tenía ni idea de por qué había acabado hablando así. Era un recuerdo lejano de la catequesis. Pero le gustaba, parecía darle fuerzas renovadas. Un mar de rostros lo miraba, la mayoría con los colores rojo y negro de la Universidad de Nevada; otros, con el azul y el dorado de San José, y todos ellos se pusieron a gritar alegremente, como si hubiera ganado su equipo.

«¡Regocijaos, ja!».

Increíble. Dillon pensó que era una imagen increíble. «Qué pena que Saffron...». El chico descartó ese pensamiento triste: le gustaba la chica, querría haberse acostado con ella, pero era sustituible. De hecho, veía a varias jóvenes allí abajo que podrían sustituirla.

—Así que, dejad que os pregunte —empezó Dillon, y su voz retumbó en el suelo de madera pulido y rebotó por las vigas de acero elevadas—: ¿cuál es la diferencia entre un dólar y los Spartans de San José? Que aún puedes sacar cuatro cuartos de un dólar.

Solo consiguió arrancar media docena de risas. Vale, era un chiste malo y no lo había trabajado. Y tenía un público difícil, asustado y confuso.

—En cualquier caso, sois mis esclavos, y tengo un trabajo para vosotros. Quiero que salgáis de aquí y...

La muchedumbre empezó a moverse.

—¡Aún no! ¡Maldita sea! Dejadme acabar la frase. —Dillon suspiró. Todo este rollo de la voz de Dios tenía su curva de aprendizaje—. Quiero que salgáis de aquí, que vayáis en coche o a pie al Strip, y que ataquéis a todos lo que vayan de uniforme. Que los matéis a todos. Policía, seguridad, a cualquiera que vaya de uniforme.

Y con ello acabó de descartar lo que había jurado que resultaría «divertido y sin que muera nadie». Ni siquiera Dillon veía qué tenía de divertida aquella situación, pero ¿qué iba a hacer? ¿Quedarse ahí esperando a que lo exterminaran? Miles de rostros perplejos y preocupados esperaban.

—¡Ahora! —gritó Dillon—. ¡Ahora, mi ejército esclavo! ¡Id, a matar, a matar!

Entonces recordó algo interesante, y añadió:

—Todos excepto los animadores. Quedaos donde estáis, y ahora mismo bajo.

Los animadores eran siete chicas y dos chicos, chavales universitarios vestidos con pantalones cortos negros de spandex y camisetas rojas ajustadas con las iniciales de la Universidad de Nevada en la parte delantera.

Al alcanzar el estadio, Dillon les guiñó el ojo.

—Vosotros nueve formáis mi guardia personal y privada. Los animadores del Encantador. —No, no acababa de sonar bien—. El equipo de animadores del Encantador. Olvidadlo. ¡Seguridad! —Tres policías del campus cercano se acercaron corriendo—. Dad a esta gente vuestras cartucheras. No os preocupéis, ¡encontraremos suficientes para todos! Y vosotros nueve, seguidme donde vaya y haced lo que os diga. Ahora, salgamos de aquí, porque la cosa va a liarse que te cagas.

La multitud asesina casi había vaciado del todo el estadio, y entonces Dillon pensó que no necesitaba seguirlos. Tenían sus órdenes, y, considerando lo ocurrido recientemente, seguirían atacando y matando a todos los uniformados hasta que no quedaran ni polis ni seguridad en los casinos de Las Vegas.

—Soy el rey de Las Vegas —dijo el chico, y se rio. «Qué pena, Saffron, pero mírame ahora —pensó—. Tengo mi propio equipo de buenorras de la universidad». Bueno, y dos chicos. Podría librarse de ellos, pero no quería parecer sexista. Y bueno, igual podrían hacer un saludo especial para él, con la pirámide y todo, y pensaba que los chicos debían de servir para eso.

¿Los embaucadores del Encantador?

¿Los eunucos del Encantador?

¿Los eufóricos del Encantador?

Eso quedaría bien. Sí. Lo probaría con público, a ver si gustaba.

Con miles de esclavos indefensos y nueve animadores, Dillon empezaba a recuperar la confianza. Pero el asesinato de Saffron le había afectado, y aún más enfrentarse a Dekka y Armo. Se dijo a sí mismo que nunca volverían a pillarle con la guardia baja. Los dos entrometidos rocosos no darían abasto con sus miles de asesinos dispuestos.

—Que alguien me diga cómo llegar al mejor palco VIP. —Dillon dio unas palmadas—. ¡Vamos a celebrarlo como si fuera el fin del mundo!

Malik cerró los ojos en el asiento trasero, bloqueando el viento, el miedo, apartándolo todo.

«Como meditar».

«Como meditar al borde del desastre».

Malik nunca se había enorgullecido de su intelecto. Lo consideraba un regalo de su ADN, como si le hubieran repartido un par de ases en una mano de póquer. No había hecho nada para merecerlo, no era el resultado de sus esfuerzos, así que no se enorgullecía de él. Pero estaba agradecido.

«¿Y vosotros qué, oscuros? ¿Estáis orgullosos?».

Hasta ahora, Malik había empleado principalmente su cerebro para conseguir buenas notas. No había tenido que esforzarse mucho en el instituto, y el poco tiempo que había pasado estudiando en Northwestern tampoco había supuesto un gran reto.

Pero ahora... bueno, ahora necesitaba todo su coeficiente, y más todavía. Tenía el teléfono de Cruz y de vez en cuando buscaba artículos sobre temas en los límites de su capacidad mental. De física. De física cuántica. De las teorías de universos múltiples, de las que había diversas versiones. De la extravagante teoría de que nuestro universo es una simulación, un juego enorme de los Sims.

«Qué fácil es decirlo, ¿no? Estáis en lo alto de la cadena alimenticia, y yo ¿qué soy? ¡Un insecto que trata de entenderos!».

Muchos habían especulado sobre universos y sims múltiples, sobre todo desde la Anomalía de Perdido Beach, desde la ERA. Pero los físicos, los autores de ciencia ficción y esa clase de gente llevaban tiempo jugando con la idea de que puede que nuestro universo no fuera el único, que el *big bang* podría haber escupido muchos, muchos universos.

Algunos pensaban que los universos eran como espuma, como un puñado de burbujas de jabón sacadas del baño, y que cada una chocaba con las otras y las deformaba. Otros preferían los universos planos, que se apilaban como una resma de papel.

«¿Sabéis las respuestas? ¿O seguís tratando de entenderlo todo?».

Cuando se especulaba sobre simulaciones, las preguntas se centraban en si el sim era como un juguete a cuerda que marchara solo. Otros se imaginaban el universo sim como un juego, como algo a lo que se jugaba activamente. Se parecía mucho a creer en Dios: no en el dios benigno del judaísmo, el cristianismo y el islam, sino en algo más próximo a los antiguos dioses griegos, caprichoso, emotivo, dependiente.

Hacía tiempo que todas esas ideas se habían descartado por una sola razón: que no había pruebas. Ninguna. Hasta que...

Hasta que la ERA demostró que las leyes de la física, las leyes supuestamente inquebrantables del universo único, se habían roto. Rotas, destrozadas, pisoteadas.

Eso no tendría que haber sido posible.

«Y sin embargo... ¿tengo razón, intrusos invisibles? ¿Me lo dirías?».

Durante cuatro años, muchos físicos habían escondido la cabeza en la arena, y se habían puesto los dedos en los oídos mientras decían *la la la la la* para acallar lo que parecía imposible. Otros se apresuraron a inventarse teorías en las que la APB era una extraña distorsión espaciotemporal localizada. Pero eso también se había convertido en un callejón sin salida, porque ahora el mundo entero era la ERA.

Todavía, la gran mayoría de la gente, incluidos muchos científicos, no aceptaba la nueva realidad. En gran medida por miedo, pero también por los límites del cerebro humano, un cerebro que podía visualizar un universo que tuviera delante, detrás, izquierda, derecha, arriba y abajo, pasado y futuro, pero no «otro lugar».

«¿Forma parte del sim? ¿Nos diseñasteis para seguir ciegos a otras dimensiones?».

A Malik le gustaba preguntarles. Nunca respondían, claro, y nunca le dejaban en paz, pero por alguna razón pedir respuestas le daba sensación de control.

Puede que fuera una ilusión, que se engañara un poco. Pero cuando preguntaba, Malik sentía que lo oían. Igual que sentía que su ráfaga de dolor los había alcanzado de alguna manera.

«No puedo veros ni oíros. Ni siquiera puedo imaginaros. Pero puedo pediros respuestas».

—Un poco de consuelo —murmuró Malik.

Cruz lo miró.

—¿Qué es un poco de consuelo?

Malik suspiró.

—Nada —dijo, y en silencio añadió: «todavía».

CAPÍTULO 18

Tanques para recordar

—PERO ¿QUÉ DIABLOS...? —El general de brigada Maxwell Fullalove colgó el auricular de su teléfono fijo. Había un coronel y dos comandantes en su cuartel general, junto a varios soldados regulares y oficiales júnior. Ninguno entendía muy bien las órdenes que habían recibido.

—¿Vamos a meter una brigada de combate en Las Vegas? —farfulló el coronel. Una brigada de combate blindada estaba formada por unos 4.700 soldados, noventa vehículos de infantería Bradley equipados para transportar a seis soldados armados, un cañón de cadena de 25 milímetros, una ametralladora de 7,62 milímetros, y dos misiles antitanque TOW. También incluía más de un centenar de vehículos blindados para transportar personal. Pero la fuerza principal provenía de noventa tanques Abrams M1A2 que transportaban ametralladoras, misiles y cañones de 105 o 120 milímetros—. ¿Bradleys y Abrams en el Strip de Las Vegas? Como mínimo destrozarán la calzada.

Fort Irwin, California, se encontraba en una zona tremendamente aislada de desierto y más desierto. Allí estaba el Centro de Entrenamiento Nacional, especializado en preparar a las brigadas de combate para el ataque real. En ese momento contaba con dos fuerzas importantes: su propia fuerza de oposición, conocida como OPFOR, que hacía de «enemigo» en los entrenamientos, y la Brigada de Acero visitante, cuya insignia era una pirámide azul, roja y dorada con el eslogan «¡Dale fuerte!».

La orden de urgencia de la general DiMarco, que para sorpresa de Fullalove contaba con el apoyo del Pentágono y el consejero de seguridad nacional, había sumido la base en un pánico controlado pero activo.

—¡A trabajar! —ordenó Fullalove. No le entusiasmaban esas órdenes lunáticas más que a sus oficiales, pero estaban en el ejército, no en el club de debate—. Quiero actualizaciones cada hora.

Fullalove pensaba que podría formar una brigada de primera con su propia OPFOR y la Brigada de Hierro visitante.

El gran problema, como siempre, era la logística, empezando por la carga de la artillería real: munición a miles para los tanques, a cientos de miles para ametralladoras y cañones de cadena. Y ya no hablemos del tema del combustible: por el camino tendrían que repostar, lo que implicaba enviar camiones con combustible, y de esos no tenían suficientes. Si se desplazaban a máxima velocidad por las interestatales sin preocuparse del tráfico ni del asfalto y considerando lo rápido que podían avanzar los tanques, pues Fullalove no tenía ni tiempo ni camiones de plataforma suficientes para cargar los tanques hasta allí, podrían estar en Las Vegas cinco horas después de salir. Pero, aunque tuvieran prioridad máxima y se pusieran todos manos a la obra, tardarían diez horas en ponerse en marcha. Diez horas en prepararse, cinco en conducir, y en ese momento ya pasaban de las tres de la madrugada, con lo que llegarían a la ciudad con la puesta de sol del día siguiente.

«¿Y luego?».

Sus órdenes no iban más allá de «Enfrentarse a los mutantes enemigos y restablecer el orden».

¡Qué locura! ¿Una brigada de tanques en medio de una ciudad americana? El general había visto las noticias, sabía que en Las Vegas había una emergencia, pero la solución para los disturbios no iba a ser los tanques, no, por Dios. Ellos no eran las Fuerzas Especiales, ni siquiera eran la infantería, aunque los acompañarían algunos soldados de a pie. Sus soldados no estaban entrenados para los disturbios. Una brigada de combate moderna podría haberse enfrentado y derrotado al conjunto del ejército alemán de la Segunda Guerra Mundial. Su poder destructor era tremendo. Y al general le habían asegurado que también tendría apoyo aéreo, aunque, joder, resultaba aterrador imaginarse qué pensaba que podría conseguir el Pentágono con los F-18 sobrevolando una gran ciudad.

El general se planteó ponerse personalmente al mando de la operación, pero todo aquello parecía, a todas luces, un suicidio profesional. Con investigaciones en el Congreso, y puede que incluso un consejo de guerra. Fullalove tenía dos coroneles experimentados a los que podía encargar el trabajo, la comandante OPFOR Andrea Mataconis, que era su protegida, y el coronel de la unidad visitante, Frank «Frankenstein» Poole. El apodo se debía a la frente inusualmente prominente del coronel, y también procedía de los oficiales júnior que susurraban que se convertía en un monstruo si le cabreabas.

Fullalove mandó llamar a Poole, quien llegó con su uniforme impecable y las botas pulidas, y el rostro oblongo muy emocionado.

—Poole, le voy a dar la brigada de primera. Tomará el mando y avanzará rápidamente a Las Vegas para enfrentarse a... la situación.

Poole era un oficial agresivo, impetuoso, pero no estaba loco, así que preguntó:

—General, ¿asumo que habrá órdenes escritas?

Fullalove asintió. Ya se imaginaba ante un comité de investigación del Senado formado por senadores arrogantes y estúpidos.

—Las están imprimiendo ahora. Pero Frank, va a tener mucha autonomía en esto. No contamos precisamente con planes de batalla para esta clase de cosas. Tendrá que establecer las reglas del combate cuando consigamos nueva información.

—Entendido, señor.

Frankenstein Poole recibió sus órdenes escritas, vagas y claramente apresuradas, y bajó los escalones prácticamente levitando hasta el coche que lo esperaba. Llevaba quince años en el ejército, y aún no había tenido ocasión de disparar en ninguna guerra. Pero estaba a punto de conducir hasta Las Vegas como el puñetero George Patton, con todas las cámaras del planeta enfocándolo.

—¡Claro que sí! —exclamó, y se echó a reír.

El Departamento Metropolitano de Policía de Las Vegas tenía 2.600 agentes. A veces, los casinos empleaban a ese mismo número de agentes de seguridad con varios grados de profesionalidad. Todos llevaban uniforme.

El primer agente de policía que murió a manos del ejército esclavo de Dillon fue Carla Sánchez, que estaba exhausta debido a la jornada ya de por sí sangrienta. Paró junto con su compañero en un 7-Eleven para comprar café cuando media docena de civiles los atacaron y la golpearon hasta hacerla caer al suelo antes de que pudiera sacar el arma. Su compañero vació el cargador entero de una 9 milímetros, mató a dos personas e hirió a otras tantas antes de que la multitud acelerada se le abalanzara también, ignorando el peligro.

El último pensamiento consciente de la agente Sánchez fue que era muy muy extraño morir por los golpes de una llave de neumático que le propinaba una mujer de mediana edad que no dejaba de disculparse.

La policía estatal de Nevada recorría la ciudad a toda velocidad. Policías, personal de urgencias y bomberos de ciudades tan lejanas como Bakersfield se encontraban de camino, pero la gente, presa del pánico, atascaba todos los carriles de todas las carreteras en ambos sentidos y les barraba el paso. Las Vegas hacía lo posible por vaciarse, pero con una población de seiscientas mil personas, y ya no digamos cien mil turistas, tardarían horas. Días.

Mientras tanto, sobre la policía y el personal de seguridad se abalanzaban turbas a las que solo podía detener la muerte. Pero las turbas también atacaban a trabajadores de McDonald's e In-N-Out, así como a porteros y mozos, trabajadores sanitarios, e incluso a camareras y crupieres de *blackjack*.

El jefe de policía tardó cuatro horas en entender que las turbas se concentraban en los uniformes, en cualquier uniforme. Sobre todo, en los de los policías y guardias, pero cuando no encontraban a nadie de esas categorías, se metían en riadas en los casinos y mordían, golpeaban, estrangulaban, apuñalaban y disparaban a cualquiera que llevara lo que podría describirse como un uniforme.

El jefe ordenó a todos los policías que se quitaran el uniforme inmediatamente, con lo ahora había policías en ropa interior que estaban a salvo de los ataques, pero demasiado desorganizados para empezar siquiera a formular una estrategia. El jefe se esforzó al máximo por avisar a los equipos de seguridad de los casinos, pero las comunicaciones estaban saturadas, y no es que se pararan precisamente a revisar sus mensajes de texto o correos electrónicos.

A las tres de la madrugada, Las Vegas estaba cerrada. Las puertas de los casinos estaban cerradas con barricadas de tragaperras apiladas. Los huéspedes no podían salir del interior y nadie podía entrar.

Por lo menos al principio.

Al amanecer, la turba, de la que ahora faltaban quinientos muertos que yacían desperdigados por todo el Strip junto a cientos de sus víctimas, comenzó a apropiarse de los camiones de basura matutinos y los empleó para abrir a la fuerza las puertas del casino Treasure Island. El Venetian ya estaba en llamas, y el Treasure Island no tardó en estarlo.

Tom Peaks se había acabado la media botella de vodka de Drake y salió de la cueva. Peaks no tenía el estómago delicado, pero aquel lugar era el corazón del mal, y le ponía enfermo.

Entonces encendió su teléfono. Era un riesgo, sabía que era un riesgo. Había cambiado de tarjeta SIM, aunque el gobierno estadounidense disponía de muchas herramientas cuando se trataba de vigilancia electrónica.

Pero Peaks necesitaba contacto con la realidad.

Trató de entrar en el perfil de Facebook de su mujer, pero ella lo había cerrado. Eso le dolió. No le costaba imaginarse los insultos que habría sufrido su esposa en redes sociales. Dios sabe cómo lo debían de estar pasando sus hijas. Siempre les había enseñado a ser sinceras y directas, a enfrentarse a los matones, pero de qué forma sincera y directa se podía replicar a «¡Tu padre es un monstruo!» o «¡Tu padre ha matado a gente!».

El hombre se planteó quitarse la vida. Seguro que Drake tenía un arma por ahí. Un cuchillo o una cuchilla también le servirían. O podía subir por la colina donde estaba, por ese montón de rocas, mirar las estrellas por última vez y saltar.

Entonces se encontró con el vídeo que había subido Shade Darby de la aniquilación del Rancho.

Y eso le produjo cierta satisfacción macabra. DiMarco debía de estar cagándose encima. Pero también era verdad que muchas personas con las que Peaks había trabajado, a las que había contratado y formado como empleados estaban muertas. El Rancho, su creación, no se recuperaría.

El gobierno estadounidense aún no estaba finiquitado, ni mucho menos, pero no contaría con su propio ejército mutante. Ni con cíborgs. Tendrían que imponerse por medios más convencionales.

Peaks iba a apagar el teléfono cuando, llevado por la costumbre, clicó en el *Washington Post* y vio los llamativos titulares de Las Vegas. Y ahí, en un vídeo borroso, estaba su enemiga, su fracaso: Dekka Talent.

No hacía falta un hombre del intelecto y la educación de Peaks para entender que Las Vegas sería el centro de una batalla épica: del gobierno contra los mutantes contra otros mutantes.

Tras la humillación de DiMarco, puede que el Pentágono entendiera que se habían equivocado apartando a Peaks. Puede que empezaran a entender que él era el único que podría liderar la lucha, sobre todo contra las dekkas y shades y pesadillas del mundo.

Sobre todo, si conseguía que el gobierno volviera a ganar la batalla. Pero no si seguía relacionándose con Drake. La gente que crucificaba a gente en cuevas nunca iba a ser popular, mientras que Dragón... bueno, ¿a quién no le gustaban algo los dragones? Y con el tiempo podría llegar a venderles la masacre del puerto de Los Ángeles afirmando que lo que había intentado había sido detener a como se llamara... Vincent Vu.

Peaks tenía un deportivo robado. Y tenía... miró en la cartera, veintisiete dólares, con los que podría comprar gasolina suficiente para conducir durante tres horas y media.

Dillon había pasado una noche delirante en el enorme palco pijo VIP que daba al estadio ahora vacío. Aún tenía a sus eufóricos, armados hasta los dientes, aunque no a todos se les daba realmente bien disparar, como había descubierto al obligarles a practicar el tiro al blanco en el estadio, apuntando a pelotas de baloncesto que hacía rodar para ellos. Dillon se había divertido hasta el agotamiento con la CNN de fondo, que alternaba espectaculares planos tomados desde un helicóptero con reporteros callejeros de ojos desorbitados, cámaras de seguridad dentro de casinos y preocupados «expertos» de rostro cenizo.

«Expertos —se burló Dillon—. No puede haber un experto de lo que está pasando».

Solo lamentaba que las noticias lo hubieran interrumpido para mostrar lo que parecía un vídeo aparentemente subido a YouTube de la tal Shade Darby.

Dillon lo vio una y otra vez, fascinado por los horrores que en él se habían creado. Fascinado también por la matanza. Y, por extraño que parezca, estaba un poco celoso de Shade. Los medios solo deberían hablar de él, del Encantador, no alternarlo con la chica chunga con la cabeza de plastilina brillante y las piernas de insecto.

Dillon durmió unas pocas horas y se bañó en el jacuzzi gigante. Trató de pedir pizza, pero el fijo no funcionaba. Había un móvil que sí, pero el teléfono sonaba sin más. Nadie en Las Vegas estaba repartiendo pizza.

Dillon mandó a dos eufóricos a buscar comida en los puestos de perritos y cerveza, pero no volvieron. Les había ordenado que consiguieran comida y volvieran, por lo que, o bien las órdenes eran demasiado vagas o no podían cumplirlas o... alguien se había cargado a dos de sus eufóricos.

¿Dekka? ¿El oso? ¿O es que había llegado Shade Darby?

Dillon trató de tranquilizarse: no tenía por qué tener miedo. Contaba con el mayor de todos los poderes. Y con un público al que impresionar.

—¿Y ahora qué? —se preguntó, y volvió a ver la tele, a los presentadores de noticias agotados y las últimas «Últimas noticias», que incluían un vídeo *amateur* de una columna de tanques. ¡Una columna de tanques de verdad! Parecía algo sacado de la guerra de Irak—. Uau, la he liado, ¿eh?

Una de las animadoras, la mujer asiática que dijo que se llamaba Kate, respondió:

—Sí que lo has hecho. Mucha gente va a morir.

Dillon le lanzó una mirada chunga y casi le ordena que se arrancara la lengua de un mordisco.

—Si quiero críticas, ya las pediré. Así que cállate.

Pero Kate no se equivocaba. La turba del equipo deportivo de Las Vegas se había dividido en tres grupos, uno muy grande de unas quinientas personas y dos más pequeños, y todos deambulaban por el Strip buscando a cualquiera que llevara uniforme.

El Strip en sí, y varias pasarelas entre casinos, estaban salpicados de cuerpos, la mayoría cadáveres, y solo unos pocos gateaban dejando rastros de sangre sobre el cemento desnudo.

—Tanques, ¿eh? —dijo Dillon, y entonces cantó parte de

una cancioncilla sobre eso, que suscitó una sonrisita nerviosa en Kate, y por eso la muchacha le gustó un poco. Se alegraba de no haberle ordenado que se mutilara a sí misma—. Hay dos peces en una pecera, y uno le dice al otro: «Oye, ¿y esto cómo se conduce?».

Dillon consiguió que Kate soltara una risita ahogada.

Su risa le alegró, pero continuaba preocupado. Había atacado a los polis y había ganado. Se había enfrentado a Dekka y Armo y por lo menos había sobrevivido. Pero los tanques... sí, eso iba a resultar duro.

Dillon se dio cuenta de que lo que necesitaba era salir en la televisión nacional, como le había dicho Saffron. Con tan solo diez segundos de emisión podría crear millones de esclavos obedientes.

—No, Dillon —dijo de repente, chasqueando los dedos—. No necesito la tele.

Tenía un perfil de Facebook con setenta y ocho «amigos». Por algo se empieza.

—Oye, Kate, coge mi teléfono. ¿Sabes grabar vídeo?

Un ordenador sonó en las entrañas de la Agencia de Seguridad Nacional, los campeones mundiales de la vigilancia electrónica, que en pleno estado de emergencia tenían autorización para espiar abiertamente a lo que denominaban las «personas de Estados Unidos».

Un analista conocido como Capitán Cereal por la caja de cereales azucarados que siempre tenía a mano se dio la vuelta en la silla de su cubículo y dijo al tipo del cubículo siguiente:

—Oye, tengo un aviso del Sujeto 19.

Tardaron veinte minutos en verificarlo y volver a comprobarlo, tras lo cual media docena de supervisores sénior de la agencia se apiñaron en torno al cubículo del Capitán Cereal, y muchos otros ojos observaron a través de un enlace.

La noticia tardó una hora más en ascender por la cadena de mando. Y treinta minutos más tarde enviaron las órdenes a la base de la fuerza aérea Creech, en las afueras de Las Vegas.

A partir de ahí, tardaron media hora más en armar y enviar el dron, y otra hora en alcanzar el blanco. Aparcados en el desierto, hombres y mujeres en tráilers oscuros con aire acondicionado se sentaron en butacas acolchadas mirando monitores, y buscaron por todas partes señales de vida en la zona designada. Nada.

Pues eso bastaba.

Lanzaron un misil Hellfire justo cuando Drake Merwin salía de su guarida, al preguntarse dónde diablos había tenido que ir Tom Peaks.

El misil estampó a Drake, o por lo menos algunas de sus partes, contra las rocas. Trozos de Drake, muchos en llamas, se colaron entre las grietas o hicieron *plaf* contra la piedra. El chico se abrió la cabeza por la mitad, de manera que gran parte de su cerebro, el ojo derecho y la nariz quedaron convertidos en un pringue gelatinoso que ardía lentamente.

El resto de su cabeza, lo que comprendía el ojo izquierdo, un trozo de cartílago nasal y su boca, cayó, casi intacto, sobre un cactus, donde se aposentó como el nido disparatado de un pájaro.

—Maldita sea —dijo la boca de Drake—. ¿Otra vez?

CAPÍTULO 19

La crueldad ya no es solo para tiburones

DEKKA Y ARMO CONSIGUIERON comer y dormir un poco en una *suite* del *resort* del Caesars Palace, cuya entrada estaba barrada. El hotel era más elegante que el Venetian, pero seguía siendo increíblemente hortera, y contaba con reproducciones de la arquitectura y las estatuas romanas. Aunque la excelente copia a tamaño real del *David* de Miguel Ángel era en realidad de la Florencia renacentista, no de la Roma de César, pero oye, ¿qué más da un milenio o dos?

Una mente brillante del Caesars llamada Wilkes, recién ascendida gracias a la muerte de su antiguo jefe en el casino, había tenido la astucia de dar a los dos rocosos un lugar donde pasar la noche.

Dekka se despertó primero y le costó abrir las cortinas con el sol abrasador. La habitación daba al norte, y tenía vistas de los casinos Linq y Mirage. Al otro lado de la calle desde el Mirage ardía el Venetian, el humo salía inflándose de sus ventanas rotas.

En el Strip casi no había coches a excepción de los que se habían estrellado o volcado. Algunos coches y camiones aún ardían. Había cuerpos por todas partes, como muñequitos de trapo tirados en la calle, en las aceras, en fuentes.

En un coche de policía vacío aún brillaban, intermitentes, las luces en rojo y azul. A través del cristal grueso, Dekka oía sirenas y alarmas sonando sin cesar.

El agotamiento se apoderó de Dekka. No el sueño, aunque también lo notaba, sino el agotamiento en los huesos. La cama de la que acababa de levantarse la llamaba. Armo seguía dormido en la suya, boca abajo, tan grande que sobresalía por los dos lados y por los pies de la cama.

Dekka encontró el mando a distancia y encendió la televisión.

El pánico apenas controlado se había apoderado del país. Las noticias se habían dividido a partes iguales entre lo que había hecho Shade en el Rancho y la locura creciente de Las Vegas.

Pero el presentador comentaba que los tanques estaban de camino. Como si eso fuera una buena noticia.

Dekka encendió el teléfono y el WhatsApp, y se percató de que estaba usando la aplicación favorita de los terroristas.

Dekka: ¿Shade?
Shade: ¿Sí?
Dekka: ¿Vienes a Las Vegas?
Shade: Sip.
Dekka: Ya me lo imaginaba. Ven al Caesars Palace. Escribe cuando llegues y haré que te dejen entrar.
Shade: Malik dice «¿Reunión de Vengadores?».
Dekka: Algo así.

Dekka se reunió con Shade, Cruz y Malik abajo.

—Me alegro de que hayáis venido —dijo Dekka, dándoles la mano—. Armo y yo íbamos de camino para darte apoyo, cosa que es evidente que no necesitabas, y nos hemos quedado atascados aquí.

—Gracias por pensarlo —dijo Shade agotada—. Ha sido un día duro.

—Todos los días son duros ahora —intervino Cruz.

Dekka y Shade se miraron y la segunda inclinó sutilmente la cabeza hacia el pasillo que llevaba a los baños, e indicó:

—Tengo que ir un momento al lavabo.

—Voy contigo —añadió Dekka—. Armo, ¿te importa subir a Cruz y Malik a la habitación?

—Encantado.

Dekka interceptó una mirada entre Malik y Cruz. Los dos se habían dado cuenta de que Dekka quería hablar con Shade a solas. Pero tampoco querían interferir, así que siguieron a Armo hacia los ascensores.

Dekka condujo a Shade hasta un hueco donde había teléfonos fijos y un cajero automático.

—¿Qué pasa? —preguntó Shade, incapaz de ocultar un agotamiento profundo idéntico al de Dekka, que le llegaba hasta lo más hondo.

—¿Tú conoces la ERA? ¿Has leído los libros, viste la película?

Shade sintió.

—Así que sabes lo que quiero decir cuando digo que Drake está vivo. O lo que sea que llamemos «vivo» cuando se trata de él.

—Mano de Látigo —recordó Shade, de repente más atenta.

—Sea lo que sea lo que crees que sabes, la realidad es peor. Mucho peor. Vivía en el desierto, pero Tom Peaks lo trajo a Los Ángeles. No sé dónde está ahora, con un poco de suerte en los confines de Mojave. Pero, aunque esté... —Dekka soltó aire bruscamente—. Está obsesionado con ella.

—Con Astrid Ellison.

Dekka asintió.

—Tarde o temprano irá a buscarla. Y Sam no podrá detenerlo. —La chica hizo una pausa larga, consciente de la gravedad de lo que iba a pedirle—. Ningún ser humano podrá detenerlo.

Shade miró el suelo.

—Dekka... Yo... —Shade soltó una risita amarga—. No estoy precisamente encantada con las decisiones que he tomado últimamente, ¿sabes? Sobre todo, en lo relativo a la roca. Malik... No sabes lo que ha sufrido, en lo que se ha convertido.

—Es un riesgo, un riesgo terrible —reconoció Dekka—. Pero... ¿tienes?

Shade asintió un poquito, casi como si no lo hiciera aposta. Pero al cabo de un instante respondió:

—Sí, Dekka. Tengo un poco.

Armo estaba profundamente dormido cuando Dekka condujo a Shade a la habitación. Dekka y Shade habían cogido café y pastas abajo, y entonces Dekka las dispuso en la mesita auxiliar, como si sirviera la comida para una reunión de negocios.

Pero primero Cruz y luego Shade y luego Malik se ducharon y, para cuando terminaron, Armo ya había bostezado y se había despertado. Iba vestido solo con bóxers, ignorando felizmente que Cruz lo miraba como si fuera el último dónut.

Con metro ochenta de estatura en un mundo que aún pensaba que las mujeres deberían ser más bajas que los hombres, Cruz tenía poco donde elegir. Pero Armo... Armo era enorme.

En el buen sentido.

—Así que... —empezó Dekka.

—Así que... —repitió Shade.

Bebieron café. A Cruz le parecía que cada una de ellas esperaba que la otra anunciara un plan.

—Los tanques llegarán cuando caiga la tarde. Y por lo que sé ese tal Dillon sigue libre —resumió Dekka, y adoptando una expresión compungida añadió—: Lo siento. Casi lo cazamos.

—Sale en todas las noticias, claro —dijo Shade—. Parece que va a haber un enfrentamiento. No me sorprendería que aparecieran más rocosos. Muchos... mucha gente... dejamos suelta a mucha gente en el Rancho... Vi huir a Pesadilla. Dios sabe dónde está el niño estrella, como se llame...

—Abadón —dijo Cruz—. Vincent Vu.

—Sí, ese. Lo vieron por última vez en Los Ángeles.

—¿A qué velocidad puede arrastrarse una estrella gigante? —preguntó Cruz haciéndose la graciosa, y Armo la recompensó con una sonrisa. No le sorprendía que tuviera los dientes perfectos y una sonrisa preciosa.

—¿Qué hacemos? Esa es la pregunta —dijo Dekka mirando a Shade. Entonces todos pasaron a mirar a Shade, quien negó con la cabeza.

—No me preguntéis a mí. —Bajó la mirada y pareció encogerse un poco.

Dekka soltó un bufido.

—¿Y entonces a quién? Mira, cariño, he visto muchas cosas sobre ti en internet, y se supone que eres más lista que el hambre.

—Ya, pues ¿sabes qué? Que coeficiente no es igual a sabiduría. Y bueno, tú tienes experiencia, y no has... —La mirada de Shade se dirigió a Malik, que permanecía sentado, callado, con los ojos entrecerrados como lo estaban a menudo. Parecía el Malik de siempre... pero no lo era.

Irritada, Dekka se volvió hacia Armo.

—¿Y a ti qué se te ocurre, tío?

—Me queda medio cruasán si alguien lo quiere.

Nadie sabía si hablaba en serio o en broma, pero Cruz sonrió.

«No es momento para eso», se riñó. Apenas había tratado con Armo en el fragor de la batalla, y entonces era muy peludo. Cruz nunca había estado en la misma habitación que alguien como Armo. Cruz era transgénero, pero de preferencia hetero, y tendría que ser una chica hetero o chico gay muy maniático para no reaccionar a casi dos metros de hermosura musculada. Puede que fuera aún más guapo que Malik, por quien solo sentía pena y tristeza y una especie de amor fraternal.

«¡Oye, ya vale!». Una vez más, Cruz se retraía de las decisiones que conformarían su vida... o le pondrían fin.

—Ni siquiera sé a quién nos enfrentamos —soltó de repente—. ¿Nos enfrentamos al Encantador ese, a ese rocoso que controla el pensamiento? ¿O nos enfrentamos al puñetero ejército de los Estados Unidos?

—Nos enfrentamos a los observadores oscuros. —Malik rompió un largo silencio.

Todos se volvieron hacia él.

—Yo creo... —empezó, pero se interrumpió y frunció el ceño. Entonces meneó un poco la cabeza, acosado por esos mismos observadores—. Lo que quieren los oscuros es mirar. Creo que somos entretenimiento. En cierto sentido somos como los personajes de una película. No sé si querían que esto fuera entretenimiento, o es algo que ha pasado sin más. No lo sé... bueno... no sé nada, pero todo es... Mirad, igual solo estaban cambiando de canal y se toparon con nosotros, y les resultamos visibles por un experimento con la roca del que se habían olvidado. No creo que importe. Pero ahora nos están mirando, quieren que el espectáculo resulte entretenido. Y les tira más bien lo oscuro, lo truculento.

Shade preguntó, todavía como una sombra apagada de sí misma:

—¿Estás diciendo que no tenemos libre albedrío en esto?

Malik se encogió de hombros.

—En Introducción a la Filosofía, te metes en un debate sobre si existe el libre albedrío o solo es una ilusión. Y la conclusión es inevitable: no importa. Tanto si tenemos libre albedrío como si no, no podemos comportarnos como si pensáramos que no. Así que, en la práctica, sí que tenemos.

La sonrisa de Shade era genuina y nostálgica.

—Chico universitario...

Cruz notó que su amiga estaba muy tensa esperando a ver si Malik se lo tomaba como una chanza amable o no. Cuando Malik consiguió esbozar una pequeña mueca, Shade parecía a punto de llorar de alivio.

—Pues me parece muy bien, pero ¿qué hacemos con los raros y los tanques? —insistió Dekka.

—Todo se reduce a quién acabará ganando —opinó Malik.

—¿No a quién tiene razón? —preguntó Cruz.

—Eso siempre es importante —reconoció Malik—. Pero fijaos en esto: si gana el gobierno, es inevitable que nos persigan y nos eliminen. Y eso podría ser lo mejor, si no fuera por... —El chico se encogió de hombros.

—¿Si no quisiera decir que tenemos que morir todos? —se burló Armo.

—El Rancho —interrumpió Shade—. El Rancho demuestra que el gobierno usa la roca para crear sus propios mutantes. ¿Confiamos en un gobierno que hace algo así? ¿A sus propios ciudadanos?

De repente había otra persona en la habitación. Armo se puso en pie de un salto, cerrando los puños. Ya le estaba saliendo el pelo blanco.

—¡Oye, oye! —exclamó Francis Specter, mostrando las palmas vacías y negando con la cabeza—. ¡Que soy de los buenos!

—¿Cómo demonios has entrado aquí? —exigió Dekka, y corrió a comprobar que la puerta estuviera cerrada.

—Es algo que puedo hacer —explicó Francis—. Soy una de vosotros. Tengo un... ya sabéis... un poder.

A continuación, se presentaron y Francis se explicó.

—No eres más que una niña —afirmó Dekka.

—Y tú también lo eras, Dekka —replicó Shade—. Y también Sam Temple y Astrid Ellison y los demás. —Y cuando Dekka arqueó una ceja, añadió—: Ya te lo he dicho: me he leído todos los libros.

—Sí que lo ha hecho —confirmó Cruz.

—Estoy aquí porque te vi en la tele —dijo Francis, inclinando la cabeza tímidamente hacia Dekka.

—¿A mí? Ay, Dios. Genial. Ahora soy el flautista de Hamelín. Bueno, ya estás aquí, y parece que tienes una gran aptitud. Así que bienvenida... supongo.

Dekka le tendió una mano y Francis se la dio, avergonzada y con la mirada baja, como una ayudante personal que esperara que la contratara una estrella de cine.

Shade resumió:

—Vale, yo tengo velocidad y algo de fuerza también. Francis dice que lo que hace es atravesar objetos sólidos, y, dado que acaba de entrar por una puerta cerrada, supongo que sí. Cruz puede modificar su aspecto o desaparecer del todo. Dekka puede romperlo todo. Malik puede lanzar una ráfaga de dolor intolerable. Y Armo tiene una gran cantidad de fuerza bruta. —Entonces Armo flexionó sus bíceps y movió los pectorales, y, aunque a Cruz le pareció ridículo, no le molestó verlo. Tenía la Moleskine en el regazo, y dibujó sin pensarlo un trocito del hombro.

—Y todo eso es increíble —continuó Shade—. Tenemos poderes. Poderes de verdad. Pero seguimos sin tener un plan.

—Tengo una idea. —Las palabras salieron de la boca de Cruz antes de que pudiera contenerse. En cualquier otro momento la mirada de escepticismo en el rostro de Shade le habría afectado, pero Cruz lo entendía. Entendía y aceptaba que era muy improbable, considerando la experiencia previa, que tuviera una sugerencia útil.

—Adelante —la animó Dekka, inclinándose hacia ella en el borde de la cama.

—Es una tontería, porque estaba pensando en escribir y en historias y...

—Suéltalo —le espetó Dekka—. Ni a nuestros genios de la casa ni a los luchadores experimentados se les ocurre nada.

—Bueno... vale. Es lo que estaba diciendo Malik, lo de que esto es entretenimiento. Como una serie o un libro. Y yo me he puesto a pensarlo como si fuera una historia, ¿sabéis? Como un cómic o una película. ¿Y qué hacen los superhéroes? Pues salvar al mundo.

—¿Y eso es todo? ¿Ese es el plan? ¿Salvar al mundo? —Shade casi la compadecía.

—No, no, quiero decir, que sí, pero... —Cruz notaba el rubor que se le acumulaba en las mejillas—. Solo quiero decir que... se trata del cuándo, ¿no? De elegir bien cuándo. Porque tenemos a dos malos, al gobierno y al Encantador, y a gente como él, a rocosos malos. Todos sabemos que no podemos dejar que gane un chungo sádico con el poder de controlar la mente. Quiero decir, que con eso se acaba todo. Y entonces queda el gobierno. Al final, resulta que los necesitamos para ganar, pero solo si nos dejan con vida. Así que no podemos ayudar nunca al Encantador, pero igual podemos ayudar al gobierno. Pero solo si están muy desesperados.

—Y entonces...

—Entonces, si esto es una historia, un entretenimiento, ¿cuándo salen los superhéroes a salvar al mundo?

Malik le sonrió.

—Cuando se pierde la esperanza.

—Cruz, eso quiere decir esperar mientras muere la gente —intervino Dekka—. No hacer nada hasta asegurarnos de que llega el momento.

—Sí —dijo Cruz con mucho pesar. Y al decirlo pensaba en su imagen mental del tiburón dentro de Shade Darby, que de repente se trasladaba a ocupar su propio interior.

Dos minutos atrás se comía con los ojos a Armo. Y ahora acababa de soltar un plan que podría cobrarse —que probablemente se cobraría— vidas inocentes.

Dos de las personas que había en la habitación entendieron claramente, hasta lo más profundo de su alma, la carga que había decidido imponerse. Al levantarse del banquillo para unirse al partido y abrir la boca, Cruz se había hecho cómplice de lo que ocurriera a continuación.

Shade y Dekka la miraron, y ambas sintieron lástima.

INTERSTICIO

FBI, Washington
URGENTE
Nota: La siguiente transcripción se realizó con un programa de conversión de voz a texto.
Transcripción del vídeo de Facebook de Dillon Poe:

Hola, mundo, aquí Dillon Po (sic), que os habla desde el hermoso centro de Las Vengas.

Voy a daros una orden y vais a seguirla.

A todos los que oigáis esto, os ordeno que hagáis dos cosas.

Primero, enviar este vídeo a todos los contratos (sic) de vuestras redes sociales.

Segundo, en cuanto hayáis hecho eso, vendréis de la forma más directa posible a Las Vegas. En cuanto estéis en Las Vegas defenderéis la ciudad contra todas las fuerzas del gobierno, matando a todos los soldados o agentes de policía que os encontréis, y a cualquier otra persona que les ayude.

Seguiréis esta orden durante las veinticuatro horas siguientes a vuestra llegada a Las Vegas. Luego esperaréis más órdenes.

Si no recibís más órdenes de mí, os detendréis, os quedaréis donde estéis, y os negaréis a comer o beber.

Gracias por escucharme, gracias por obedecer, ¡y no os olvidéis de dar propina a los camareros!

LA CASA BLANCA
Oficina del Secretario de Prensa
PARA SU PUBLICACIÓN INMEDIATA
Considerando las disposiciones de urgencia que se aprobaron ayer, el presidente ha ordenado el cierre inmediato de todas las redes sociales, incluidas Twitter, Instagram, Facebook y servicios parecidos, así como YouTube y cualquier sistema de emisión o retransmisión de vídeo o voz entre pares.

Cualquier individuo, empresa o grupo que a sabiendas emita, retransmita o de cualquier modo ayude a la persona identificada como Dillon Poe será arrestada y se enfrentará a un castigo grave, incluidos diez años en una prisión federal y la confiscación de todos sus bienes.

Clasificado: Alto secreto
DEPARTAMENTO DE SEGURIDAD NACIONAL
Director de Seguridad Nacional
Bajo el poder que me concede el decreto de urgencia, les ordeno que hagan disponibles de inmediato todas y cada una de las «puertas traseras» a su aplicación de WhatsApp.

El no cumplimiento de esta exigencia comportará la confiscación de su negocio y el cese de cualquier demanda de propiedad, suya o de sus accionistas e inversores.

Esta misma carta se enviará a todos los desarrolladores de aplicaciones de mensajería encriptada similares.

Expedia lamenta informarles de que en estos momentos no aceptamos reservas para vuelos u hoteles en toda el área de Las Vegas.

Código EE.UU. 47 § 606. Poderes de guerra del presidente
(d) Suspensión o enmienda de reglas y regulaciones aplicables a
las comunicaciones por cable; cierre de instalaciones; uso guberna-
mental de las instalaciones.

Tras la proclamación presidencial de que existe un estado o amena-
za de guerra que afecta a los Estados Unidos, el presidente, si lo consi-
dera necesario para el interés de la seguridad y la defensa nacional,
puede, durante un periodo que finalice no más de seis meses después del
fin de tal estado o amenaza y no más tarde de la fecha más temprana
que designe el Congreso por resolución concurrente (1) suspender o
modificar las reglas y regulaciones aplicables a todas y cada una de las
instalaciones o estaciones de comunicación por cable dentro de la juris-
dicción de los Estados Unidos como prescribe la Comisión, (2) causar el
cierre de cualquier instalación o estación de comunicación por cable y
la retirada subsiguiente de sus aparatos y equipo, o (3) autorizar el uso
o control de tales instalaciones o estaciones y sus aparatos y equipos a
cualquier departamento gubernamental bajo las regulaciones que pres-
criba, a cambio de una compensación justa a sus propietarios.

ALERTA DE HUNDIMIENTO
Clasificado: Alto secreto
DEPARTAMENTO DE DEFENSA
Jefe del Estado Mayor, Marina de EE.UU.
Les notificamos que hemos perdido todo contacto con la última
posición del buque estadounidense Nebraska en un radio de doce millas
del guardacostas estadounidense Abbie Burgess.

El Sistema de Rescate Submarino de la OTAN se encuentra de cami-
no mediante el avión C-5 procedente de la Base Naval de su Majestad
de Clyde en Escocia, y se prevé que llegue al lugar en nueve horas.

El avión F-15 del Ala de Combate 104, perteneciente a la guardia
aérea nacional de Massachussets, ofrecerá apoyo aéreo.

CAPÍTULO 20
Excedente de monstruos

EL PRIMER ATAQUE se produjo en la I-15, al norte de la intersección con la carretera estatal 127.

El coronel Frank «Frankenstein» Poole iba montado en un vehículo táctico ligero, uno de los que servían para sustituir al venerable Humvee.

Dentro del camión había un centro de control y combate en miniatura, gran cantidad de ordenadores, un radar y un equipo de comunicaciones para que Poole pudiera controlar totalmente el campo de batalla. El vehículo también contaba con señal de vídeo de los drones que lo sobrevolaban, y, por encima de ellos, jets, y por encima, satélites.

Frank Poole iba sentado en el asiento del copiloto y de vez en cuando miraba por el retrovisor para admirar la larga columna de tanques de un verde grisáceo o de color arena, los que transportaban al personal e iban blindados, y los camiones que se extendían más de tres kilómetros por detrás de él.

Era un poder completo, descarnado, destructivo, el de aquella columna: la muerte sobre orugas y ruedas. La muerte de los helicópteros y los aviones de combate. La muerte de las ametralladoras y el cañón, de los misiles y bombas. Era el gran momento de Poole como soldado, aunque le preocupaban muchísimo las repercusiones de sus acciones: no estaba nada claro cómo entablar combate, y el mundo entero estaba mirando.

—¿Coronel? —dijo el conductor, un sargento, y asintió mirando hacia delante.

Poole vio un Lexus color habano que trataba de atravesar la franja divisoria de la carretera, y, aunque se hundía y salpicaba arena, pugnaba por salirse.

Poole vislumbró a unos niños en el asiento trasero que rebotaban en el delantero, gritando en silencio, ignorados por el hombre de rostro decidido que estaba al volante.

—Pero ¿qué...? —empezó Poole.

Y entonces el coche salió de la arena, se bamboleó cuando los neumáticos tocaron el cemento, y aceleró hasta chocar con el lateral de uno de los tanques Abrams M1A2. El tanque pesaba casi setenta toneladas, y el coche menos de dos. El morro del coche quedó destrozado, la parte trasera saltó por los aires, y el Abrams ni siquiera vibró. El tanque continuó avanzando, aplastando el morro del coche, estrujándolo hasta sacarlo de la carretera, y prosiguió como si no hubiera ocurrido nada.

Poole se volvió para dirigirse a su ayudante.

—Transmita nuevas órdenes. Como en Ambar: derriben cualquier vehículo que intente arremeter contra la columna. Y preparen una ambulancia para que atienda a la gente del coche.

Se encontraban en la frontera del Estado de Nevada cuando se produjo el segundo ataque. Esta vez fue una furgoneta que vino por detrás y chocó con un tanque blindado que transportaba personal, lo que le causó heridas leves a un soldado.

No hubo disparos, y Poole empezó a plantearse que sus soldados estaban entrenados para matar a fuerzas enemigas, pero no a sus compatriotas estadounidenses. Eso podía dar problemas. No había tenido tiempo para informar debidamente a los oficiales o soldados del estado actual de las cosas.

El tercer ataque resultó más grave: un camión cargado de mena se metió en la autopista delante de ellos, consiguió cambiar de sentido despacio y torpemente, y acabó dirigiéndose a toda velocidad hacia el vehículo de Poole.

—¡Dispare! —gritó Poole, y, tras un instante de duda, el artillero abrió fuego con su ametralladora del calibre 50. Pero eran disparos de advertencia que destrozaban la carretera. El camionero no aminoró, y desde luego no se detuvo.

—¡Dispare a dar, maldita sea! —gritó Poole mientras el camión enorme reducía la distancia a una velocidad espeluznante.

En esta ocasión, el impacto de la ametralladora destrozó el motor del camión y rebañó al conductor, convertido en una hamburguesa.

El vehículo de Poole rodeó los restos humeantes, y el primer tanque de la fila los apartó de la carretera.

Mientras Poole volvía la vista hacia el vehículo siniestrado vio que una de sus ambulancias se detenía y los técnicos corrían a ver si el conductor se había salvado.

Poole suspiró. El ejército estadounidense no había disparado a sabiendas a un solo ciudadano estadounidense desde la Guerra Civil. De ello se jactaban los militares, de no haber participado nunca en un golpe de estado o interferido directamente en la política. Poole nunca habría querido liderar una fuerza que disfrutara matando a civiles estadounidenses.

«Pero —pensó con gravedad— van a tener que aprender».

Tom Peaks estaba atrapado al volante tras la columna de Poole. Había dejado atrás el camión destrozado de mena, y le parecía que si intentaba adelantar a la columna podría acabar mal, así que se mantuvo a la velocidad de setenta kilómetros por hora de los tanques.

Estaba oscureciendo, y a lo lejos veía las luces estridentes de la ciudad algo atenuadas, como si algunos de los casinos no quisieran atraer jugadores en ese momento.

Y Peaks también vio una columna enorme de humo que se alzaba en lo alto antes de extenderse formando un velo gris.

Entonces reparó en unas luces intermitentes en la carretera, y se dio cuenta de que la patrulla de Nevada había establecido un control que la columna del ejército pasaría sin más, pero él, con su furgoneta robada, no. No tenía manera de engañar a la patrulla de carretera: su nombre y su foto se encontraban en todas las bases de datos de las fuerzas de la ley, con flechas y señales de exclamación.

Así que Peaks se salió de la carretera y se metió en el desierto.

Tom Peaks no podía llegar a Las Vegas.

Pero Dragón sí.

Vincent Vu había seguido la cobertura televisiva del ataque al Rancho y la locura de Las Vegas, que el titular de la MSNBC denominó «Crisis: Las Vegas», la CNN bautizó como «La batalla por Las Vegas» y Fox News etiquetó como «¡*Sin City*, Apocalipsis!».

La decisión de ir a Las Vegas se debió a varios factores. Uno: que en la tele solo había noticias. Dos: que se le habían acabado las galletas Pepperidge Farm Montauk, sus favoritas. Tres: que siempre había querido ver Las Vegas.

Y luego, que había voces en su cabeza.

Vincent sufría un conjunto de enfermedades mentales graves, la más aterradora de las cuales era la esquizofrenia. Él sabía que era esquizofrénico. Sabía que las voces que oía no eran reales, que las voces a menudo mentían. Pero cuando le reñían por vago, cobarde, inútil, y a veces le recordaban que era el ángel vengador Abadón, le costaba mucho ignorarlas. Sobre todo cuando llevaba semanas sin tomarse sus medicamentos.

Y, por cierto, el propio Vincent sí era capaz de convertirse en un monstruo pesadillesco. Eso no eran imaginaciones suyas. Eso no era una alucinación. Y en cuanto aceptabas que podías llegar a convertirte en una mezcla de estrella de mar y ser humano de tamaño gigante, pues bueno, las cosas que sugerían las voces parecían menos alocadas. Al ver las últimas veinticuatro horas de televisión —el Rancho, Las Vegas—, lo cuerdo y lo alocado se habían... mezclado bastante.

Los *esquizos*, que era el nombre de sus voces habituales, solo reculaban cuando se convertía en la criatura, en Abadón. Entonces se enfrentaba a nuevas voces, voces distintas que no usaban palabras sino impulsos, y debido a esas voces, a las de los observadores oscuros, los *esquizos* quedaban reducidos a un murmullo de fondo.

Vincent se levantó del sofá de la casa que había ocupado después de matar a sus residentes previos. (Cuarto motivo para marcharse: los cuerpos empezaban a apestar.) Encontró una pistola en la mesita de noche del dormitorio principal, y llaves de coche en el bolso de la mujer muerta. Vincent no había conducido un coche antes, era demasiado joven, pero había visto hacerlo muchas veces. Y sabía cómo introducir un destino en el GPS.

L-A-S V-E-G-A-S.

En cualquier caso, los polis parecían tener problemas más importantes que arrestar a conductores menores de edad. Al recorrer las calles del área metropolitana de Los Ángeles, Vincent veía las señales de destrucción y deterioro, pero no por lo que hubiera hecho él en el puerto, ni cualquier otro raro: se trataba de pillaje y vandalismo, de coches quemados, escaparates cubiertos de contrachapado, bolsas de basura sin recoger reventadas, cristal en la calle, bocas de riego abiertas de las que salía agua. Semáforos con la configuración de emergencia. Coches y camiones pasaban cargados con sus bienes domésticos. Refugiados. Se preguntaba dónde irían.

Un cartel que anunciaba una nueva película estaba cubierto de pintura en espray con una sola palabra goteando en rojo: ARREPENTÍOS. Un grafito en la pared de una oficina inmobiliaria usaba pintura azul para indicar MAM, la abreviatura de MATAD A LOS MUTANTES. Había esvásticas e insultos, odio dirigido a un grupo u otro.

Poca gente recorría las calles a pie, lo que más había eran vagabundos que empujaban carros de la compra de Ralphs cargados con los típicos harapos y latas, pero que ahora remataban teles, ordenadores y abrigos de pieles birlados. Los demás que salían a la calle lo hacían en parejas o grupos pequeños mostrando al menos un arma.

El mundo era una casa de jengibre, y se la estaban comiendo mordisco a mordisco.

«Soy Abadón, el destructor —pensó Vincent—. ¡Mirad mi obra e inclinaos ante mí!».

Pero no lo gritó desde la ventanilla. No era el momento ni el lugar, que ya llegarían.

Justin DeVeere, también conocido como Pesadilla, se había escapado del Rancho avanzando tan rápido como podía, cayendo por laderas, chocando con troncos de árbol y tropezando con ramas caídas.

Estaba claro que se trataba de una situación de sálvese quien pueda. Durante aproximadamente un milisegundo se había planteado ayudar en la revuelta, utilizar su poder para ayudar a aniquilar el Rancho... pero lo descartó muy rápido.

Siendo como era, Justin acompañó su pánico jadeante de un discurso para justificarse: «No es problema mío... ¡me piro de aquí! Que les den a todos... No me quedaré para hacerme el valiente... Cada uno que apechugue con lo suyo... En una situación así... uno de los artistas jóvenes más importantes... de todos los artistas, al diablo lo de joven... no seré carne de cañón... ¡Soy Justin Deveere!».

Pero, claro, era Justin DeVeere con un chip de control en la nuca, donde, si pulsaban una aplicación, le provocaban descargas de dolor. Sí, esa era la cuestión. Si DiMarco sobrevivía, y Justin se imaginaba que sí, que, como una cucaracha, sobreviviría, aún podía activar el chip cuando quisiera.

Bueno, según la clase de transmisor que tuviera. ¿Funcionaba desde los satélites? Entonces, mal.

De repente, Justin salió de los bosques al encuentro de una carretera de dos carriles bien asfaltada.

—¡No! —exclamó. Hasta entonces corría describiendo lo que esperaba que fuera una línea recta, pero al parecer no era más que un arco, porque volvía a encontrarse en la carretera principal, pero aún no había llegado a la puerta de la entrada.

Justin no sabía orientarse, pero tenía suerte, porque del Rancho venía un camión de plataforma seguido por un surtido de vehículos oficiales y coches particulares. Parecían sacados de una película de Mad Max: el desfile de los monstruos.

El camión de plataforma se detuvo y Justin se quedó boquiabierto ante el monstruo cíborg que ocupaba gran parte de la zona de carga.

Y aún se asombró más cuando la criatura hizo girar un cañón de cadena tremendamente mortal hacia él.

—¿Eres personal o prisionero? —preguntó el cíborg.

—¿Yo? Soy... como tú —tartamudeó Justin—. Quiero decir, que no soy cíborg, pero sí de la roca. Ya sabes, rocoso, mutante.

—Ya, eres demasiado joven para ser del personal. —Eso lo opinaban los ojos humanos tras la ranura digna de un tanque—. Soy el sargento mayor Matthew Tolliver. ¿Te vienes con nosotros?

—¿Dónde vais? —preguntó Justin.

—A Las Vegas.

Justin podría haber preguntado por qué. Debería haber preguntado por qué. Pero en ese momento acababa de recibir una invitación de un cíborg aterrador con ametralladoras y misiles.

Así que a Las Vegas. Pues perfecto. Así podría mezclarse con la multitud de turistas. Y si su buen aspecto y su rollo con el arte no le servían para encontrar una tía que lo mantuviera en Las Vegas, entonces...

—Pues a Las Vegas —dijo Justin.

—¡Las Vegas y Valhalla! —dijo Tolliver en tono grave—. ¡*Semper fi*!

Justin sabía lo que quería decir Valhalla. Era el cielo nórdico, el cielo vikingo, donde cualquier guerrero escandinavo que hubiera muerto con una espada en la mano se sentaría a beber cerveza en la mesa de Odín rodeado de otros guerreros muertos venerados.

Así que Justin pensó en cerveza.

Y pensó en hacer una serie de cuadros de tema mitológico. Algún día.

Justin no se preguntó por qué un sargento mayor del cuerpo de marines convertido en el sueño húmedo cíborg de la Asociación Nacional del Rifle acababa de mencionar la casa celestial de hombres fallecidos en batalla.

Por lo que el chico exclamó: «¡Sí!», con el mayor entusiasmo, y se subió al camión de plataforma. El joven creía que acababan de darle la oportunidad de esquivar sus problemas, cuando en realidad el marine pensaba que su futuro radicaba en una muerte honrada.

CAPÍTULO 21
Un gran poder conlleva malicia pura

DILLON POE SE ENCONTRABA en la puerta del Triunfo, un hotel con una columna elevada de oro que ahora controlaba completamente gracias a su voz y el poder demoledor de un camión de cerveza Coors que sus eufóricos habían utilizado para derribar las puertas.

Dillon estaba furioso porque habían desconectado Facebook, Twitter e Instagram. ¡E incluso YouTube! ¿Cómo iba a conseguir una nación desesperada sus dosis de Jenna Marbles y PewDiePie?

Los principales medios de comunicación eran estúpidos, pero tristemente no tanto como para emitir su vídeo, aunque de todos modos ya debía de haber alcanzado a mucha gente: habían tardado dos horas en desconectar Facebook, y tres hasta que una mente brillante del gobierno ordenó que cerraran todas las redes sociales. Pero Dillon sabía que sin redes sociales activas solo llegaría a miles, no a millones.

Se acercaba la batalla, y necesitaba su propio ejército. Pero Nevada era un estado poco poblado, y en términos prácticos el único centro de población grande lo bastante próximo como para proporcionarle las grandes cifras que deseaba y que podía resultarle útil era Los Ángeles. ¿Cuántos habitantes de Los Ángeles oirían su llamada a tiempo? La gente que llegara desde Kansas al cabo de dos días no iba a salvarle el pellejo.

A Dillon le divertía pensar que al menos unos cuantos del otro lado del charco habrían visto su vídeo y estarían intentando desesperadamente coger un vuelo a Las Vegas. Pues suerte, porque el aeropuerto estaba cerrado. Dillon se imaginaba a varios daneses o japoneses o keniatas que pasaran el resto de su vida tratando de seguir sus órdenes.

«Qué divertido, un poco siniestro, como The Onion o Frankie Boyle, pero divertido».

Si pudiera hablar directamente con los soldados que se acercaban procedentes del sur, seguidos de cámaras de noticias y presentadores sin aliento tan devotos como si la columna fuera Jesús, Jehová y Mahoma unidos para salvar al mundo. Pero ¿cómo? Podría coger un megáfono y alcanzar, quizás, a una parte de las tropas, pero iban en vehículos ruidosos, blindados, muchos llevaban auriculares... Sí, esa no era la solución. En cualquier caso, no le entusiasmaba la idea de exponerse físicamente a la columna de tanques: era omnipotente, pero no antibalas.

El Strip estaba casi vacío a excepción de versiones anteriores de sus esclavos que aún trataban de cumplir sus antiguas órdenes. Todavía debía de haber mucha gente en el área metropolitana de Las Vegas. Pero ¿cómo alcanzarlos? El miedo crecía en su interior como una enfermedad.

«¿Cómo he llegado a todo esto? ¿Solo porque hice que me metieran en la jaula de los borrachos?».

«Nota: algo sobre la jaula y los tanques. ¿Vómito explosivo como el de un cañón?».

Dillon se había trasladado del estadio al Triunfo, un hotel sin casino, porque pensaba que el personal de seguridad estaría menos preparado y entrenado que el del casino, lo cual había resultado ser cierto: el equipo de seguridad del Triunfo llevaba orejeras, pero no habían protegido al personal y los turistas que pululaban por el vestíbulo como ovejas asustadas, por lo que lo despacharon enseguida.

Pero, pese a haber conquistado el Triunfo con relativa facilidad, Dillon se quedó afectado. Uno de sus esclavos controlados por la mente había herido gravemente a uno de sus eufóricos y había tenido que dejarlo atrás mientras lo destrozaban las turbas que Dillon había creado. Y sus turbas habían disminuido mucho, o bien porque la policía les había disparado o porque se mataban los unos a los otros: costaba mucho dar órdenes que protegieran del fuego amigo, de la matanza de tu gente a manos de tu gente. Así que su ejército había disminuido, pero aún lo formaban miles de personas repartidas por todo el Strip. Por desgracia, era un ejército al que ya no podía alcanzar con la voz, con lo que algunos insistían en comerse a cualquiera que se encontraran, mientras otros seguían su última orden de atacar a cualquiera que fuera de uniforme. Eran disruptivos y destructivos, pero los polis vestidos de paisano se mantenían a salvo y se habían acostumbrado a cargarse a cualquier atacante. Dillon no se engañaba pensando que sus fuerzas podrían imponerse.

Después de destrozar la puerta de la calle con el camión de cerveza, Dillon había conseguido llegar al interfono del hotel, y ahora tenía controlado a todo el personal y a los turistas que quedaban (si no estaban muertos), pero aun así no bastaba.

Dillon necesitaba cuerpos vivos. No en otros países, ni siquiera en Chicago o Nueva York. Los necesitaba aquí y ahora.

«¡Aquí y ahora!».

—¿Quién iba a saber que dominar el mundo costaría tanto? —murmuró—. ¡Soy la persona más poderosa del mundo, y nada me sale bien!

Tras dar órdenes a Kate y a otros eufóricos, Dillon cogió el ascensor hasta la *suite* de tres dormitorios en el ático que se había apropiado.

La *suite* tenía de todo: tres baños, una cocina, y una vista estupenda. Aún le quedaban seis ¿o cinco? eufóricos. Y en la *suite* había teles por todas partes, en cada habitación, conectadas a las noticias de las cadenas de cable.

—Es muy muy importante —parloteaba un imbécil—. Que no miren ningún vídeo nuevo o desconocido.

—No ayuda —murmuró Dillon. Así que probó con algo distinto, y llamó a las noticias de la CNN.

—Soy Dillon Poe. Póngame con quien esté al mando. —La persona que respondió no pudo evitar obedecerle.

El chico se dio cuenta demasiado tarde de que había dado su nombre, así que cuando la persona que respondió anunció a su superior que la llamada procedía de Dillon Poe, pues... clic.

La radio local resultó estar menos preparada, y pocos segundos después estaba en el aire con un DJ llamado Ferris.

—Ferris, lo primero es lo primero: no me cuelgues, aunque intenten detenerte. Segundo, ponme en antena.

Ferris hizo lo que le ordenaron.

—Los que puedan oírme, ¡que escuchen y obedezcan! Soy Kodos, vuestro nuevo amo y señor insecto. —Dillon suponía que las referencias a *Los Simpson* resultarían atemporales—. ¡Vendréis de inmediato al Strip y atacaréis a cualquier soldado o policía que veáis! —Y luego se le ocurrió algo y añadió—: Tanto si van de uniforme como si no. Seguid vuestro criterio para decidirlo.

Lo que Dillon no sabía, y Ferris no mencionó, era que el ingeniero principal de la emisora ya se encontraba a medio camino de Salt Lake City, porque había tenido la astucia de coger a su familia y huir horas antes. Así que la transmisión no era para nada lo que podría haber sido, y las órdenes se emitieron entrecortadas.

—... de inmediato... atacaréis a cualquier soldado o policía... ¡que veáis!

Al estar al teléfono Dillon no oyó la emisión, pero ordenó a Ferris que continuara reproduciendo sus órdenes indefinidamente.

Entonces oyó ruidos frenéticos en el lado de la línea de Ferris, un golpetazo, un desgarro en la madera.

—¡Oye, que estoy en el aire! —gritó Ferris a desconocidos.

—¡No digas otra puñetera palabra! —gritó una voz masculina.

—¡Que este es mi programa, gilipollas! —replicó Ferris—. Voy a ponerlo en bucle y a reproducirlo tantas veces como esté...

El siguiente estrépito fue, sin duda, el de un disparo.

Media hora más tarde se emitió el primer vídeo de un helicóptero de noticias: gente desperdigada fuera de sus casas, muchos con armas, que miraban la calle como metrónomos.

—¡Maldita sea! —gritó Dillon. En ese momento, echaba realmente de menos a Saffron. Tenía imaginación, esa chica. Y en cierto sentido era más implacable que él. Había sido idea de ella que los dos polis saltaran de la torre del Venetian. Por desgracia, ninguno de los eufóricos parecía ni la mitad de listo ni implacable. Dillon pensó que el inconveniente de convertir a la gente en esclavos era que solo obedecían, no aconsejaban ni sugerían.

En la MSNBC, Rachel Maddow advertía que Dillon Poe había intentado salir en antena en una emisora de radio.

—Siento decir esto, pero si trabajas en una emisora de radio o canal de televisión, no contestes al teléfono si el identificador no te indica un número que ya conozcas, que estés absolutamente convencido de que es seguro.

—Ah, te voy a hacer daño, Rachel —juró Dillon.

¿Cómo reunir al poderoso ejército de esclavos que necesitaba?

¿A la antigua usanza? Se podía quedar ahí sentado y dedicarse a llamar a números cualesquiera de Las Vegas. Pero en cuanto intentaba contactar con un teléfono fuera del hotel solo le salía la señal rápida de número ocupado.

Dillon tenía un móvil, pero había mandado a su dueño que se matara antes de conseguir el pin, así que lo único que podía marcar era...

Dillon sonrió de oreja a oreja. Cogió el teléfono, y *sip*, ahí estaba, o el pin o llamar a la policía.

Pero la policía comunicaba. Mucho. Tuvo que llamar dieciséis veces, y luego estuvo mucho rato en espera, hasta que...

—Policía, diga su emergencia. —La voz estaba exhausta.

—No cuelgue. Escúcheme. Dígame: ¿tiene acceso a un interfono?

—Sí.

—¿A algo que oigan todos los de emergencias?

—Sí.

—¿Puede conectarme a ese interfono?

—Creo que... sí... quizás.

—Hágalo —ordenó Dillon.

El chico oyó que tecleaba, y los pensamientos que murmuraba el operador.

—No sé... no debería hacer esto... puede que así... mmm... De acuerdo, señor, creo que puedo hacerlo.

Dillon respiró hondo. «No te equivoques —se decía—, no te equivoques».

—Atención, todos los del centro de emergencias. Voy a darles una orden. Y emitirán esta orden por la radio de la policía.

Dillon oía el eco de su voz a través de la megafonía del centro de emergencias.

—Esta es la declaración que enviarán a todos los poli...

—Perdón, señor —dijo el operador.

Dillon estaba desconcertado.

—¿Qué?

—Bueno, ¿solo a la policía metropolitana de Las Vegas? ¿Y al personal de seguridad de los casinos?

—Espere —interrumpió la voz sedosa de Dillon—. ¿Me está diciendo que puede comunicarse con el personal de seguridad de los casinos?

—Pues sí, señor, con algunos. Tenemos un sistema de comunicación de emergencia llamado...

—¡Me da igual cómo se llame! —le espetó Dillon, y dio unos pasitos de baile para celebrarlo. Su figura reptiliana bailaba mucho mejor que su antigua forma humana—. Ahí va el mensaje: lo primero que harán todos los que oigan este mensaje será hacer todo lo posible por difundirlo de todas las formas posibles. Pasarán dos horas haciendo eso. Y entonces se reunirán en el Strip cerca de... este... ¿cómo se llama el casino central?

—¿El Caesars Palace? ¿El Cosmopolitan?

—De acuerdo. Segunda versión: lo primero que harán todos los que oigan este mensaje será hacer todo lo posible por difundirlo de todas las formas posibles. Pasarán dos horas haciendo eso. Y entonces se reunirán en el Strip, cerca del Caesars Palace. Allí esperarán hasta que llegue la columna militar y entonces atacarán a los militares, matándolos a todos. Sin piedad.

Lo de «sin piedad» era irrelevante, pero a Dillon le gustó la determinación macabra que aportaba. Y también pensaba en las posibilidades cómicas de la expresión «sin piedad». ¿Qué alternativa había? ¿Con piedad?

—¿Ese es el mensaje que quiere que emitamos? —preguntó el operador.

—Usted y todos los dentro. Ah, ¿y cómo se llama?

—¿Cómo me llamo? Dot Perkins.

—Pues bien, Dot Perkins, en cuanto haya pasado dos horas difundiendo este mensaje, quiero que se suba al coche y conduzca hasta, pongamos, Dallas. Allí estará a salvo. Me ha ayudado con una sugerencia oportuna, y el Encantador recompensa a sus amigos.

—¿Hasta Dallas?

—No se preocupe, Dot, en Dallas también contratarán a un montón de operadores de emergencias, muy pronto.

CAPÍTULO 22

Guerra Mundial en Las Vegas

ERGUIDO EN SU VEHÍCULO TÁCTICO, Frank Poole sacó la cabeza por la misma escotilla que ocupaba el artillero y repasó la carretera que le quedaba delante.

Había coches atascados o quemados. Cuerpos yaciendo en la calle. El aire apestaba a humo. Parecía que habían empezado la guerra sin él.

Poole pasó por delante del Mandalay Bay, por delante de una bodega saqueada a la derecha y de un McDonald's, con lo que, a pesar de las náuseas de la expectación, le entró hambre.

Lo siguiente que vio fue la pirámide negra del casino Luxor, con su réplica de la Esfinge delante.

Hasta ahora, bien.

Puede que las cosas no estuvieran tan mal.

Pasaron por delante de Excalibur, que representaba a los caballeros de la mesa redonda en versión Disney.

Entonces apareció una persona de la nada, un hombre mayor con pantalón deportivo que no llevaba ni camiseta ni zapatos. Estaba claro que no iba armado.

—No dispare —dijo Pool al artillero.

El viejo echó a correr hacia el vehículo táctico hasta que chocó con él y cayó de espaldas, noqueado.

Entonces llegaron al paso elevado de la carretera estatal 593 y de repente:

¡Pum, pum!

Poole se dejó caer en su asiento cuando las balas de un rifle resonaron y rebotaron en el blindaje de su vehículo.

—Derríbelo.

—Entendido, señor.

Poole vio a través del parabrisas cómo el gran calibre 50 de su artillero destrozaba al hombre con el rifle.

Entonces llegaron al casino New York-New York con su réplica de la Estatua de la Libertad, que medía la mitad, y su falso horizonte neoyorquino. Un puente para peatones cruzaba el Strip del New York-New York hasta el MGM Grand. Poole vio a tres personas en el puente. Y tres siluetas de armas.

—No dispare si no nos... —empezó a ordenar Poole, pero entonces los tres del puente abrieron fuego con dos pistolas y una escopeta, ninguno de los cuales podría haber afectado al vehículo táctico, y ya no digamos a los tanques.

«Si supieran qué efecto tiene el calibre 50 en la carne y los huesos...», pensó Poole.

Entonces avanzaban a más de cincuenta y cinco kilómetros por hora, y dejaron lentamente atrás el Monte Carlo, y también el Aria. Una valla electrónica anunciaba a Celine Dion, quien —Poole estaba bastante seguro— iba a tener que cancelar su espectáculo.

Otro puente para peatones. Más pistoleros disparando. Más pistoleros a los que perforaban grandes agujeros en el cuerpo y que salían disparados por los aires en pedazos.

«Civiles. Civiles estadounidenses».

Poole sería recordado en la historia como el primer comandante que abría fuego sobre civiles estadounidenses. Se estaba mareando, pero también, a otro nivel, se sentía aliviado, porque hasta entonces solo su vehículo había disparado. Hasta el momento no había hecho falta que atacaran todos los tanques.

Pero entonces vio a la multitud. En la calle, de pie. Miles de personas, una multitud silenciosa ante el Caesars Palace. Se extendían desde las puertas del casino hasta la entrada semicircular para coches, y luego cuarenta kilómetros más por el propio Strip. Poole levantó los prismáticos y miró los rostros de lo que representaba a una muestra cualquiera de ciudadanos estadounidenses, a la que sin duda se habían añadido unos cuantos turistas extranjeros. Dillon vio armas, muchas armas, incluida artillería militar: rifles de asalto, granadas, misiles portátiles. Alguien había entrado a robar el arsenal de la Guardia Nacional. Poole esperaba que nadie supiera usar las armas antitanque, porque si sabían y las usaban iba a tener que ordenar una masacre.

El comandante se asomó por la escotilla otra vez. Un cabo observador le entregó un par de orejeras de las que se ponen para disparar. Poole pidió el micrófono: su vehículo tenía un sistema de megafonía a bordo.

—Bajo el decreto de emergencia aprobado por el Congreso y firmado por el presidente, les ordeno que se dispersen inmediatamente.

La multitud lo miraba sin moverse.

—Ya nos han obligado a abrir fuego. No queremos hacerles daño, pero deben dispersarse.

Una mujer que se encontraba en la parte delantera de la multitud estaba diciendo algo muy seria. Poole se puso una de las orejeras detrás de la oreja.

—¡... no queremos que nos maten, pero no podemos desobedecer! —gritaba la mujer—. ¿No lo entiende? ¡Tenemos que atacarlos y matarlos! ¡Sin piedad!

Poole bajó el megáfono e insistió:

—Si no se dispersan nos...

Y de repente una voz meliflua y persuasiva habló con un megáfono de mano:

—¡Soldados! ¡Les ordeno que destrocen esta ciudad! ¡Usted, el jefe! ¡Ordene a sus soldados que aniquilen esta ciudad!

Y entonces Poole encendió su micrófono y dijo:

—Atentos a las órdenes. Empezarán a disparar de inmediato sobre todos y cada uno de los edificios.

Un tanque, el que estaba justo detrás de Poole, y cuyo comandante había oído a Dillon por el altavoz, hizo girar su cañón y apuntó en dirección al mayor blanco que le quedaba a mano: la falsa torre Eiffel del casino Paris.

¡BUUUUM!

Una ronda de explosivo de alta potencia estalló al alcanzar el restaurante en el tercer piso del casino. Fragmentos de fleje de acero y remaches salieron disparados, y salpicó una lluvia de cristal.

—¡Señor! —gritó el conductor de Poole. Como llevaba auriculares, no había oído la voz de Dillon.

—¡Ya ha oído mi orden! —gritó Poole.

—¡Señor, no, señor, no podemos ponernos a reventar sin más!

Poole sacó su revólver de servicio y lo clavó en la cabeza del hombre.

—¡He dicho fuego!

—¡Soy el conductor, no el operador de las armas! —El cerebro de Poole gritó ¡NO!, pero disparó una vez. Los sesos del conductor decoraron el interior del parabrisas y la ventana lateral.

El vehículo viró hacia la izquierda, chocó con un semáforo y se quedó parado. Poole sentía un impulso desesperado que le hizo bajarse de un salto y recorrer la línea de su columna gritando:

—¡Fuego a todos los edificios, fuego a todos los edificios! Entonces lo placó un alférez, pese a lo cual Poole todavía despotricaba y trataba de golpear. Otros soldados echaron a correr y rodearon a su comandante, lo levantaron como pudieron considerando lo histérico que continuaba y lo llevaron a peso hacia las ambulancias que había en la parte de atrás.

En ese momento, una camioneta con la plataforma repleta de barriles salió con estruendo de la entrada para coches del París y chocó directamente con el tanque número 1. Los barriles, que estaban llenos de gasolina, se abrieron del impacto y salpicaron de combustible el tanque. El comandante del tanque se lo quedó mirando estúpidamente, pues seguía gritando a su tripulación lo de «¡Fuego, fuego, fuego al casino!». La gasolina alcanzó el bloque caliente del motor y se incendió mientras el personal salía como podía por las escotillas. Los que huían fueron asaltados de inmediato por la multitud siniestra que los estaba esperando, y que los golpeó y aporreó hasta matarlos.

El comandante del tanque siguió gritando: «¡Fuego, fuego!», hasta que el humo del fuego literal lo asfixió y se alzó hasta consumirlo.

—Qué ironía —murmuró Dillon, meneando la cabeza en tono burlón. Se había escabullido del Triunfo para supervisar directamente a su turba en el Strip, convencido de que si los controlaba podría volver a entrar cuando lo necesitara. Pero luego, mientras buscaba un lugar para refugiarse, lo había retrasado la resistencia decidida (con las orejas tapadas) del

Flamingo y el Linq, los dos casinos que quedaban frente al Caesars en el Strip. Aunque sí que había conseguido controlar un restaurante llamado Margaritaville, y ahora se encontraba en el segundo piso, mirando a través de una ventana que había hecho agujerear a Kate de un tiro para poder oír —y hablar— además de ver.

Aún había tres eufóricos con Dillon, además de tres exmilitares que afirmaban saber usar los misiles de los que se habían apoderado en un asalto a la armería de la Guardia Nacional. Había conseguido sonsacar algunas recomendaciones a uno de los exmilitares, entre ellas, que Dillon dividiera a sus fuerzas en batallones.

La parte positiva para Dillon era que «Aquí tengo un buen margarita, con extra de sal». Nunca había probado un margarita, y le gustaba bastante. Pero, tras su experiencia previa, tomó nota mental de no beber más.

Lo negativo era que no lograba sacarse de la cabeza la canción de Jimmy Buffet. Que tampoco era lo más molesto que había en ella, porque, mientras tanto, los observadores oscuros susurraban en silencio y parecían, o al menos eso le parecía a Dillon, disfrutar como los fans del deporte profesional disfrutaban del domingo de Super Bowl.

Y, lo que aún era más negativo, un disparo del tanque se había colado por la fachada del Margaritaville...

Dillon miró a sus antiguos soldados.

—Sí, no podemos dejar que disparéis desde aquí, los atraeréis. Salid, caminad hacia el sur, y disparad cuando encontréis un buen blanco.

Había un tanque ardiendo. El vehículo principal, el vehículo táctico al mando, se había salido de la carrera. Pero una cantidad impresionante de mortíferas unidades blindadas avanzaba lenta pero inexorablemente, y se encontraba a poco más de cuarenta y cinco metros de la primera línea del ejército esclavo de Dillon.

El chico dio un sorbo largo a su margarita, levantó el megáfono y gritó:

—¡Batallón primero, al ataque!

«Nunca pensé que diría esas palabras...».

Un millar de personas o más de todas las edades, desde ancianos hasta niños pequeños, echó a correr como una sola por ambos lados de la columna, disparando. Y mientras corrían encendieron los cócteles Molotov que Dillon había tenido la consideración de proporcionarles después de que sus eufóricos se apropiaran de un camión de combustible Chevron. La gente lanzó los cócteles contra tanques y camiones y camiones blindados llenos de soldados.

Ya se había incendiado media docena de vehículos cuando los hombres y las mujeres de la columna que temporalmente estaban sin líder sacaron sus propias conclusiones y decidieron abrir fuego de réplica: rugieron las ametralladoras de los calibres 30 y 50, y las balas de trazadora perforaron por todas partes como láseres brillantes.

¡Ratatá!

¡Ratatá!

Los civiles corrían hacia los tanques y caían, les reventaban las cabezas como si fueran sandías. Y seguían corriendo mientras balas del tamaño de la yema de un dedo humano, que volaban a la devastadora velocidad de casi ochocientos noventa metros por segundo, diseccionaban toscamente sus extremidades: manos, orejas, hombros. Pero no se detenían. Chillaban, gritaban disculpas, suplicaban que les perdonaran la vida, pero no salían por patas. No podían frenar su intrepidez y recorrían la columna lanzando bombas de gasolina, disparando a cualquier soldado visible. Pero al tratarse de *ama-*

teurs de carne y hueso contra soldados profesionales, la matanza resultaba horripilante.

—Os gusta, ¿verdad? —preguntó Dillon al público invisible—. Ya, os encanta esta mierda.

El segundo tanque de la columna dio un volantazo para dejar atrás al primero, al vehículo táctico siniestrado, aceleró y arremetió contra la multitud que quedaba mientras sus ametralladoras no dejaban de escupir balas.

—Es mucho más ruidoso en la vida real —murmuró Dillon—. ¡Tú! ¡Tráeme otro margarita! ¡Con extra de sal!

Las ruedas de oruga del tanque trituraron huesos y aplastaron carnes, pero ninguno de los esclavos de la voz de Dillon salió corriendo.

Ninguno se apartó.

Allí se quedaron y los aplastaron. O, si se encontraban en el primer batallón, los atacaron y derribaron a tiros. Ya habían caído a decenas. La sangre en los charcos resbaladizos reflejaba las luces de Las Vegas.

Las ametralladoras perforaron grandes agujeros en piernas y pechos, en estómagos y entrepiernas y rostros. En hombres y mujeres. En jóvenes y viejos. Y cuando caían por los balazos los aplastaban las setenta toneladas de los M1A2.

Fiiiuuu... ¡pum!

El primer misil se dirigió al quinto tanque en la parte de atrás. El tanque se incendió. Dillon, que estaba apoyado entusiasmado en la ventana con la copa en la mano, vio que la oruga del tanque se soltaba. Los que iban en él y se escabulleron recibieron disparos o puñaladas, o los atacaron cuerpo a cuerpo.

Dillon pensó que quizás su auténtica vocación era la de líder militar. Le parecía que lo estaba haciendo bastante bien. ¿Pero podía ser un gran líder y seguir siendo humorista?

La columna del ejército continuaba avanzando, pero despacio, a paso de tortuga.

—¡Adelante la segunda ronda! —anunció Dillon—. ¡Juguemos a Civil Crush! —y gritó por el megáfono—: ¡Batallón dos! ¡Ahora!

Casi dos mil personas se echaron al suelo. Se desperdigaron, distribuyéndose hasta formar una cadena humana de cuerpos postrados por el Strip. Era una calle ancha, y su cadena humana era solo de cuatro en fondo. Le habría gustado tener más, pero aun así le parecía que planteaba un problema irresoluble al comandante del ejército. ¿Pasarían los tanques por encima de civiles pasivos y sin armas que yacían en las calles?

Al principio Dillon creyó que había salido bien. Pero entonces observó que la columna del tanque giraba bruscamente hacia la izquierda, hacia Flamingo Road, con las ruedas perforando el cemento y los artilleros recogiendo a los atacantes.

—¡Mierda! —gritó Dillon—. ¿Sabes lo que están haciendo? —se dirigió a Kate, cuyo atuendo de animadora ahora estaba atravesado por pesados cinturones de munición—. ¡Los están rodeando!

—Sí —dijo Kate. Era prácticamente la única palabra segura que podía usar con Dillon. Kate, como todos los demás eufóricos, estaba sometida al poder de la voz de Dillon y no le quedaba otra opción que no fuera obedecer. Pero eso no quería decir que le gustara. De hecho, estaba haciendo un esfuerzo sobrehumano por sacar la pistola y disparar al monstruo.

—Igual me quedo solo con el humor —murmuró entonces Dillon. Pero su público, los observadores oscuros, lo apoyaba. Le parecía un público exigente, pero justo. No era fácil satisfacerlos, pero tampoco imposible. Parecían enganchados a la acción. Por otra parte, nunca había notado que sus chistes les hicieran reír.

—¡Batallón dos, levantaos y corred tras ellos! ¡Arrojaos ante ellos!

Dillon levantó la vista en dirección al helicóptero de noticias que desafiaba la orden del ejército de no volar. La cámara de arriba grababa a una docena de personas o más, incluida una en silla de ruedas, que se lanzaban ante los vehículos que, sin remordimientos, les pasaban por encima.

Dillon meneó la cabeza.

—No basta. —Entonces levantó el megafóno y ordenó—: ¡Batallones tres y cuatro, corred hasta el Triunfo! ¡Corred! Y ¡Kate! Tráete otra vez el camión de combustible.

CAPÍTULO 23
Bestias ásperas sin Belén

—SÍ, ESTUVE DESTINADO EN AFGANISTÁN —explicaba el sargento mayor Matthew Tolliver—. Y en Irak también. Nada fue bien. Pero oye, lo de navegar en barcos de la marina, en los calamares, tiene su parte buena: filete una vez a la semana, pollo frito...

Justin Deveere estaba dividido. ¿Debería quedarse en el camión de plataforma con el marine perturbado? ¿En el camión de los juguetes inadaptados? Enseguida se había cansado de las batallitas del viejo marine y sus recuerdos. Pero, como artista, el viaje por la carretera 95 de dos carriles a través del páramo absoluto del desierto de Nevada era una inspiración.

«Estoy en un camión con un bestiario entero de monstruos. Y la puesta de sol es preciosa».

—... helado. Será aburrido, pero la marina sabe cómo alimentar a un hombre.

—¿Tiene hambre, Tolliver? —sonrió Justin.

—No —respondió Tolliver—. Ya no tengo estómago.

Esto último lo dijo sin rencor. Simplemente era un hecho: «Ya no tengo estómago».

«¿En qué clase de manicomio estoy?».

Justin podía bajarse del camión en cualquier momento, nadie lo tenía prisionero. Pero a) solo había rocas, arena y plantas descuidadas, y b) ¿cuándo volvería a tener la oportunidad de ver a una mujer capaz de convertirse en una abominación que era medio tortuga, con el caparazón ligeramente púrpura incluido?

Pero lo que más le importaba era que a) tendría que caminar mucho y por un terreno muy árido hasta cualquier lugar. Se dirigían a Las Vegas, y resulta que Las Vegas era el asentamiento humano más próximo al que valía la pena ir.

Justin dormitó un rato y soñó con su mecenas y novia Erin O'Day, perdida —asesinada— tiempo atrás.

Despertó ante el cielo nocturno y las temperaturas en descenso que aún resultaban más frías por el viento que azotaba la plataforma abierta del camión. Justin sintió lágrimas en las mejillas, y se las secó, enfadado.

No quería a Erin, pero le gustaba. Y era rica y podría haberlo ayudado muchísimo en su carrera.

«¿Carrera de qué? ¿De joven prodigio del arte? ¿O de monstruo que destruyó el puente del Golden Gate?».

Justin sabía la respuesta. Aunque su arte pudiera rivalizar con el de Da Vinci, Van Gogh y Picasso, nunca conseguiría borrar la imagen que el mundo tenía de él. Nunca.

El chico sintió que se le revolvía el estómago y se le torcía el gesto, y se regodeó en compadecerse de sí mismo durante un rato. No dejaba de pensar en la expresión «No es culpa mía...», seguida de varios detalles: «No es culpa mía lo que pasó en el avión de la Guardia; no es culpa mía lo que pasó en el puente; no es culpa mía que Erin volara en pedazos y muriera bajo un faro perdido».

En un mundo que se había vuelto loco, ¿cómo podían culpar a Justin DeVeere? ¿No les había dicho a todos que él no era Pesadilla, sino una persona totalmente aparte? En gran medida, Justin sabía que decía tonterías, pero aun así estaba dispuesto, al menos, a fingir que se lo creía cuando necesitaba creerse esa mentira. Cuando asumir su responsabilidad implicara quedarse desnudo e indefenso al intentar justificar sus acciones.

—Tengo que creer en mí, aunque nadie más lo haga.

—¿Eh? —preguntó Tolliver. El hombre tanque tenía un oído superior al humano.

—Nada —dijo Justin... Solo estaba... ¡ay! ¡Ah, ah, mierda!

Justin estaba sentado con las piernas cruzadas, pero entonces se estremeció, cayó de lado y golpeó impotente el chip de dolor que aún tenía metido en el cuello, con cables conectados directamente a su columna vertebral.

—¿Chip de dolor? —preguntó Tolliver.

—Solo un golpecito, no un... ¡ah, maldita sea!

—DiMarco —gruñó Tolliver—. O quien la haya sucedido. Un pequeño recordatorio del Rancho de que aún le perteneces.

—Necesito encontrar un médico para sacármelo —indicó Justin—. ¡Debe de funcionar vía satélite!

La mujer tortuga, que en ese momento era solo mujer, intervino:

—No, son las antenas de telefonía. Su sistema usa señales de telefonía móvil, conexión inalámbrica, radio directa. Tienes que encontrar un lugar sin cobertura.

—Ya no estamos lejos —informó Tolliver, y señaló con su brazo mecánico articulado.

Justin trató de sacudirse el dolor, que había sido, tal y como sugirió Tolliver, un golpecito rápido, un recordatorio. Miró hacia delante y vio el brillo de Las Vegas. Habría médicos en Las Vegas. Habría mujeres ricas y solitarias en busca de un joven y atractivo... ¿monstruo? No, no, artista. Artista.

«Monstruo».

Uno de los pasajeros del camión, un adolescente delgado a quien habían obligado a tomar roca con una dosis de ADN de halcón, empezó a cambiar. Aun con poca luz, el resultado era extraordinario. Tenía alas que mantenía dobladas, y estaba cubierto de plumas que se erizaban con la brisa intensa. Su rostro seguía siendo humano, pero estaba dominado por unos ojos amarillos demasiado grandes.

Fueron esos ojos de halcón los que orientó hacia la ciudad que les quedaba a continuación, y en voz muy baja, atemorizada, comentó:

—Hay cosas ardiendo. Fuegos grandes, dos por lo menos.

—Parece que han empezado la batalla sin nosotros —intervino Tolliver.

Pero la mirada de Justin se dirigía hacia otro lugar. Hacia la luna medio encaramada en el cielo al este. Una gran luna amarilla creciente.

Y hacia la sombra pequeña y rápida que la atravesaba.

—Por Dios —dijo Dekka. Todo estaba ocurriendo a escasos centenares de metros por debajo de ellos, iluminado por el brillo de neón inquietante de Las Vegas. Eran escenas increíbles de civiles inocentes aplastados por tanques que no podían hacer otra cosa. Escenas de civiles desgarrando a soldados. En mitad de una ciudad estadounidense.

Dekka vio que Armo se retiraba, demasiado asqueado para seguir mirando.

Cruz lo estaba observando todo. Dekka pensaba que puede que lo hiciera a modo de penitencia siniestra por habérsele ocurrido la idea de esperar para intervenir. Una medida inteligente, pero también implacable, y a Dekka nunca le había parecido que fuera esa clase de persona. Sam lo había sido, y Caine también. Los dos grandes poderes de la ERA habían utilizado el don de la crueldad de maneras muy distintas, pero ambos habían resultado decisivos. Cruz parecía encogerse en sí misma, como si quisiera estar en otro lugar, en cualquier otro lugar. Dekka se preguntaba si se le ocurriría algo que decirle para aliviar su dolor. Pero, dijera lo que dijera, parecería condescendiente y falso. Así eran las puñeteras decisiones de vida o muerte: te devoraban por dentro, y nadie podía hacer gran cosa para ayudar.

Francis Specter observaba en silencio. Era nueva, aún no la habían puesto a prueba. Dekka se preguntaba cómo podría utilizar su poder peculiar cuando finalmente entraran en batalla.

«Cuando eso suceda».

Solo Shade evitaba la ventana y observaba la cobertura televisiva desde el helicóptero de las noticias, complementado por docenas de turistas sin esclavizar que apuntaban con sus iphones a través de las ventanas del hotel. Todos los vídeos que se mostraban en la tele, por precaución, iban sin sonido, con lo que la única banda sonora de las imágenes truculentas eran las exclamaciones horrorizadas de los presentadores de televisión.

—Están rodeándolos —indicó Shade, estremeciéndose y cerrando los ojos cuando lo que parecía un niño surgió bajo las ruedas de oruga de los tanques, como un animal atropellado con una camiseta de Disneylandia rosa con lentejuelas.

Shade abrió el teléfono, hizo clic en los mapas, y se lo enseñó a Dekka.

—Seguramente volverán por Treasure Island —informó—. Que queda como kilómetro y medio al norte.

Lo mismo había pensado obviamente Dillon Poe, porque la masa de su propio ejército corría entonces hacia el norte. En las noticias decían que tenía controlado el Triunfo, que quedaba al norte, y sus víctimas tendrían que correr rápido para llegar antes de que el ejército volviera por el Strip y los interceptara.

—¿Se te ha caído esto? —preguntó Cruz a Dekka, sosteniendo un pósit amarillo arrugado.

Dekka abrió mucho los ojos. Prácticamente le arrebató el papel a Cruz y se lo metió en lo más hondo del bolsillo.

—Gracias. Debe de ser una antigua lista de la compra.

Cruz asintió, un poco decepcionada al descubrir que Dekka mentía. El papel no era la lista de la compra, en él había tres palabras: «Que sea yo».

Cruz se preguntaba si tenía algo que ver con el pequeño *tête-à-tête* de Dekka con Shade. Podía preguntarle, pero no era el momento.

Dekka observaba, calculaba y esperaba. Sabía que, pese a la decisión estratégica de Cruz, era ella quien daría la orden de atacar.

Opciones:

La primera. Interceptar a la turba de Dillon. Pero ¿cómo? Si ignoraban los tanques, la ignorarían a ella. Solo le quedaría el poder para asesinar a inocentes.

La segunda. Perseguir al Encantador. Pero ¿dónde estaba? ¿En el Strip o en el Triunfo? ¿En otro sitio?

La tercera. ¿Tratar de detener los tanques para evitar más masacres? ¿Y dejar al Encantador al mando de la ciudad?

El conflicto interno que sentía debía de resultar evidente en su rostro porque Cruz, Francis y Armo la miraban atentamente.

—Aún no —dijo Dekka.

Abadón el destructor —Vincent Vu— se emocionó un poco al ver la columna de tanques que cargaba directamente hacia él por la autopista como una caballería de una sola fila.

La enfermedad que sufría al cambiar, el densovirus de estrella de mar, ya había provocado que se soltaran dos de sus extremidades, y le cayeran vísceras y pringue. A continuación, las mandó arrastrándose hacia delante, formando su propia caballería lenta mientras le salían nuevas extremidades para sustituirlas.

—*¡Tantatachán!* —Vincent cantaba la fanfarria propia de una trompeta—. *¡Chán! ¡Tantatachán!*

Hubo dos explosiones. La menor, que parecía el ruido del viento arremolinándose en un tornado, se debió a una serie de disparos, tras los cuales, un instante después...

¡PUM!

La primera carga del tanque alcanzó a uno de los mini-yoes de Vincent y lo convirtió en confeti de sushi.

—¡Uau! —exclamó Vincent.

¡Qué emocionante! Mucho más fuerte de lo que se esperaba. Ahora tenía dos tipos de voces en la mente, las calladas, que le instaban a seguir, y sus propias alucinaciones esquizofrénicas, que sorprendentemente le instaban a ser prudente y retirarse.

Bueno, ya sabía que no debía confiar en esas voces.

—¡Soy Abadón el destructor! —gritó con su fina voz.

Entonces volvieron a disparar, y esta vez le alcanzaron en una pata. Al explotar, la carga roció a Vincent con fragmentos sangrientos de estrella desgarrada, y el chico se limpió el pringue de la cara.

La estrella de mar se regeneraría. «No hay problema», se dijo el chico, y se lo creyó hasta que el segundo tanque de la fila viró hacia la izquierda, orientó su torreta hacia él y disparó.

Fue una explosión menor, y Vincent se burló:

—¡No podéis derrotar a Abadón!

Pero algo salió mal. Con ese disparo no estalló ni quedó regado en sus propias vísceras, solo quemaba. La carga estaba atascada en la parte más gruesa de una de sus extremidades, demasiado cerca de su parte humana, y ardía y ardía como un fuego furioso, como un ser vivo, como una bestia rabiosa.

El fuego le dolía, pero era como si estuviera lejos. Sin embargo, no podía negar que lo estaba consumiendo. La carne húmeda de estrella de mar burbujeaba, se fundía y rezumaba lejos del fuego. Un humo blanco furioso se arremolinaba en torno a Vincent y le escocía en los ojos.

—¡Esperen! ¡No es justo, no veo! —gritaba el chico.

No veía, pero sí, sí, sí que sentía. No la agonía terrible que habría sentido si fuera completamente humano, pero sí dolor, el dolor del fuego insaciable que quemaba su carne de estrella de mar, que ascendía engullendo al chaval sin camiseta que...

... que ahora, de repente, sentía el calor de forma mucho más directa sobre la piel humana que le quedaba. Un calor insufrible. Un dolor insufrible.

«¡Dios mío! ¡Ay, Dios mío!».

Vincent trató de gritar, pero se ahogaba con las nubes de humo.

«¡Ayuda! ¡Que alguien me ayude! ¡Soy Abadón!», gritó para sus adentros.

Los observadores oscuros parecían absortos. Fascinados. Indiferentes a su agonía mientras el fuego ondulaba y reducía a cenizas los látigos de su cintura. Su cuerpo de estrella de mar estaba medio fundido, era un caldero burbujeante de magma y se estaba hundiendo en él, hundiéndose sin poder evitarlo.

Vincent gritó sin hacer ruido. Se le fundía la carne, y su mente se sumía en un carrusel de pánico e ira arrogante y dolor ahora intolerable.

—¡No! —trató de gritar, pero lo último que se oyó de él fue que se ahogaba.

Vincent Vu, Abadón el destructor, quedó reducido a una pila de pringue llameante, como si a alguien se le hubiera caído una nube de dulce en una fogata.

Abadón ya no destruiría más.

Los tanques rodearon el fuego y avanzaron rechinando. Acababan de perder cinco minutos destruyendo a Vincent. Cinco minutos significativos.

CAPÍTULO 24
Los macacos del Encantador

DRAKE MERWIN HABÍA RECUPERADO casi toda la cara: la boca, un ojo y una oreja. Oía y veía. Y dado que lo habían estampado contra una roca en una posición bastante erguida, veía que su cuerpo se recomponía.

No era la primera vez que lo destruían y se recomponía. Brianna había empleado su machete y su supervelocidad para hacerlo pedacitos y repartirlos por toda la ERA. Después de eso, le costó recomponerse.

Casi estaba completo del todo cuando se enfrentó a Sam la última vez. Tras el desmoronamiento del sistema de la ERA quedó debilitado, y entonces Sam lo quemó hasta que solo quedaron cenizas.

No hubo Drake Merwin durante mucho tiempo.

Y cuando empezó a recomponerse no fue a partir de las cenizas, sino de uno de los pedazos que dejó Brianna. La chica se había dedicado a enterrar partes de él, y otras las arrojó al océano. El noventa por ciento de esos trocitos se habían arrastrado para crear al Drake que luego Sam había destruido, pero un fragmento no formó parte de ese Drake maldito precisamente porque Brianna lo arrojó al océano.

Un pez espada se comió ese trozo de Drake, y luego se

metió mar adentro. El zurullo de pez espada resultante fue lo único que quedó del psicópata, así que al volver a crecer no pudo reutilizar fragmentos que hubiera por ahí, no, el zurullo tuvo que desarrollar un nuevo Drake entero. Y ese Drake, el Drake que el misil acababa de esparcir por todas partes, no obtuvo los ojos hasta mucho más tarde, cuando ya era una masa caótica de carne rosada que se arrastraba a ciegas por la playa.

Meses, eso fue lo que tardó en volver a crecer. De hecho, tardó un año en volver a ser él mismo, al cien por cien. Bueno, él mismo más Britanny.

Pero ahora se observaba y crecía mucho más rápido. Los fragmentos de Drake, la metralla humana que formaba, salían arrastrándose de las rocas como caracoles sin concha y encajaban como piezas diminutas de un puzle.

Algunos trozos eran insalvables —el lado derecho de su rostro, el ojo derecho—, pero, y eso le entusiasmaba, su mano de látigo ya había vuelto a crecer hasta la mitad. Incluso había conseguido moverla.

Le molestaba que Peaks hubiera huido, y aún más que de algún modo hubiera atraído, o provocado deliberadamente, el ataque de misiles. Y ese malestar terminaría con Peaks crucificado en la pared de su cueva. Alargaría su sufrimiento, le haría pagar por lo que había hecho, más porque se sentía obligado a castigarlo que porque le complaciera. Drake no podía dejar que Peaks se saliera con la suya, y tenía clarísimo que lo destrozaría y mutilaría hasta reducirlo a una criatura que suplicara que la matara, pero no lo disfrutaría. Torturar a Peaks no resultaría divertido. Realmente no.

Drake sabía qué resultaría divertido. Sabía quién resultaría divertida.

—No hay mejor odio que el antiguo —susurró su boca.

Y no había odio más antiguo que el que sentía por Astrid, Astrid Ellison, Astrid, la genio. A Drake le hacía gracia que desagradara a tantos en la ERA, porque tenía que reconocer que había resultado una enemiga formidable. Todos los chavales —bueno, casi todos— amaban a Sammy, a Sam, el surfero, al héroe reacio. Pero si Sam era el capitán Kirk de la ERA, Astrid había sido su Spock, y Edilio su Riker, y Albert su Scotty el ingeniero.

—No te olvides de Dekka —murmuró Drake a un lagarto cornudo que pasaba—. Su Sulu. Su Worf.

Drake odiaba a Dekka, Edilio, Albert y... bueno, prácticamente a todos. Pero con quien soñaba era con Astrid. Resultaría divertida. Intentaría hablar con él, intelectualmente, jugar a juegos de palabras, intentando desesperadamente engañarle. Y él la dejaría rogar y suplicar. Y entonces le arrancaría la piel. Pero Astrid era dura, ah sí, y le daría mucha guerra.

Qué placer saber que Astrid sería muy consciente de su propia desintegración lenta. La gente estúpida, la gente débil, enseguida se venía abajo y terminaba gritando y suplicando. Astrid también acabaría así, y lo odiaría, pero aún se odiaría más por ser débil.

Esa situación solo mejoraría si tuviera a Sam clavado en la pared de enfrente, obligado a verlo todo. No se podía imaginar nada mejor que ver a Astrid degradándose mientras Sam miraba.

¿Por qué no había ido ya tras ella? Porque se encontraba en una ciudad importante y vigilada y protegida por los polis. Un contexto que no se prestaba a largos y lentos días y noches de tortura. Resultaría fácil saltarse la seguridad que la rodeara, pero solo lograría matarla antes de que se le abalanzaran y lo aniquilaran. La próxima vez que lo destruyeran, alguien podría ser concienzudo y podría tardar años en recomponerse y volver a crecer. Puede que Astrid fuera una anciana para cuando pudiera perseguirla de nuevo.

—No te precipites con tus placeres —informó al lagarto, que lo miró con un ojo protuberante y, vaya maleducado, arrancó y se comió un trocito deslizante de Drake. El chico movió su muñón de mano de látigo y el lagarto huyó.

Sí, aún no había podido cumplir con su mayor sueño, no con los polis y el FBI y toda el área metropolitana interponiéndose. Pero Peaks le había dado una nueva esperanza. Peaks parecía creer que el mundo entero iba a echárseles encima. Y si eso era cierto...

Drake bajó la vista y vio un alambre que le salía del pecho. Ah, la buena de Brittany la cerdita, tan inmortal como él... Pronto volverían a estar juntos. Su cuerpo se completaría. Recuperaría su látigo.

Y en un mundo que se estaba viniendo abajo, ¿quién podría evitar que encontrara y se apoderara de Astrid?

—¡No vamos ganando! —exclamó Dillon, dejando claro su enfado—. ¡No vamos perdiendo, pero tampoco vamos ganando!

Uno de sus eufóricos lo había llevado de vuelta al Triunfo en un Nissan Altima al que habían disparado, y que tenía dos llantas reventadas.

«No es precisamente un corcel blanco —pensó, y entonces reflexionó—: ¿Por qué habría de ser un corcel blanco? ¿Es un comentario racista? ¿Hay racismo equino?».

Dillon sacó su libreta y garabateó:

«¿Racismo equino?».

Dillon había enviado al ejército superviviente de esclavos de la voz por Flamingo Road, y luego giraron hacia el norte por Frank Sinatra Drive, que daba a Sammy Davis Jr. Drive.

«Solo en Las Vegas puede haber direcciones con Frank Sinatra y Sammy Davis Jr. Eso podría ser un *sketch*».

En pleno día, la orden de correr todo el camino habría provocado que un diez por ciento de su turba se desmayara o se muriera de un infarto, pero de noche estaba refrescando rápidamente.

Tenía claro que el enemigo interpretaría lo de la turba corriendo como un estado de pánico. Los seguirían, pero no querrían pararlos... hasta darse de cuenta de que todos iban al mismo sitio.

«No voy ganando, pero esto se me da bastante bien».

—Creo que se me da bien todo este rollo —dijo Dillon en voz alta.

A lo que Kate respondió que sí y lo fulminó con una mirada de miedo y odio.

Dillon sabía que su siguiente número resultaría algo vago y difícil de gestionar. Mientras el eufórico lo llevaba al Triunfo, había pensado una lista de exigencias. Se marcharía voluntariamente de la ciudad, e incluso del país, si le daban lo que quería. Apoderarse del mundo resultaba mucho menos prioritario desde que el ejército había entrado en la ciudad; empezaba a parecerle que el objetivo principal era sobrevivir.

«¿He pasado de apoderarme del mundo a la mera supervivencia en qué, en un día?».

Necesitaría un helicóptero, claro. Y luego un jet, uno grande que llegara muy lejos, lleno de combustible y listo en el aeropuerto. Y cien millones de dólares. Eso no debería costarle en un lugar como Las Vegas, inundado de pasta.

«¿Cuál sería su destino?».

Eso era complicado. Su poder se basaba en que lo oyeran y entendieran, así que lo ideal sería un país de habla inglesa. Pero Canadá estaba bien comunicado con los medios estadounidenses, y estarían preparadísimos para cuando llegara a... ¿qué ciudad era de Canadá? ¿Seattle era de Canadá? Y el vuelo hasta Inglaterra era tan largo que aún estarían más preparados. Puede que lo derribaran ya en el Atlántico.

Dillon se imaginaba en una balsa inflable gritando órdenes a ballenas. No resultaba tranquilizador ni divertido. Para nada.

Entonces fantaseó brevemente con la idea una isla remota del Pacífico, pero las islas eran trampas.

A México. Volaría hasta México. Allí entraría en contacto con un cártel de la droga, se apoderaría de él y forjaría un ejército de verdad, de millones de personas, ¡Ja! Si es que hubiera suficientes personas que hablaran inglés.

Dillon alcanzó el Triunfo segundos antes que los primeros corredores, se paseó tratando de mostrar la máxima arrogancia y control hasta la entrada, vio a una camarera y le gritó:

—Tráeme un margarita. ¡Con extra de sal!

Sería su cuarta bebida, pero el estrés y los nervios —no se permitía usar la palabra «miedo»— lo habían mantenido muy sobrio. Entonces abrió una aplicación de mapas, escribió «México» e intentó decidir dónde ir. ¿No estaba Machu Pichu en México? Lo googleó: No. Y tras googlear un poco más se topó con Culiacán, en Sinaloa, donde se encontraba el cártel más infame.

«Sí, eso me servirá».

Se imaginó aterrizando con su jet. Puede que fueran a recibirle dignatarios locales. O polis mexicanos. Pero, aunque llevaran orejeras, les mostraría millones de dólares. ¿Acaso no era México supercorrupto? Finalmente le dejarían hablar y les ordenaría que lo llevaran a la sede del cártel.

Mientras llegaban cada vez más esclavos, jadeando y colocándose delante del Triunfo, Dillon se puso manos a la obra y escribió un correo electrónico.

Queridos antiguos mandatarios:
Soy el Encantador. Han visto una pequeña parte de lo que puedo hacer.

Se detuvo para buscar una escena de la película *Tropic Thunder* en la que Tom Cruise amenaza por teléfono.

Así que, si fuera ustedes, ¡echaría la cabeza hacia atrás y me la metería, literalmente, por el culo!

Entonces se preguntó si debería incluir sus fuentes. En cualquier carrera humorística, resultaba fatal que te llamaran la atención por robar un chiste. Dillon tenía pocos valores, y menos a cada hora que pasaba, pero no quería que le acusaran de robar chistes.

Si me permiten parafrasear la brillante *Tropic Thunder*... si fuera ustedes, ¡echaría la cabeza hacia atrás y me la metería, literalmente, por el culo!

Así quedaría bien.

Pero estoy cansado del conflicto. No soy mala persona, pero no quiero que me falten al respeto. Así que, si quieren que me vaya de Las Vegas, estoy listo para marcharme.
Lo único que pido es sol, una playa y muchos margaritas.
Si me dejan en paz, yo les dejaré en paz.

Así que el trato es este:

Un helicóptero en el tejado del Triunfo. El piloto no llevará orejeras.

Un *jet* lleno de gasolina mínimo del tamaño de un A-320.

El piloto y las azafatas, sin orejeras.

Cien millones de dólares en efectivo.

Una aparición garantizada en alguno de los *late show* de Fallon, Colbert o Kimmel. Un *sketch* de cinco minutos, puede que siete. Lo grabaré antes para que vean que no... ya saben... que no digo nada que no debería.

Un especial de una hora en Netflix.

Si me dan todo eso, viviré feliz mi vida y no les molestaré más.

Respetuosamente,

El Encantador (Dillon Poe)

Dillon envió este correo a las tres cadenas de noticias. No controlaba del todo al personal del Triunfo; aún había empleados que no habían oído su voz, pero había logrado controlar a la mayoría, y sus eufóricos tenían órdenes de disparar a cualquiera que pareciera una amenaza, por pequeña que fuera.

Su gente, su ejército, sus esclavos de la voz se estaban apiñando en cantidades cada vez mayores en la entrada circular del Triunfo. El Fashion Show Mall se encontraba al otro lado de la calle, y Nordstrom, a un tiro de piedra.

Dillon asintió, complacido. Bien. La calle era mucho más estrecha donde se encontraba, y la entrada del hotel era relativamente discreta, con lo que a los tanques les costaría más maniobrar en torno a ella.

Kate, la eufórica principal, llegó con el camión de Chevron. Era demasiado alto y no entraba por debajo del saliente del hotel, así que lo aparcó en la calle, bloqueando la entrada de vehículos.

Cada vez había más zombis boqueantes, tambaleándose... «No, un momento —pensó Dillon—. ¡Qué término tan genérico!». Si tenía a sus eufóricos, necesitaba un nombre para su ejército. ¿El escuadrón del peligro? Era divertido... más o menos. ¿Los dillbots? Un poco demasiado tonto. Además, no solo era Dillon Poe, era el Encantador.

¿Los monos del Encantador? Eso quedaría bien. Pero no era gracioso. ¿Los gorilas del Encantador? ¿Los chimpancés del Encantador?

—Espera... ¡ja, los macacos! Esa es buena. —Y usando el megáfono, anunció—: Ahora todos sois honrados y respetados miembros de Los macacos del Encantador. ¡Qué majos los macacos!

La masa creciente de personas no sabía cómo reaccionar, así que se limitaban a mirar perplejos.

—Oye, vamos, al menos una risita. ¡Reíros!

Había jurado sin decirlo en voz alta que nunca recurriría a su poder para conseguir risas, pero aquello era distinto... de un modo que no era capaz de cuantificar. Y el ruido de lo que ahora eran más de mil personas intentando reírse pese a jadear de agotamiento era para troncharse.

—Bueno, ya basta. Dejad de reíros. Kate. ¡Kate! —Dillon gritó para que lo oyeran por encima de las risas cada vez menos intensas—. ¡Kate! Enchufa... espera, necesitarás ayuda. Tú y tú —Dillon señaló a lo que se imaginaba que eran operarios, bueno, a tíos con músculos—, id a ayudar a Kate. ¿Kate? Ha llegado la hora de regar a mis valientes y leales macacos.

Dillon se retiró al interior del hotel mientras Kate y los dos hombres se esforzaban por sacar la manguera de combustible del camión.

DEA-6

TRAS VERSE ARRASTRADA y golpeada durante más de veinticuatro horas, la tripulación del Nebraska había menguado: sesenta y cuatro de sus miembros habían fallecido. No podían mover los cuerpos, solo atarlos: a tuberías, a equipos que ya no servían. Los cuerpos colgaban como efigies, como advertencias horripilantes.

Hacía mucho frío a bordo del Nebraska. Mucho. Aunque el oxígeno todavía no escaseaba, en parte porque lo respiraba mucha menos gente. Los miembros de la tripulación no caminaban, andaban a gatas, con cojines y chaleco salvavidas atados a la cabeza a modo de cascos improvisados. Los supervivientes hacían lo posible por desplazar la comida y el agua arriba y abajo y a lo largo del barco, y daban golpecitos en las escotillas de presión para indicar que tenían pan o un trozo de salchicha para compartir.

Las luces de emergencia se estaban apagando.

Unos pocos aún mantenían la esperanza, pero la mayoría se había rendido. Y muchos habían enloquecido por el ataque. Uno de ellos era una suboficial de marina llamada Debbie Forte, que había permanecido encerrada donde se almacenaban los misiles desde el comienzo. Era la única persona viva que quedaba allí. Había intentado atar a los seis hombres y mujeres aporreados hasta morir por la sacudida, pero le había resultado imposible, así que los cuerpos caían una y otra vez cuando la quimera agitaba el barco. Sus amigos. Su gente. La gente a la que había entrenado.

Forte estaba segura de que la quimera los estaba hundiendo cada vez más. Creía que el barco nunca volvería a flotar, que ya no tenía la capacidad ni siquiera teórica de hacerlo. Lo que quería decir que todos estaban muertos. Solo era cuestión de tiempo.

Pero Forte sabía qué hacer. Ni siquiera sería un auténtico sacrificio, realmente no, porque ya era como si estuviera muerta.

Y no iba a dejar que un monstruo le hiciera eso a su barco, a su gente, a ella. Sabía que mataría a la quimera.

La suboficial tenía acceso a armas que se cargarían cualquier cosa.

CAPÍTULO 25

Al azar

—¿POR QUÉ SOLO JUEGAS al solitario?

Malik levantó la vista despacio. Una chica le estaba hablando. ¿La conocía? Claro, claro, Shade o alguien se la había presentado.

—Es un juego muy... filosófico —respondió Malik.

—¿Ah, sí? —insistió Francis.

Malik asintió.

—Sí. Cada partida refleja la realidad de la vida humana. Yo le aporto la inteligencia que me dio el ADN. Recurro a mi experiencia. Utilizo mi libre albedrío. Y las cartas se ordenan al azar. De hecho, las probabilidades de que ya se haya jugado una mano de solitario son de tres millones contra una. Cada mano supone un conjunto completamente nuevo de posibilidades. ADN, entorno, libre albedrío y... azar.

«¿También es así para vosotros, oscuros? ¿Tenéis ADN? ¿Os influye la experiencia?».

Y mientras, Malik seguía jugando. Era su partida 2.309. Sujetaba el teléfono con ambas manos, casi a un brazo de distancia, tecleando con los pulgares. Estaba en racha, ya había ganado seis partidas.

—Ah, vale —dijo Francis Specter, y asintió.

«¿Os aburre verme jugar una partida tras otra?».

—Soy Francis.

Malik vio que la chica le tendía la mano, y quedaba en el aire. El chico la miró, intentando entender qué quería decir. Entonces lo recordó, casi como si recurriera a la memoria muscular, y le tendió también la mano.

—Malik Tenerife —dijo.

—Cruz me ha dicho que puedes...

—Provocar dolor —Malik acabó la frase rápidamente—. Sí.

«Vaya regalo que me habéis hecho, ¿eh? Una vida vigilándome, metidos en mi cabeza, y solo puedo huir a la agonía y la muerte».

—Sí. Todo esto es muy raro, ¿verdad?

Malik no dijo nada.

—Lo que puedo hacer... ya sabes, mi poder... parece una locura, ¿no? ¿Mi poder?

«No os gusta, ¿no? No queréis que hable con ella».

—¿Qué poder tienes? —preguntó Malik. No es que tuviera mucha curiosidad. Sentía más curiosidad por la sensación de que a «ellos» no les gustaba Francis.

La chica se encogió de hombros y miró el asiento junto a Malik. El chico también miró el asiento, intentando, despacio, entender el sentido y... ah, claro.

—¿Quieres sentarte?

Francis se sentó.

—Nunca he estado en una pelea de verdad —explicó la chica, y se retorció los dedos. Tenía miedo.

—Yo sí —añadió Malik. Y entonces, de una manera que recordaba a su antiguo humor seco, también comentó—: No me fue muy bien.

—Cruz me lo ha explicado.

Malik no dijo nada.

—No sé cómo llamar a esto que hago —continuó Francis—. Como que puedo... rodear las cosas. Las atravieso. —Se encogió de hombros—. Cuesta explicarlo. No basta con palabras normales.

«Las palabras tampoco bastan para explicaros a vosotros».

Malik se volvió para mirarla. Era solo una chavala, pero tenía un aspecto duro. Estaba sucia, llevaba ropa prestada, pero tenía cierto estilo, cierta gracia.

—Inténtalo —pidió el chico.

—Pues vale, es como... —Francis se pasó un rato pensándoselo—. Vale, es como si nunca hubieras visto el azul y yo intentara describirlo. Pero no se trata de colores, son formas. Cosas que tendrían que ser sólidas y que no lo son. Cosas que tendrían que ser cuadradas, como un muro, pero que son... planas. Es algo así. Yo sigo siendo yo, pero todo lo demás es plano. Y veo dentro de las cosas. Da un poco de grima, la verdad. Quiero decir que cuando veo a alguien lo veo todo a la vez, la cara, los ojos, pero también los pulmones y las tripas, en fin, todo.

Malik la miró intensamente. Se había olvidado de la partida.

—¿Ves a la gente por dentro?

—Por dentro, por fuera, todo a la vez. Sé que son personas, les veo la cara, pero al mismo tiempo es como si les hubieran dado la vuelta.

«No, Malik, no te emociones, todavía no. No tengas esperanza. No hay nada... todavía».

Malik preguntó:

—Cruz, ¿me prestas tu Moleskine?

Cruz esperaba dedicarse a escribir algún día. A veces lo hacía, anotaba pulcramente fragmentos de esto y lo otro en su Moleskine púrpura.

—No leas mis cosas —advirtió Cruz, entregándole la Moleskine abierta por una página en blanco.

Malik dibujó un cuadrado. Y dibujó dos ojos en el borde del cuadrado.

—Se llama Frank. Frank Plano.

—Vale —dijo Francis un poco recelosa, como si Malik estuviera chalado.

—Frank tiene dos dimensiones. No nos ve porque estamos «arriba», y para él no hay «arriba». Pero lo vemos todo a la vez. Sus bordes y lo que tiene dentro.

—Vale.

—La gente de verdad tiene tres dimensiones. Pero una persona de cuatro dimensiones vería nuestro interior tan fácilmente como vemos el interior de Frank. Una persona en 4-D te vería la cara y el cerebro, el cuerpo y el corazón.

—Ah, vale. Entonces... ¿cuando hago lo que hago, soy como una persona en 4-D?

Malik la miró.

«No, oscuros, no voy a apartarla».

—Cuando cambias, ¿cómo los notas? —preguntó Malik.

—¿A quiénes?

Malik sintió algo. Le costaba describirlo. Como si una pieza de un rompecabezas ocupara su sitio, como si algo encajara.

—A los observadores oscuros, cuando cambias.

—Yo no... —La chica frunció el ceño, no sabía si Malik le estaba tomando el pelo.

—Cuando mutas, cuando cambias, cuando puedes atravesar objetos sólidos, ¿sientes que te observan? ¿Como si hubiera alguien en tu cabeza que no fueras tú?

Malik parafraseaba la letra de aquella canción antigua de Pink Floyd.

Francis negó con la cabeza y aún frunció más el ceño.

Malik sintió que le daba un vuelco el corazón, que le latía con fuerza para luego tranquilizarse un poco.

«No te adelantes, Malik».

«¿Estáis oyendo esto? Claro que sí. Sé que sentisteis la ráfaga de dolor que os mandé».

Entonces Malik llamó a Cruz, quien se acercó y extendió la mano para que le diera la Moleskine.

—¿Ya estás?

Cruz y Malik se miraron.

—Francis no nota a los observadores oscuros.

—¡Qué suerte tiene! —dijo Cruz, que cogió la libreta y volvió a vigilar la ventana.

—Suerte —dijo Malik, y sonrió—. Cuando haces lo que haces, Francis... esto te sonará mal, pero te lo pregunto igual... ¿te quedas con la ropa puesta? Quiero decir... ¿puedes hacerlo con la ropa puesta?

Francis se apartó un poco de él en el sofá. Malik no podía culparla por ello.

—No te lo pregunto en plan chungo, hay un motivo.

—Sí, claro que sigo con la misma ropa.

«Vaya, vaya».

«Vaya, vaya, vaya, vaya, vaya».

—Claro que sí —asintió Malik, y entonces le cambió la voz. Su tono aún era distraído y distante, casi no mostraba sus sentimientos. Pero algo se estaba perfilando en su mente—. Claro que sí.

—¿Por qué?

—Porque puede que seas más poderosa de lo que imaginas. Incluso demasiado.

Completamente perpleja, Francis se limitó a asentir y añadió:

—Vale, pues tendré cuidado. Mejor me... —y asintió en dirección al grupo que había en la ventana, se levantó y se marchó.

«No sé si tenéis ADN, oscuros, no sé qué experiencias conforman vuestras vidas, pero sí que tenéis libre albedrío. Y azar, ¿verdad? Claro que sí, diablos, claro que sí. Y puede que se os vuelva en contra».

—Pero ¿observáis o jugáis? —murmuró Malik—. Ese es el misterio. ¿Esto qué es? ¿Una serie, o un juego?

Tom Peaks tenía prácticamente el mismo problema que Dekka: resultaba difícil planear una batalla cuando no sabías a quién te enfrentabas. Pero le parecía que lo mejor seguía siendo apoyar a los militares. Verían que Peaks era útil, que tenía poder, y, si no volvían a aceptarlo, por lo menos no intentarían matarlo.

Quizás.

En un mundo perfecto, Peaks pasaría desapercibido al entrar en Las Vegas, se dedicaría a analizar cómo estaban las cosas, y se haría una idea antes de revelar su presencia. Pero considerando lo que había oído en la radio del coche, la situación era caótica, violenta y completamente impredecible.

Peaks solo podía estar seguro de que, al final, la fuerza increíble de los militares acabaría derribando al villano con superpoderes, a Dillon Poe.

Aún le maravillaba lo fácil que resultaba cambiar. Le parecía imposible que a un cuerpo humano pudiera salirle una piel blindada y con cuernos y que creciera más de quince metros, y ya no digamos que tuviera la tripa llena de fuego líquido y solo sintiera un cierto... escozor. Pero se imaginaba que los ingenieros del virus alienígena se habían dado cuenta de que los poderes no servirían de mucho si el dolor te mataba al usarlos.

Desde una altura de más de quince metros, la vista de la ciudad mejoraba mucho, y con los ojos cambiados la veía toda en un tono verdoso. Su capacidad de desplazarse sin un camino definido también había mejorado: por cada paso que daba avanzaba más de seis metros y podía desplazarse más rápido si quería.

¡POM, POM, POM!

Cada paso generaba una ráfaga de aire y un impacto que sacudía el suelo. Peaks avanzaba a zancadas por el desierto oscuro, aplastando arbustos desaliñados y madrigueras de tejones, asustando a las liebres y haciéndolas huir, sacudiendo el suelo cuando sus múltiples toneladas de peso pisaban con pies que más bien eran como garras.

Ningún helicóptero de las noticias lo había detectado. Ningún dron le había disparado un Hellfire. La carretera quedaba a la derecha, y en ella se concentraba una larga hilera de farolas, luces de emergencia parpadeantes, luces de linternas y de los interiores de los coches. Adelante se encontraban las luces mucho más atrayentes de la ciudad.

Resultaba maravilloso pisotear el vacío, notar que los músculos enormes se contraían y se soltaban, y sentir dentro de sí mismo el fuego asesino.

«¿Quién podría detener a Dragón? ¡Soy poderoso! ¡Puede que sea la criatura más poderosa que ha recorrido la Tierra!».

Peaks sabía que esos pensamientos eran absurdos, pero cuando era Dragón sentía un subidón tal que le costaba no disfrutarlo. Que le atacaran todos, Dekka, Shade, Pesadilla, ¿qué más le daba? Los destruiría. Disfrutaba especialmente imaginándose una confrontación en la que se enfrentaba a Dekka y la reducía a cenizas.

Claro que los ojos sin ojos lo observaban, por dentro, por encima y detrás y a través de él. Su atención atenuaba la sensación vertiginosa. Siempre le recordaban que el poder humano, aunque fuera rocoso, era el resultado de una inteligencia muy superior.

¿Qué querían, esos observadores oscuros? ¿Qué ganaban con todo eso? ¿Y si todo aquello formaba parte de una estratagema innecesariamente elaborada para destruir a la humanidad? Pero si ese era el objetivo, les habría bastado con diseñar el virus rocoso para aniquilarlos a todos.

Drake le había dicho que todo era tele. Pero, aunque era listo a su manera vil, Drake ni siquiera tenía el título de bachillerato, y ya no hablemos de una formación avanzada. Claro que era algo propio de Drake aferrarse a una analogía simplista.

Pero bueno, Dragón despacharía a Dillon Poe, salvaría al mundo y luego ofrecería humildemente sus servicios al ejército. Puede que entonces se mostraran más abiertos a un reptil gigante que respiraba fuego que la deleznable DiMarco, si es que había sobrevivido al ataque del Rancho.

«¿Y entonces qué? ¿Volver con la familia?».

Peaks sintió una punzada. Apenas había pensado en su esposa o hijas porque en fin... había estado... ¿Qué? ¿Pasando el rato en una cámara de tortura con Drake Merwin?

Peaks sabía que había evitado pensar en su familia porque le dolía. Porque pese a la crueldad que él creía necesaria y que había mostrado al construir el Rancho, pese a la violencia que había perpetrado encarnado en Dragón, aún quería a sus hijas.

Tom Peaks, que medía más de quince metros y respiraba fuego, aún recordaba escenas dando besos de buenas noches a sus hijas. Ahora mismo estarían en la cama. ¿Se habrían cepillado los dientes? ¿Habrían hecho los deberes?

¿Podía hacer algo, lo que sea, para volver a ver a su familia? Salvar el mundo. Ser un héroe. Redimirse a sí mismo. Algo. «Algo».

«Aquí vengo a salvar al mundo», pensó Tom Peaks mientras avanzaba hacia las luces.

Ya no veían lo que ocurría desde la ventana de su *suite* en el Caesars. Solo veían las imágenes procedentes del helicóptero de noticias y cualquier otro vídeo que emitieran los canales de televisión. Eran vídeos movidos y entrecortados de hacía varios minutos.

—Esto no va bien —intervino Dekka.

—No. —Shade estaba de acuerdo.

Cruz no estaba tan segura. Sentía alivio al tener el horror más lejos. Nunca se acostumbraría a ver a otro ser humano aplastado bajo un tanque. Todo esto le ponía enferma. La violencia y la malicia pura que debían de ocupar la mente de Dillon Poe la ponían enferma. ¿Qué clase de ser humano hacía algo así? ¿Qué clase de ser humano pensaba que tenía derecho a apoderarse de las vidas de la gente, a utilizarlos como si fueran marionetas? ¿A enviarlos a morir con asesinatos en la conciencia y sangre inocente en las manos?

—Necesitamos verlo más de cerca —opinó Dekka.

Cruz la miró y sintió que algo no iba bien. Dekka procuraba no mirarla. Demasiado. Shade tampoco miraba a Cruz. Las dos alargaron el silencio.

—Ah —dijo Cruz.

Entonces Dekka y Shade la miraron con ojos tristes.

Cruz asintió despacio.

—Ah —volvió a decir, y, como si anunciara su propia sentencia de muerte, añadió—: Yo puedo hacerlo.

Las palabras pesaban toneladas. Le costaba muchísimo decirlas.

Ni Dekka ni Shade perdieron tiempo fingiendo que no estaban de acuerdo.

—¿Qué aspecto... qué aspecto debería tener? —preguntó Cruz. Deseaba que no se notara tanto lo asustada que estaba, pero, maldita sea, ¿quién no lo estaría?

—El de cualquiera menos el tuyo —respondió Shade—. Pero no el de alguien famoso, o llamarías la atención. Aunque, ahora que lo pienso: ¿por qué tendrías que resultar visible?

Cruz asintió demasiado rápido, y su gesto nervioso duró demasiado.

—Todo irá bien, Cruz —dijo Shade amablemente—. Estuviste genial en el hospital. Tú puedes hacerlo. —Entonces Shade estrechó la mano de su amiga. Antes sentía un afecto casi maternal por Cruz, pues automáticamente se veía como la líder y a Cruz como su seguidora. Pero con Malik eso había cambiado. El chico era la prueba viviente e inconfundible de que Shade no era tan lista como creía. La existencia de Malik era un gran dedo que la señalaba y cuestionaba. Con la llegada de Dekka, Shade estaba deseando asumir un papel subordinado. Era un alivio no tener que tomar todas las decisiones.

Una parte de Cruz —una gran parte— apreciaba las palabras amables de Shade. Pero también gritaba en silencio: «¡Tú me metiste en esto, chiflada obsesiva!».

—Vale... así que... ¿ahora? —preguntó Cruz.

—Escucha —empezó Shade—. Vas a conectar tu teléfono a mí, ¿vale? Yo estaré lista abajo. Si algo sale mal, iré a por ti en un abrir y cerrar de ojos.

Cruz asintió otra vez.

—*Sip.*

«¿Puedes correr más que una bala, Shade?».

—Creo que me haré invisible. —Cruz intentó decirlo como un chiste—. Estoy demasiado nerviosa para pensar en parecerme a nadie.

—Yo iría contigo, Cruz, pero entonces creo que me verían —dijo Armo con una sonrisa triste—. Pero, mira, si algo sale mal, no seré tan rápido como Shade, pero llegaré.

Cruz asintió, pues no sabía si le saldría la voz. Armo no la conocía realmente, puede que no supiera muy bien quién era. Pero sí que le parecía que intentaría salvarla.

Cruz salió de la habitación caminando muy rígida y, por una vez, Shade iba detrás de ella. El personal del casino, muchos de los cuales iban vendados, con uniformes destrozados y aspecto demacrado, asintieron en señal de respeto al verlas pasar. «Qué raro —pensó Cruz— lo rápido que se adapta la gente a lo imposible cuando tiene suficientes motivos para hacerlo».

—Vivo en un mundo donde mucha gente me odia por no ser lo que quieren que sea —comentó Cruz cuando bajaban en el ascensor—, pero ahora se inclina ante un par de monstruosidades rocosas.

—Mmm —intervino Shade—. No quiero desilusionarte, Cruz, pero hay muchos idiotas en el mundo.

—Dos de ellas en este ascensor.

Shade soltó aire.

—No te diré que no.

Entonces Shade se inclinó hacia delante y pulsó el botón de Stop del ascensor.

—¿Qué? —preguntó Cruz.

—No tienes por qué hacerlo, Cruz. No tienes que hacerte la heroína, no era lo que tú querías.

—No, me apunté para hacer de compinche —replicó Cruz, intentando bromear sin conseguirlo.

—Pues mira, Robin, creo que escogiste al Batman equivocado, maldita sea.

«Pocos minutos antes o después, nunca nos habríamos encontrado. Como una tirada de dados. Perfecto para Las Vegas».

Entonces las chicas se miraron.

«Ahora es distinto —pensó Cruz—. Algo ha cambiado. Cuando la vida era más normal, Shade y yo hablábamos como amigas, como iguales, pero siempre había algo en la mirada de Shade que indicaba que era la dominante. La que mandaba. Tras la roca, eso aún se notaba más. Shade ansiaba pelear, cada enfrentamiento le servía para ensayar una venganza que nunca lograría cumplir contra una criatura que llevaba tiempo muerta».

Y, sin duda, siempre había habido algo en la mirada de la propia Cruz que indicaba su sumisión. Su sumisión ansiosa y más que dispuesta. Shade era más lista. Shade tenía más fuerza de voluntad. Shade era una chica «de verdad». Tan definida, tan firme...

«Tan distinta de mí... porque yo... ¿qué soy? ¿Qué diablos soy? Incluso mi poder consiste en ocultarse... ¿eso demuestra que la roca alienígena tiene sentido del humor?».

Pero ahora, cuando miraba a los ojos de Shade, Cruz se veía reflejada como una igual.

De repente Cruz se rio.

—¿Cómo la llamas a la lista de Malik?

—¿La taxonomía de superhéroes? —dijo Shade, torciendo el gesto.

—Monstruo, villano, héroe. Pues no hay categoría de «compinche».

—Bueno —dijo Shade casi con ternura—. No eres una *monstrua*, Cruz. Y desde luego no eres una villana.

Cruz pulsó el botón de Stop del ascensor, que continuó bajando.

—Me da un miedo terrible salir ahí fuera —dijo Cruz, conteniéndose para no llorar—. Pero voy a hacerlo.

—Creo que esa es la definición de heroína, ¿no? —opinó Shade—. Estás muerta de miedo, pero lo haces igual.

CAPÍTULO 26

Lo de hacer de heroína

A CRUZ LA DEJÓ PASAR el equipo de seguridad del casino y salió al mundo exterior.

Y entonces desapareció. Del todo.

En lo primero en que se fijó fue en un cuerpo muerto.

Desde que se había dejado llevar por la locura, Cruz había visto más muerte y violencia que en sus diecisiete años previos de vida, multiplicado por mil. Pero no era inmune. El cuerpo era el de una mujer de mediana edad, con la ropa retorcida y la tripa blanca asomando bajo la blusa. La boca reflejaba horror y dolor. Alguien la había acuchillado en los dos ojos, y luego había dejado el cuchillo clavado sobresaliéndole de un lado del cuello.

Cruz la rodeó, y recorrió el largo camino por el que se encontró con otros muertos, y con heridos que aún gateaban y trataban de morder el aire, que aún intentaban obedecer al Encantador, aunque la sangre que habían perdido sumada a la sed y el hambre los arrastraba a los brazos de la Parca.

El camino resultó largo hasta el Triunfo. Cruz avanzó sin salirse de la acera. Un hombre chocó con ella, giró, parpadeó y, al no ver nada, lo dejó correr.

«La visión lo es todo para la gente. Ignoran el tacto, el olfato, el aroma, el oído, si no se lo confirma la vista».

Cruz avanzaba rápido cuando se concentraba, y lenta cuando no. Una o dos veces llegó a trotar, pero el pavor que sentía se apoderó de sus extremidades, y no consiguió mantener el ritmo.

Y los observadores oscuros seguían concentrados en ella, oprimiéndola. Lidió con ellos durante el largo tiempo que permaneció en el hospital, pero no por ello se sintió más, sino menos inmune a los observadores. Le parecía que estaba mal, que era injusto que pudieran observarla desde un lugar seguro. Le parecía sacrílego que disfrutaran de la matanza y el dolor y el miedo, porque Cruz estaba convencida de que eso era lo que hacían: disfrutar.

Se planteó llamar a su madre. Hablar con ella. Decirle... ¿qué, exactamente? ¿Que la quería? Sí que la quería, pero no solo eso. Esa emoción generosa se combinaba con las de la traición y el resentimiento.

«Hola, mamá, probablemente voy a morir, pero te quiero. Solo quería preguntarte algo: ¿por qué nunca me defendiste de papá? Explícate, mamá. Sabías lo asustada que estaba. Sabías lo vulnerable que era. Y lo viste intimidarme, burlarse y menospreciarme, y no dijiste nada».

Cuando se planteó llamar a su padre, lo descartó enseguida. Él se alegraría de que hubiera desaparecido. Puede que no quisiera que muriera, pero que desapareciera, eso seguro que le parecía bien.

Y se dio cuenta de que esa era toda la lista de gente que le importaba, aparte de Shade. Y Malik. Y, cada vez más, Dekka.

Y Armo, aunque él entraba en una categoría algo distinta.

Cruz se rio en silencio ante el enamoramiento incipiente, absurdo, que sentía por él. Sí, era guapísimo. Y pese a cómo lo había visto en el fragor de la batalla, en momentos más tranquilos era... bueno, digamos que dulce. Centrado. Divertido, a veces. Pero también era un tío blanco, *cis*, seguramente hetero, al que horrorizaría cualquier otra idea que no fuera la de amistad. Le parecería que Cruz era inquietante, un bicho raro, que se flipaba.

Puede que se riera de ella a sus espaldas. Que la llamara *travelo*. Cruz se obligaba a pensar así, a reconocer su tontería.

«La gente como yo no tiene un final feliz».

Una vez, tiempo atrás... bueno, no tanto tiempo atrás, en realidad, pero lo parecía... Una vez, Shade le dijo que la esperanza era la mejor forma de tortura.

Puede. Pero ¿cómo vivir sin ella?

En el fondo de su corazón, Cruz sabía que su vida no terminaría feliz con alguien como Armo. Y no es que pudiera haber alguien como Armo, que era... único. Cruz se decía que era un chico ideal, no un chico real. Una fantasía, no una realidad. Una fantasía, aunque hubiera sido la lista, guapa y segura Shade quien se hubiera fijado en él.

«Ya no digamos yo».

Cruz oyó disparos y se estremeció. La invisibilidad no la hacía invulnerable. Aún tenía cuerpo, solo que invisible.

Entonces giró despacio en una curva del Strip y vio que el Triunfo se alzaba tras el centro comercial. Los casinos a su derecha continuaban iluminados según un estándar normal, pero poco para ser Las Vegas. El Triunfo aún brillaba en tonos dorados.

Ojalá se hubiera llevado agua. Le costaba tragar saliva.

Tras el retraso provocado por enfrentarse a Vincent Vu, la columna del ejército había vuelto al Strip. Habían llegado tarde, y no habían podido interceptar a los esclavos de voz de Dillon. La columna del ejército se acercaba despacio, avanzando con cautela tras ella, y Cruz no tenía ni idea de si eso era bueno o malo.

Un hombre enloquecido salió de la tienda Nieman Marcus en el centro comercial y corrió gritando hacia ella. Cruz reculó hasta percatarse de que no la veía. El hombre continuó corriendo por la calle.

El aire apestaba porque el Venetian y el Treasure Island ardían.

Cruz tenía que girar a la izquierda. Y ahí vio a la turba delante del Triunfo. Cruz se santiguó y deseó haber tenido un rosario. La turba estaba completamente controlada por Dillon Poe. Una turba que podría convertirse en asesinos aulladores con unas pocas palabras del Encantador.

Una turba delante; una columna de tanques justo detrás de ella.

Cruz levantó el teléfono, aún conectado a Shade, que lo había silenciado para que ningún ruido revelara la ubicación de la primera. Todos los del grupo habían mutado por si oían alguna orden de Dillon. Entonces Cruz susurró:

—He llegado. —Redujo la velocidad y describió—: Estoy en el Triunfo. Hay una gran muchedumbre, puede que mil personas. Las puertas de la entrada están reventadas, y un camión de Chevron bloquea el acceso. Veo a gente arriba en el saliente, ¿sabéis?, la parte que sobresale sobre el camino de entrada. Las ventanas de ahí arriba están rotas.

Cruz llegó al límite de la muchedumbre y dejó de hablar. Entonces buscó y encontró a Dillon. Estaba encima del saliente, paseándose adelante y atrás, y parecía hablar solo. Entonces Dillon sonrió, sacó una libreta y garabateó.

Era el mismo gesto de cuando Cruz tenía una idea y sacaba su Moleskine, pero trató de no pensar en ello: no tenía nada en común con ese monstruo.

Entonces vio a la animadora desenroscando torpemente la manguera del camión de Chevron.

Detrás de ella, los tanques del ejército repiqueteaban al avanzar, reduciendo la distancia.

Cruz miró a Dillon. Objetivamente era un reptil aterrador, raro, con escamas verdes cubiertas por un frac hecho jirones. Pero por algún motivo la gente no lo veía así. Y Cruz se imaginaba que si dejaba de estar cambiada lo vería como parecían verlo los otros: cambiada no sentía su encanto.

De repente se oyó el ruido de un megáfono al enchufarse, por el que Dillon ordenó:

—¡Vale, enseñadles el primer cartel!

Dos personas se separaron de la multitud y corrieron hacia el tanque principal sujetando una cartulina donde habían escrito: «Deténganse. Estoy listo para negociar».

Los tanques no se detuvieron.

—¡Kate! —gritó Dillon—. ¡Es hora de rociarlos!

Para horror absoluto de Cruz, la animadora abrió una válvula del camión, que empezó a escupir líquido que no tardó en manar a borbotones. El olor resultó reconocible al momento, era gasolina. La animadora roció a la multitud con la manguera como una madre de un barrio residencial jugando con sus hijos en el patio trasero. Le caían lágrimas por el rostro, sollozaba como una niña desconsolada, pero no se detuvo.

—Oye, ¿qué pasa? —preguntó la gente. Pero no se movió.

—¡Es gasolina! —dijo otra. Y tampoco se movió.

Entonces Dillon llamó a otra animadora, que corrió desde la ventana del segundo piso donde habían hecho un agujero para poder acceder al saliente. La chica llevaba algo pequeño en la mano.

—Cuidado con eso —le gritó Dillon—. ¡Es de coleccionista!

Dillon cogió el objeto con las dos manos, lo sostuvo en alto como si lo inspeccionara, y entonces se puso a girar una manivela. Fue entonces cuando Cruz se percató de que era un juguete a cuerda. Un cochecito o un camioncito, un cachivache de una tienda de recuerdos.

«¿Qué?, ¿por qué?».

Pero entonces, cuando el Encantador se dirigió al extremo de la plataforma donde se encontraba y abrió la mano, Cruz lo entendió. Los gases resultaban embriagadores. Si el Encantador sostenía una cerilla encendida por encima de ellos podría inflamar el combustible. Pero un juguete a cuerda, si lo dejaba caer, caería al suelo echando chispas, atravesado por riachuelos de gasolina. Solo tendría un segundo o dos...

—¡El segundo cartel, vamos! —ordenó Dillon.

Dos más de su turba, con el pelo aplastado por la gasolina, aparecieron a toda velocidad con una cartulina a la que se le estaba corriendo la tinta.

«Basta una chispa: si se me cae, arden todos».

—No —susurró Cruz. Entonces se olvidó del camuflaje y gritó al teléfono—: ¡Shade, ahora, AHORA!

Al oír la voz de Cruz, Dillon miró atentamente... nada. Y entonces resonó un disparo procedente de un francotirador desde el tejado del centro comercial.

¡Crac!

Era de noche. El disparo se hacía desde muy lejos. Y los gases en alza distorsionaban la luz.

—¡Aaaah!

La bala destinada al corazón de Dillon salió disparada hasta alcanzarle el omoplato izquierdo. El chico se retorció como si le hubiera golpeado un forzudo. Cayó al suelo apoyándose en una rodilla. El juguete a cuerda cayó al saliente y soltó chispas multicolor al dar tumbos.

Durante un instante, el juguete no se veía. Y entonces, de repente, saltó por el borde del saliente y cayó en espiral, echando todavía chispas.

Incapaz de moverse, la turba gritaba.

A Shade le pareció que la palabra «ahora» duraba mucho.

Salió por las puertas del casino, continuó por el camino y giró por el Strip antes de que la última «a» acabara de sonar.

Shade había corrido rápido antes. Pero esta vez se trataba de Cruz.

Shade sintió que su ropa se agitaba y desgarraba. Sintió que su cuerpo de plastilina cambiaba de forma para que el viento tirara de ella hacia abajo, para evitar que saliera volando por los aires como un coche de carreras descontrolado.

Sus patas eran un borrón. Sus manos se movían tan rápido que sentía el calor de la fricción.

El Strip quedó atrás en menos de un instante. Los cuerpos también eran borrones.

Shade derrapó en un giro, y ahí estaban los tanques. Los dejó atrás formando un torbellino, una ráfaga repentina como el remolque de un tractor a más de mil seiscientos kilómetros por hora.

Shade lo vio en un instante: el camión de gasolina, la multitud inmovilizada, el juguete que echaba chispas girando lenta, lentamente.

En cualquier momento los gases se...

¡No había tiempo!

Shade salió despedida. Saltó en el aire a la velocidad del sonido, rebotó en los hombros de un hombre y tendió la mano...

Con su visión acelerada, vio el instante en que una chispa alcanzaba el vapor. Vio que la chispa se convertía en llama, vio un fuego a cámara lenta que se alzaba en el aire.

Shade agarró el juguete al vuelo, envolviéndolo con el puño para que dejara de echar chispas.

El viento que produjo al saltar se tragó el oxígeno y la llama... se apagó.

Shade aterrizó en el extremo de la multitud, aterrizó sin controlarlo y embistió contra tres personas. Eran cuarenta y cinco kilos de chica blindada moviéndose a casi mil trescientos kilómetros por hora, por lo que mató a dos al instante, e hizo girar al tercero como una peonza.

Shade reculó, se puso en pie, y arrojó el juguete tan lejos como pudo, con lo que aterrizó en el tejado del centro comercial.

En lo alto del saliente, los animadores cargaban a un Dillon ensangrentado y rugiente, intentaban ponerlo a salvo atravesando la ventana rota.

Shade cerró los ojos ante la destrucción que había provocado su descenso: no era el momento. Echó a correr, dio un salto, y aterrizó en el saliente. Estaban arrastrando a Dillon por el pasillo, mientras el chico gritaba y maldecía. Shade solo tardaría unos segundos en capturarlo. Pero entonces oyó el ruido leeento de la voz de Cruz en el teléfono.

—¡S-h-a-d-e!

Y entonces sintió una vibración, también ralentizada, lo cual aún le resultó más desconcertante.

Shade volvió la vista y se quedó paralizada.

Dragón había llegado.

CAPÍTULO 27
Dragón y gasolina

DILLON LLORABA. EL DOLOR era increíble. Le venía a ráfagas, una tras otra, cada vez más rápido. Tenía la camisa empapada, como si se hubiera quedado atrapado en un chaparrón repentino de sangre.

—¡Llevadme a mi cuarto! —aulló.

Sus eufóricos lo cargaron hasta una habitación, y al entrar Dillon se vio en el espejo que cubría la pared entera. Casi se desmaya. La parte delantera del hombro estaba roja en torno a un solo agujero redondo. Pero en la parte de atrás había un cráter. La bala había hecho lo que estaba previsto que hiciera: penetrar e introducirse en la carne a una velocidad increíble. Por lo que tenía un orificio de salida de más de quince centímetros de ancho, carne desgarrada y fragmentos de hueso destrozado, y se notaba el pulso de las arterias y las venas.

—Ay, Dios, ¡que me voy a morir! ¡Me voy a morir!

El aspirante a humorista que había en él no veía nada divertido en aquella situación.

Los eufóricos lo colocaron en la cama mientras gruñía y sollozaba.

—¡Traedme un médico, traedme un médico!

Todas las mujeres obedecieron al instante y salieron corriendo de la habitación.

Demasiado tarde, Dillon se dio cuenta de que se había quedado solo. Solo, sufriendo, y desangrándose en la colcha.

—¡Peaks! —gritó Dekka.

Las cámaras de televisión estaban concentradas en el lagarto enorme al que la gente llamaba Dragón. Pero Dekka sabía que el monstruo era su antiguo enemigo, Tom Peaks.

—Vale —Dekka se dirigió a Armo, Malik y Francis—, la situación está clara ahora. Ese es Tom Peaks, el hombre que creó el Rancho. Puede que aún no sepamos ciertas cosas, pero una está clarísima: ¡ese gilipollas tiene que morir!

Dekka avanzó decidida y abrió la puerta. El personal de seguridad del casino estaba fuera.

—Necesito un coche. ¡Ahora!

Jody Wilkes, jefa de seguridad del casino, había aceptado completamente la autoridad de Dekka para enfrentarse a cualquier cosa que no ocurriera dentro de él.

—¿Un deportivo? —preguntó Wilkes.

—Sí.

—¿Quieres que te acompañen unos voluntarios?

Dekka negó con la cabeza.

—Ese chungo, Dillon, aún no está muerto, y su voz podría alcanzar a quien mande. Ya nos encargamos nosotros, pero gracias.

Entonces Dekka volvió a entrar.

—Vale, nos metemos en un deportivo, ya cambiados, y vamos tras Peaks.

Malik asintió levemente, aunque parecía distraído. Francis se limitó a tragar saliva y asentir.

Armo intervino:

—Vale. —Y sonrió a Dekka—. ¿Lo ves? Voy a hacer lo que me dices.

—Solo porque te mueres de ganas —replicó Dekka.

—Pues... sí, venga.

Bajaron en el ascensor. La canción que sonaba era «Maybe I'm amazed», que no habría sido la primera canción que elegiría la chica para entrar en batalla.

Dekka miró en dirección a Francis. Era tan bella como inquietante. No había cambiado ni de forma ni de tamaño, y seguía vestida con la ropa con la que había entrado. Pero en cada parte visible de ella —el rostro, las manos, el cuello, el pelo incluso— se formaba el remolino de un arcoíris brillante. Como si alguien diera vueltas, despacio, a una rueda de color. Había rojos mezclados con violetas, verdes que se volvían azules, espirales de amarillo y naranja intenso. Y había algo más que Dekka no sabía cómo nombrar. Era profundidad de campo, la sensación de que los colores no estaban en la superficie, sino que se extendían por Francis, como si su piel fuera solamente la capa superficial de un lago de colores.

Francis tenía unos ojos impresionantes, unos estanques infinitos del violeta y el rojo más profundos, con reflejos cambiantes en dorado y verde. Eran hipnóticos, surrealistas.

—Creo que ya tenemos tu nombre de superheroína —indicó Dekka.

—¿Cuál?

—Arcoíris.

Malik se apoyó contra la pared del espejo.

—Francis, ¿los notas ahora?

Francis se encogió de hombros.

—¿Notar qué?

Dekka frunció el ceño y Malik y ella se miraron.

—No los nota —indicó Malik—. Hay algo en...

Pero no terminó la frase, porque el ascensor había llegado a la planta baja. Dos civiles a los que habían reclutado como personal del casino los apuntaban con armas.

—Somos nosotros —señaló Dekka.

Había un largo camino hasta la puerta principal del casino. Pasaron entre máquinas tragaperras, algunas de las cuales las habían arrancado de sus puestos y arrastrado hasta la puerta para formar una barricada increíblemente extraña. La vigilaba personal de seguridad del casino, camareras de cócteles y más turistas reclutados, todos muy serios.

Los superhéroes se abrieron paso, salieron y vieron un deportivo negro esperándolos, con el motor en marcha y las puertas abiertas. Wilkes estaba ahí.

—La última oportunidad —indicó Wilkes.

—Sí —dijo Dekka—, pero no. Y gracias, Wilkes.

Wilkes asintió, y desde la puerta una voz gritó:

—¡Dales caña, Lesbigatita!

Dekka esbozó una sonrisa felina, mostrando los dientes demasiado afilados.

—Lesbigatita, Oso Furioso y Arcoíris. ¡Solo nos falta un nombre ridículo para Malik y seremos la puñetera secuela de *Barrio Sésamo*!

Dekka se sentó al volante, con Armo de copiloto, y Francis iba detrás con Malik.

—No estoy segura de cómo utilizar tus poderes, Francis —indicó Dekka, mirándola por el retrovisor—. Así que... improvisaremos.

Tom Peaks era una de las pocas personas del mundo que podía interpretar correctamente una llamarada, una ráfaga de viento y que la gente cayera brutalmente noqueada al suelo.

—Vaya, si tenemos aquí a Shade Darby... —dijo con una voz que hacía juego con su tamaño.

Para él, la situación estaba clara: el demonio de la velocidad tenía que morir. Había una multitud de civiles, todos mojados por alguna razón, gente seguramente inocente que huía de la violencia. Entre la multitud, Darby y él debía de haber menos de cien metros de calle abierta.

Durante una décima de segundo, Peaks vio que Shade dudaba en el saliente. La vio, y ella lo vio.

Shade se le echaría encima enseguida, así que Peaks abrió la boca y vomitó fuego dirigido al espacio que los separaba, de modo que si la chica trataba de abalanzársele tendría que atravesar el magma primero.

¡Pero Shade ya había llegado! Peaks sintió la ráfaga de viento, una explosión sónica y un débil impacto en el hombro, y ahí estaba ella, con el rostro aerodinámico vibrando a pocos centímetros del suyo.

El hombre oyó un zumbido como el de una avispa enfadada, mientras un chorreón de fuego manaba de su boca.

Entonces, como si el zumbido se ralentizara para hacerse inteligible, oyó:

—No... fuego... ¡gasolina!

Pero para cuando Shade lo dijo y Peaks consiguió descifrarlo y entenderlo, el mal ya estaba hecho: litros y litros de napalm ya bajaban y se extendían por la calle.

Con el rabillo del ojo, el hombre dragón vio a un bebé que había saltado de los brazos de su madre. El bebé parecía volar por los aires a toda velocidad, transportado por alguien o alguna fuerza que no veía.

«Ah, esa es Cruz», pensó.

Shade saltó de su hombro hecha un borrón.

El magma seguía avanzando.

«¿Gasolina, gasolina?».

—No —susurró Peaks cuando la enormidad del error cometido alcanzó su cerebro—. ¡NO!

Centenares de litros de gasolina, algunos en la acera, otros en la calzada, y demasiados en el cabello, la ropa y la piel de miles de personas indefensas, en llamas.

Cruz dejó el bebé en la acera. Era lo mejor que podía hacer.

Y entonces volvió a corriendo para ver si podía poner a alguien más a salvo.

Pero... la explosión la hizo caer de espaldas.

Cruz sintió un calor abrasador, boqueó y durante un instante no había oxígeno que respirar, como un pez sacado del agua. Se dio la vuelta para proteger al bebé, pero la explosión ya había pasado. La manta azul estaba chamuscada. El gorrito de punto del bebé estaba frito. Cruz se puso a sofocar las llamas con el cuerpo. El bebé abrió los ojos de un azul descentrado. La boquita con el arco de Cupido boqueaba en busca de aire.

Cruz se obligó a levantarse, encontró oxígeno que le llenó los pulmones y se llevó al bebé a la boca, metiéndole aire y observando cómo se le llenaban los pulmones. Tras el vacío temporal sintió una ráfaga de aire con el hedor de la gasolina y la carne carbonizada. Cruz sostenía al niño y observaba sin poder hacer nada la escena propia de las pesadillas de un loco.

Había hombres y mujeres de pie, gritando, aullando, pero incapaces de moverse. El pelo les ardía como si fueran antorchas. La ropa se les curvaba y crujía, mostrando la carne abrasada por debajo.

—¡No, por Dios! ¡No, por Dios! ¡No, por Dios! —gritó Cruz.

El combustible humano, el pelo y la grasa se inflamaba con la gasolina ardiendo.

Cruz se volvió, cogió al bebé estrechándolo contra ella, y echó a correr.

CAPÍTULO 28

Una hoguera de inocentes

—¡NO! —GRITÓ DEKKA PISANDO los frenos y derrapando con el coche hasta detenerse. Salió del vehículo en un abrir y cerrar de ojos, pero para entonces Armo ya estaba fuera corriendo.

Armo se dirigió directo hacia la masa en llamas, con los brazos extendidos. Era como una cosechadora, golpeando a la gente y sacándola de ahí. Corrió con cuatro personas, las arrojó a la acera sin quemar del otro lado de la calle y se lanzó valientemente sobre ellos, empleando su masa con cada uno para apagar las llamas, aunque se le quemara y chamuscara el pelo.

De repente, Shade Darby se encontraba justo delante de Dekka. Entonces señaló, y su brazo vibraba como un diapasón:

—¡Dekka, rompe y apaga!

Dekka siguió la dirección de su brazo: ¡el saliente!

La chica gata alzó las manos y rugió como la madre de todos los leones. El saliente empezó a romperse, y trozos de acero, yeso, madera y grava salieron disparados. Dekka los esparció sobre la gente en llamas, como un extintor de escombros.

Pero era demasiado poco. Y llegaba demasiado tarde.

Decenas o incluso puede que centenares de personas ya habían muerto. Y más quedarían marcadas de por vida.

Con sus esfuerzos había salvado a algunos. Pero solo a unos pocos.

—¡Armo! —Cruz apareció con el bebé en un brazo y se arrodilló sobre el chico. Apagó las llamas que tenía en el pelo—. ¿Estás bien? ¡Armo!

El chico parpadeó.

—¡Cuida del bebé! —gritó Armo, que se levantó de un salto y volvió a abalanzarse sobre la multitud en llamas. Agarraba a personas ardiendo y las apartaba de la gasolina arrojándolas al otro lado. Las abrazaba como un oso, con lo que apagaba el fuego de su ropa y su cuerpo. Tenía las patas cubiertas de gasolina en llamas, pero seguía insistiendo, ignorando el dolor, sin miedo, enloquecido de horror y rabia.

Shade trataba de pensar, de razonar. Con viento suficiente, podría privar al fuego de oxígeno, como había hecho al saltar y agarrar el juguete de Dillon que echaba chispas. Pero, ¿cómo? ¿Si daba vueltas y vueltas corriendo, lograría expulsar el fuego?

Observaba cómo ardían los seres humanos a lo que parecía cámara lenta. Veía las ampollas que se les formaban en las mejillas. Veía el cabello que pasaba de chamuscarse a estar en llamas. Observaba bocas desesperadas buscando aire que solo inhalaban fuego.

Shade se quedó paralizada un rato, que le pareció terriblemente largo. Parecía que se le había bloqueado el cerebro. Durante un instante, ni siquiera notó a los observadores oscuros.

Entonces vio a Armo avanzando con una lentitud casi cómica, reuniendo a toda la gente quemada, y decidió moverse.

Shade agarró a dos personas, una con cada mano, y corrió. Corrió por la fila de tanques, tan rápido que la gente que sacó no se arrastraba por el suelo, sino que volaba. Su velocidad apagaba las llamas, pero las dos personas, dos mujeres, una mayor, otra apenas de la edad de Shade, tenían la carne roja al descubierto.

Había menos de un kilómetro hasta las fuentes y lagos artificiales delante de los casinos Wynn. Shade derrapó hasta detenerse y se limitó a arrojar a ambas víctimas al agua.

No, no, no.

Peaks se dio la vuelta. Se dio la vuelta y echó a correr a grandes zancadas, golpeando el suelo al hacerlo.

«¡No, no, no!».

Dios mío, ¡pensarían que había sido él! ¡Pensarían que había quemado a esa pobre gente! ¡Pensarían que se había confabulado con el Encantador!

¡No!

El mundo entero había visto el Rancho. El mundo entero lo había visto arrasando el puerto de Los Ángeles. Pero todo eso lo podría justificar, podría intentar explicarlo, podría... podría enfrentarse un día a sus hijas...

«¡Yo no he hecho esto, no lo sabía!».

Había intentado defenderse, eso es todo. Había intentado defenderse del monstruo rocoso que era Shade Darby.

¿Verían sus hijas ese vídeo?

¿Le culparían?

Peaks corría, y, mientras lo hacía, un proyectil de los tanques corría tras él, hasta que le alcanzó en la columna y explotó.

Con sus más de quince metros de altura, el hombre dragón salió disparado hacia delante debido al impacto y cayó bruscamente, aplastando un coche como una lata de refresco. Trató de incorporarse, pero las patas no le respondían. Entonces volvió su enorme cabeza reptiliana y se quedó mirando su mitad inferior retorcida, desviada, ahora solo sujeta por piel y vísceras.

Y de su tripa rota salía fuego líquido, burbujeando como un volcán.

¡No! ¡No! No podía morir así. No podía morir y que todo el mundo pensara... pero su mente... sus pensamientos... los observadores oscuros... no.

Entonces sintió que la luz de su mente parpadeaba y se desvanecía.

Y acabó con un último pensamiento desesperado.

«¡Cambia!».

Francis Specter estaba ahí sin saber qué hacer, paralizada por el horror absoluto. Cuando cambiaba, el mundo de Francis era raro, retorcido, con líneas de luz, formas geométricas, pero todo eso no le importaba ahora, porque su poder le hacía ver a los moribundos de un modo que nunca había visto ningún ser humano. Veía, a la vez, el interior y el exterior de la gente quemada. Veía que el fuego devoraba el camino hacia los músculos y tendones. Veía que el vapor formaba bolsas bajo la piel y dentro de los órganos. Veía estallar esos órganos.

Malik se encontraba junto a ella, inmóvil, observando.

—Fuego —dijo Malik, como si esa sola palabra lo fuera todo. Se tocó el brazo. Se miró su increíble piel. Luego, miró a Francis y ella vio sus ojos y la masa de cerebro rosado detrás de ellos, la boca y la lengua que se movían dentro, las contracciones del esófago y la vibración de sus cuerdas vocales.

—Llévame con él —pidió Malik.

—¿Con quién? —exclamó Francis, con los ojos de arcoíris surcados en las lágrimas.

—Con él —insistió Malik—. Está ahí. Por eso te he preguntado por tu ropa... puedes mover objetos. Así que muéveme, Francis, ¡muéveme!

Francis levantó la vista hacia la torre dorada. La miró por arriba y por detrás y alrededor y por dentro. Aún había muchas personas en el Triunfo, algunas en habitaciones de hotel, otras tantas en la planta baja. También vio que el fuego había entrado en el vestíbulo y se estaba extendiendo. La recepción ya humeaba. Los cuadros de las paredes se quemaban y curvaban.

—Cógeme la mano —indicó Malik.

Y eso hizo ella.

—¿Lo ves?

Francis inspeccionó su campo de visión. Todo le resultaba visible cuando se concentraba.

—¡No lo sé!

—Llévame dentro.

—No sé si puedo.

Malik la cogió de los hombros y le dio la vuelta para que lo mirara.

—Escúchame. Sé lo que es el fuego. Sé lo que esta gente... el dolor... el miedo... —Entonces Malik cerró los ojos y meneó un poco la cabeza, como si evitara darle un mal consejo—. Si puedes transportar objetos como la ropa, creo que puedes moverme.

Francis volvió a cogerle de la mano y detectó un punto dentro del desconcertante laberinto en cuatro dimensiones de su realidad:

—Ahí no hay nada.

Durante un instante, un mero momento, Malik experimentó un laberinto de líneas y formas y visiones extrañas. Y entonces, de repente, se encontró en un restaurante junto al vestíbulo.

El humo se cernía grueso y acre en el aire. Un hombre y su familia se encontraban agazapados bajo una mesa.

—¿Dónde está? —preguntó Malik al hombre encogido.

El hombre solo negaba con la cabeza, demasiado abrumado para pensar. Pero su hijo, que debía de tener unos diez años, respondió:

—¡He oído que está en el piso de arriba!

—Gracias —dijo Malik—. Vamos, Francis. ¡Y hagas lo que hagas, no cambies!

Treinta segundos después salieron del ascensor a un pasillo vacío.

—Un rastro de sangre —Malik señaló una mancha roja que recorría el pasillo.

La puerta a la *suite* estaba abierta.

Dentro, dos animadoras se inclinaban sobre un reptil que se contorsionaba vestido con ropa formal y que ya había empapado la colcha con su sangre.

—¿Dillon Poe? —preguntó Malik.

Las animadoras dieron un paso atrás y Dillon abrió mucho los ojos.

—¿Quiénes sois?

—¿Quién, nosotros? —preguntó Malik en voz baja y aterciopelada—. Somos los que hemos venido a salvarte la vida, Encantador.

—¿Qué? —sollozó el reptil.

—Estás perdiendo mucha sangre —indicó Malik—. Pero, mira, lo que no sabes es que cada vez que cambias, tu cuerpo se renueva.

—Que... ¿qué?

—Que cambies, capullo. La herida de bala es del cambio, tu cuerpo normal estará bien, y entonces... —Malik se encogió de hombros— puedes cambiar otra vez. ¡Mucho mejor!

—Pero ¿por qué... por qué me ayudáis? —Dillon sentía dolor, pero aún le olía a gato encerrado.

—Pues muy sencillo. Por los observadores oscuros, Dillon. Ya sabes de lo que te hablo. Yo... estoy con ellos. No puedo cambiar: si lo hago, moriré con un dolor horrible. Así que... —se encogió de hombros—, si no puedes vencerlos, únete a ellos.

—¿Te han pedido que me salves?

—Y, si no, ¿por qué iba a estar aquí?

Malik notaba la preocupación de Francis. ¿Sabría seguirle la corriente?

—Les gustas —añadió Francis—. Creen que eres... ya sabes...

—¿Divertido? —dijo Dillon.

Francis parpadeó.

—Sí, divertido.

—Ah, gracias a Dios. Solo tengo que...

Malik observó cómo Dillon Poe, el chaval con pinta de empollón que quería ser humorista, surgía de la serpiente. Observó cómo se cerraba la herida hasta desaparecer.

Dillon pestañeó y se incorporó. Dobló los dedos como si comprobara que fueran de verdad y tocó el punto donde le había alcanzado la bala. Su esmoquin ridículo, el atuendo que pensaba que le aportaría algo de clase, continuaba empapado de sangre. Pero la herida había desaparecido.

—Y ahora, ¿puedo volver a cambiar? ¡Ja, ja! —Dillon se levantó de un salto—. Ah, ¡si creen que ya han visto lo peor que puedo hacer, ahora verán!

—Podrías cambiar otra vez —intervino Malik—. Pero yo siento un odio profundo e intenso por el fuego, y aún más por los chungos horribles que queman a gente inocente.

Dillon esbozó una sonrisita.

—Pues qué mala suerte.

—Ya... qué mala suerte. —Entonces Malik cerró los ojos y se concentró en el joven sádico, que ya no estaba transformado y resultaba completamente vulnerable.

Dillon gritó.

—¿Alguien tiene, no sé, supervisión nocturna? —preguntó Justin. Estaba de pie, apoyándose con una mano en el cuerpo de tanque de Tolliver y mirando fijamente hacia el este, hacia la luna, hacia la sombra huidiza que había atisbado.

—¿Qué pasa? —preguntó Tolliver bruscamente.

—Que he visto algo.

—Da un paso atrás, tengo que girar para apuntar con los sensores —indicó Tolliver. El antiguo marine contaba con un surtido de sensores para incrementar su utilidad como arma.

No le resultaba fácil dar la vuelta en el atestado camión de plataforma. Era como observar a una persona muy mayor que intentara ejecutar un giro de tres puntos en una calle estrecha.

—¡Aaah! —El chip del dolor retorció los nervios de Justin por segunda vez—. ¿Soy el único con chip?

—El mío sigue dentro —comentó la mujer tortuga—. Pero a mí no me están pinchando.

Tres más dijeron lo mismo.

—No capto nada con mis sensores. ¿Qué es lo que crees haber visto?

—Un avión o algo así —respondió Justin—. Igual no era nada.

Tolliver no tenía cara y, por lo tanto, no tenía expresiones faciales, pero murmuró algo, y su tono de voz preocupó a Justin.

Y entonces, de nuevo, el chico sintió el dolor punzante. Pero esta vez tenía ritmo. Sí... no... sí... no. Y seguía siendo el único afectado.

—¡Espera! —anunció Tolliver—. Ahora capto algo. Sí, desde luego, algo raro a las nueve en punto.

—¿Y qué es? —preguntó alguien.

Y de nuevo Justin sintió el dolor punzante y rítmico, esta vez más rápido. Sí-no-sí-no.

¡Una señal! Alguien trataba de decirle algo.

—¡Es un maldito dron! —exclamó Tolliver—. ¡Ahí! —señaló su brazo mecánico, y entonces Justin vio un destello menor pero claro, una llamarada.

¡La punzada! Insistente esta vez, implacable.

En un abrir y cerrar de ojos Justin lo entendió todo, y enseguida empezó a cambiar. Su brazo de espada se extendió. Una coraza quitinosa sustituyó a su piel. Su otra mano se convirtió en una pinza. Y en cuanto fue más Pesadilla que Justin, saltó por el lado del camión.

Justin se habría hecho mucho daño: si saltara de un camión en marcha a casi cien kilómetros por hora se rompería los huesos y se rasparía la piel y probablemente se abriría la cabeza y se mataría.

Su mitad Pesadilla alcanzó la calzada, aunque más bien le pareció como si la superficie de la carretera hubiera saltado para darle. Se quedó sin oxígeno del impacto y un dolor distinto le recorrió la columna, pero la coraza no se le resquebrajó, ni se le rompió el brazo de espada, y Justin DeVeere no murió.

¡PUUUM!

El camión ya había recorrido varios centenares de metros por la carretera cuando el misil Hellfire lo alcanzó. Justin había caído de espaldas, y no vio el momento del impacto. Pero sintió la sacudida y la ráfaga de aire supercaliente.

Y vio los cuerpos retorciéndose por los aires.

Justin se levantó de un salto convertido totalmente en Pesadilla, y vio el camión devorado por las llamas, que recorrió unos pocos metros más antes de salirse de la carretera y detenerse.

Pesadilla corrió a verlo, tan afectado como curioso. Tropezó y cayó con las patas enredadas en las vísceras de la mujer tortuga.

Un arbusto se había incendiado. Justin captó esa imagen, la vinculó con el relato bíblico y se imaginó tratando de recrearla. Pero ni siquiera él podía evitar fijarse en el horror extendido por la carretera.

Encontró a Tolliver. El hombre tanque estaba de lado. Tenía el lanzamisiles aplastado y le habían estallado todos los sensores. La espalda de su cuerpo de acero ardía.

Pesadilla se arrodilló y miró por la ranura. Para su estupefacción, los ojos de Tolliver estaban abiertos y estaba consciente.

—¿Quién eres? —preguntó Tolliver. Su voz era débil, como

si lo que le suministrara aire por la laringe estuviera a punto de extinguirse.

—Justin —dijo Pesadilla con su voz cambiada retumbante.

—¿El chaval?

—Sí, el chaval —reconoció Justin.

—¡Ja! —El siguiente ruido podría haber sido una risa—. Estoy acabado. ¡Por fuego amigo! Malditos todos.

—Voy a ver si hay un extintor en la cabina.

—No, no —dijo Tolliver—. Aquí termina todo. Usa la espada.

—Pero qué estás... ¿qué? —Justin se apartó. ¿Le estaba pidiendo el marine que lo rematara? ¡No era un asesino! ¡Había matado a gente, sí, pero no a sangre fría, solo para defenderse!

—Usa... la... espada —le suplicó Tolliver.

Justin tragó saliva y miró a su alrededor, culpable, como si alguien pudiera verlo. El fuego llameaba, más caliente aún.

Entonces Justin se echó hacia atrás para tener más sitio, y bajó el brazo de espada. ¿Era lo bastante fina? ¿Entraría? Colocó la punta sobre el labio en la ranura de la burbuja blindada de Tolliver.

Sí que entraría.

—Está bien, muchacho. ¡*Semper fi*!

Entonces Justin hundió el filo en el rostro del marine.

CAPÍTULO 29
Un hotel menos

—CON EL DEBIDO RESPETO, voy a necesitar esa orden por escrito de alguien de más arriba, general.

La muerte de Frankenstein Poole había dejado a la columna del ejército sin líder durante un breve periodo de tiempo. Pero al ejército se le da bien la cadena de mando, así que la autoridad de Poole recayó rápidamente en el mayor Gary Andrews. Y acababa de recibir una orden de la general DiMarco.

DiMarco no formaba parte de la cadena de mando de Andrews.

En ese momento, Andrews se encontraba detrás del tanque principal, en un vehículo táctico de refuerzo donde acababa de ver arder a cientos o incluso miles de seres humanos. Entonces, en pocos minutos, incluso en segundos, había presenciado una secuencia que nunca llegaría a entender. Había ordenado que dispararan a la enorme criatura que parecía un tiranosaurio rex, pero, aparte de eso, no sabía qué más hacer.

—¡Póngase las pilas de una puta vez, mayor! ¡Tiene a media docena de mutantes ahí mismo delante de usted! ¡Mátelos!

El mayor sostuvo los auriculares a cierta distancia de las orejas para que su tímpano se ahorrara el ataque furioso de

DiMarco. Andrews esperó, y cuando DiMarco hizo una pausa para coger aliento, intervino:

—General, entiendo que tiene autoridad directa del Pentágono y de la Casa Blanca, pero no podré cumplir con esta orden sin las órdenes escritas correspondientes.

Ni de coña iba a hacer lo que quería DiMarco. Resultaría un suicidio profesional absoluto, si resultara que DiMarco estaba loca. Y por lo que había visto del Rancho en el vídeo de YouTube de Shade, estaba dispuesto a apostar que DiMarco había perdido la chaveta.

Y entonces le entregaron la orden impresa, firmada por el jefe segundo del Estado Mayor del Ejército nada menos, donde le ordenaban que obedeciera todas y cada una de las órdenes de DiMarco.

Andrew miró a su ayudante.

—Dios mío.

—Diga, señor.

—Esta es una orden directa —indicó Andrews. Se quedó callado un instante, tremendamente dividido entre lo que parecía que era una orden ilegal y el hecho de que si desobedecía lo someterían a un consejo de guerra.

Entonces dio la orden.

Los gritos habían sido terribles.

El silencio era peor.

Algunos aún vivían, vivían y gritaban de dolor, pero no podían moverse. Los que habían conseguido que Dekka les apagara sus infiernos particulares tosían y se arrastraban. Pero lo que habían sido miles de voces ya solo eran unas cuantas.

Armo se encontraba ahí de pie, respirando agitadamente. Tenía el pelo blanco manchado de negro. Cruz se encontraba junto a él, con su aspecto normal para que el bebé que sostenía en sus brazos tuviera un rostro al que mirar. Ya no lloraba: las lágrimas no bastaban para reflejar la tragedia que se cernía ante ella.

No podía mirar los cuerpos en llamas. Miraba hacia las palmeras que bordeaban la calle, que eran palillos negros sin ojos.

Dekka también estaba ahí de pie, indiferente al parecer al hecho de que su pelo también ardía y humeaba en algunos puntos.

El borrón de Shade se detuvo. Sostenía un extintor rojo, lo cual casi era cómico en aquella situación. Roció la espalda de Dekka con espuma blanca y arrojó el extintor a un lado para deslizarse por la calzada.

—Dios mío —dijo Dekka—. Dios...

Pero la última palabra quedó anulada porque el mundo entero estalló en una serie continua de explosiones impresionantes, pues los tanques abrieron fuego a quemarropa sobre el Triunfo.

Las ventanas de cristal con película dorada estallaron, y cayeron como si se tratara de granizo.

¡PAM, PAM, PAM!

Una descarga tras otra fue destruyendo partes del hotel. Era una destrucción profesional, deliberada. Estaban destruyendo la torre dorada pedazo a pedazo, piso a piso.

—¡Malik y Francis! —gritó Dekka.

Entonces Shade zumbó y desapareció con un viento huracanado.

Dekka recorrió la columna del ejército, con las manos delante como una curandera con disfraz felino. Entonces apuntó en dirección a los largos tubos que escupían fuego. No le costó mucho, no tardó mucho en destrozar los suficientes para que dejaran de disparar.

Dekka corría y destrozaba mientras gritaba:

—¡Paren, paren! ¡Están matando a gente!

Los artilleros se dedicaban a perseguirla con balas del calibre 50, pero ella se mantenía pegada a los tanques, con lo que costaba darle.

Dekka iba rematando los tanques, dedicando unos segundos a cada uno, mientras la columna del ejército apuntaba al Triunfo, y el hotel estallaba una y otra vez.

Shade corrió por las escaleras. No se fiaba para nada del ascensor, y, en cualquier caso, resultaba mucho más rápido subir sesenta y cuatro pisos que esperarlo.

Piso a piso, giraba, y saltaba cuando podía, agarrándose a las barandillas para salir disparada hacia arriba mientras las paredes de hormigón del hueco de la escalera se resquebrajaban y cedían por el ataque brutal del ejército.

Shade tardó unos pocos segundos en llegar a la puerta de la *suite* de Dillon. Se detuvo a escuchar y oyó un aullido inquietante y lloriqueante en el interior.

Entonces Shade entró.

Francis estaba escondida bajo un escritorio, tapándose los oídos para no oír la algarabía. Malik estaba tranquilamente sentado en una silla.

Y Dillon Poe, el Encantador, se estremecía de dolor en el suelo, gritando:

—¡Mátame! ¡Ay, Dios mío! ¡Por favor! ¡Mátame!

¡PAM!

Un proyectil falló, pero alcanzó el piso interior y rompió

las ventanas, al tiempo que sacudía las paredes y el suelo. Francis gritó aterrorizada, con los ojos surcados de lágrimas.

Aún tranquilo de un modo que resultaba escalofriante, Malik asintió ante el cristal de repente desaparecido y comentó:

—Bueno, Dillon, parece que alguien te ha abierto la ventana.

—¡Aaaaargh! —chilló Dillon—. ¡Que pare, que pare!

—Malik —dijo Shade, bajando la voz.

Resultaba hipnótico observar el rostro de Dillon. Era como un pecador en una pintura medieval del infierno, con el rostro casi inmóvil y los dientes al descubierto, los tendones tensos y los músculos tan apretados que los brazos, los hombros y el cuello parecía que fueran a romperse como ramitas secas.

Malik se estaba volviendo hacia ella con una expresión que no se parecía a ninguna otra que hubiera concebido para Malik Tenerife. Le ardían los ojos, sin piedad.

—Ha quemado a esa gente —indicó el chico—. Los ha quemado vivos.

Shade quería pedirle que parara. Veía con detalle las uñas de los dedos de Dillon rasgándose el rostro, dibujando líneas sangrientas en la carne.

Malik tenía una navaja en la mano. No era suya, de eso Shade estaba segura, debía de ser de Francis. El chico abrió despacio la cuchilla más grande, se dirigió hacia Dillon y se arrodilló delante de él.

—Estamos en el piso sesenta y cuatro. Puedes saltar... o asegurarte de que tu voz no vuelva a dar problemas.

Pero ¿Dillon lo entendía? Estaba sumido en un auténtico infierno de dolor.

«Tengo que parar esto —pensó Shade—. Tengo que...».

No sentía lástima por el Encantador, sino que temía el efecto que aquella acción tendría en Malik. Pero no le salían las palabras. Algo tremendamente justo y tremendamente chungo estaba sucediendo. Algo moralmente indefendible, pero cósmicamente acertado. En el fondo de su mente, los observadores oscuros parecían inclinarse hacia delante.

¿Eso es lo querían los observadores oscuros? ¿Disfrutaban del dolor de Dillon?

Malik agarró la mano de Dillon, que formaba una garra desesperada y le cerró los dedos en torno a la navaja.

—Salta... o corta.

—¡Malik! —exclamó Shade, pero se le olvidó ralentizarlo, así que el chico solo oyó un zumbido durante un microsegundo.

«Yo puedo parar esto».

Dillon gritaba y maldecía. Y sacó la lengua.

«El mundo nunca estará a salvo si no muere o...».

Dillon pensaba que la herida de bala era dolorosa, pero eso no era nada.

«¡Nada!».

¡Ardía vivo! El dolor procedía de cada extremidad nerviosa, y le abrumaba e inundaba el cerebro con una sensación de apremio hasta entonces desconocida. Su cuerpo entero parecía encontrarse bajo un soplete.

Sintió el impacto de las explosiones de los cañones y rezó para que lo mataran.

Entonces... ¡la ventana! «¡Sí, sí, salta!».

Pero ¿qué tenía en la mano? ¿Qué estaba diciendo el chico negro de la piel brillante?

«Corta y vive».

«¡Corta y vive!».

A Dillon le venían recuerdos de repente.

«Vamos a asegurarnos de que no me vuelves a insultar, ni a mí, ni a nadie. Muérdete la lengua por la mitad».

El ruido de los dientes rechinando sobre el cartílago.

No volver a hablar nunca. No volver a doblegar la voluntad de nadie nunca.

No volver a contar un chiste nunca.

Con la fuerza y la voluntad que le quedaban, el Encantador se arrastró a gatas hasta la ventana rota y el viento nocturno que silbaba.

Debajo disparaban los tanques.

Ardía el fuego.

«¡Qué dolor!».

Dillon no saltó, sino que siguió gateando. Gateó hasta que sus manos no encontraron sobre qué avanzar. Se inclinó hacia delante. Los muslos se deslizaban sobre cristal roto, pero los cortes le daban igual.

Y cayó gritando.

Malik miró a Shade. Él no dijo nada.

Shade cambió de forma para que la entendieran y ordenó:

—Francis, coge a Malik y salid pitando de aquí.

Los tanques continuaban disparando una carga tras otra, pero mientras Dekka continuaba destruyendo lo que podía, cuidadosamente, el fuego disminuyó hasta detenerse.

Shade observaba desde el otro lado del Strip, afortunadamente con su forma normal, que no dejaba entrar a los insidiosos observadores oscuros. Armo, Malik y Francis también estaban allí, derrotados y agotados.

—¡Cruz! —exclamó Shade.

—¡Estoy aquí! —Cruz salió de detrás de la mole de Armo, con el bebé en brazos.

—Gracias a Dios que estás bien —dijo Shade.

Cruz asintió, y añadió en voz baja:

—Tú no crees en Dios, Shade —y negó con la cabeza—, y este no es el día para empezar a hacerlo.

—Lo han disfrutado —comentó Malik. Solo Francis no entendió a quiénes se refería.

Shade entrecerró los ojos.

—Lo sé. Yo también lo he notado.

Armo negó con la cabeza.

—Yo pensaba que no pasaban cosas así.

—Pues han pasado —replicó Shade—. Han pasado y no hemos podido pararlo, ¿verdad? Quiero decir que hemos salvado algunas vidas y hemos detenido al Encantador, pero mirad lo que nos ha costado. ¡Lo que no hemos hecho!

Entonces vio una figura solitaria caminando, una mujer negra joven y fuerte que tropezaba por el agotamiento, con la cabeza gacha. Tropezaba, caía de rodillas y parecía que no podía tenerse en pie.

Armo, que ahora era solo humano e iba vestido con harapos, corrió hacia Dekka y se la llevó en brazos hasta el bordillo de la acera, donde la chica dejó caer la cabeza sobre las manos y se echó a llorar en silencio.

—Vale, vale —le decía él, pero mientras hablaba meneaba la cabeza; su cuerpo negaba sus palabras.

La gente, aturdida y cubierta de hollín, que había huido de los restos en llamas del Triunfo, ahora parecía atraída hacia los mutantes, y aunque mantenían una distancia respetuosa se apiñaban a su alrededor.

Shade oyó unas sirenas que se acercaban. Después de todo,

tras un día y una noche de horror implacable, aún había hombres y mujeres que corrían a ayudar.

Y como si las sirenas fueran una señal, los seis rocosos se alejaron caminando, mientras detrás de ellos el hotel ardía y se hundía.

«Al menos te he salvado, personita rosa. Te he salvado».

Cruz iba tropezando detrás de Shade y Dekka, nadie hablaba. Nadie excepto Armo, quien propuso:

—Lo llevaré un rato.

Cogió el fardo bien envuelto de Cruz, pero el bebé empezó a llorar, y, después de intentar calmarlo, Armo se lo devolvió a Cruz.

«Te he salvado. Solo a ti».

Cruz se imaginaba a sí misma con su propio bebé. Adoptado, claro, pero ¿qué más daba? ¿Lo importante no era tener a alguien a quien amar, de quien esperas que al menos también te ame? ¿No era eso lo único que importaba?

Cruz sintió que volvían a agolpársele las lágrimas. Puede que nunca hubieran parado, y que nunca lo hicieran. Había visto cosas que ningún ser humano debería ver jamás. Cosas que nunca olvidaría, aunque si pudiera pulsar un botón y borrarlas sin más...

El *shock* y la violencia de aquel día formaban una herida fresca sobre muchas anteriores. Y así era la vida ahora, ¿verdad? Violencia y dolor y miedo. Así era ahora. El mundo antiguo había muerto, ¿verdad? Nada volvería a ser bueno ni justo nunca.

Pero Cruz aún se imaginaba cosas. Había una playa. Puede que fuera mediodía, así que el sol brillaba, pero no era realmente cálido. El agua estaba tranquila y las olas se limitaban a moverse rítmicamente, sin chocar.

Y Armo, o alguna imitación aceptable de Armo, caminaba con su bebé de la mano.

«Por Dios, Cruz, qué ñoño, ¿no?».

Sabía que se estaba refugiando en la fantasía. Bueno, ¿y por qué no? Cuando se planteaba escribir algún día relatos e incluso libros, ¿no era el escapismo lo que en parte la motivaba? ¿No había querido siempre crear mundos donde la gente pudiera amarse sin más? ¿No había sabido siempre que su felicidad solo se daría en un mundo de fantasía?

El bebé eructó. Se había dormido.

—Vamos a buscar a alguien que cuide de ti —susurró Cruz.

—¡Que bebé más majo! —dijo Armo, que caminaba junto a ella—. Y yo ni siquiera sabía que estabas embarazada.

Era un chiste malo, pero Cruz le devolvió una sonrisa mezclada con lágrimas, y suspiró:

—Bueno, me temo que yo nunca estaré embarazada.

—Ah, vale —dijo Armo, asintiendo con gesto sabio—. Pero siempre puedes adoptar. He oído que hay muchos. Basta con... —entonces perdió el hilo y terminó diciendo—: Quiero decir que no debe de costar mucho encontrar un bebé, ¿no?

—Tenemos que encontrar a alguien que cuide de él —dijo Dekka—. Él, porque es chico, ¿verdad? No somos los canguros más seguros del mundo.

Shade frunció el ceño.

—Escuchad, no todos los esclavos del Encantador han muerto. Aún debe de haber cientos dando vueltas. Pero mirad.

Cruz miró, y se percató de que había gente en las aceras, civiles, pero nadie atacaba. Algunos tenían sangre en la barbilla y el cuello por intentar morder y comerse a los demás. Muchos se habían herido a sí mismos.

Avanzaban por el Strip en dirección al Caesars, esperando

encontrar a alguien que se encargara del bebé, y esperando casi con el mismo fervor encontrar duchas, comida y camas. Todos caminaban con su aspecto normal excepto Malik. Cruz y Armo, delante; Dekka y Shade, a continuación; Malik y Francis, en la retaguardia.

—¡Gracias!

Al principio, Cruz no se dio cuenta de que el grito se dirigía a ella.

—¡Gracias, gracias!

Más gritos. Y alguien empezó a aplaudir. Grupos de supervivientes harapientos, destrozados, sangrando, ocupaban la acera, y cada vez se les sumaban más.

—¡Shade Darby!

—¡Oso furioso, cómo molas!

—¡Adelante, Lesbigatita!

—No, no, no —dijo Dekka por lo bajini—. Eso no puede calar. No voy a seguir con ese nombre el resto de mi puñetera vida.

Para cuando llegaron al Caesars dirigían un desfile solemne con una multitud de cientos. Wilkes, la jefa de seguridad, salió a saludarlos.

Los iphones estaban en alto. Estaban grabando vídeos.

—¡Decid algo! —gritó alguien. Y Cruz se percató por el silencio que se produjo a continuación que era lo que todos querían, que puede que incluso lo necesitaran. Aquella gente herida necesitaba que alguien dijera algo, algo que tuviera sentido.

—Deberías decir algo —dijo Cruz a Shade—. O tú, Dekka.

—Yo no doy discursos —le cortó Dekka.

Shade negó con la cabeza y sonrió triste y melancólica.

—No creo que quieran oírme a mí, Cruz.

CAPÍTULO 30
El discurso

—EH... ESTO... ME LLAMO CRUZ. Lo primero que quiero deciros a todos es que Dillon Poe está muerto.

El público absorto gritó «¡Cabrón!» y «¡Asesino!» y otros tantos insultos dirigidos al villano.

—Malik y Francis —Cruz los señaló— fueron a su hotel mientras lo hacían estallar, mientras ardía. Y se... encargaron de él. Ya no está.

Se produjo un aplauso estentóreo, casi enloquecido.

—Mirad, hemos intentado... —Cruz negó con la cabeza—. Ninguno de nosotros pensó que llegaríamos hasta aquí, ¿sabéis? Que seríamos lo que somos ahora... raros, mutantes, rocosos.... Como queráis llamarnos.

—¡Héroes! —gritó alguien.

—No, no —protestó Cruz al instante—. No lo logramos, no lo paramos... no conseguimos... toda esa gente. No logramos...

Volvió a sentir las lágrimas y no intentó secárselas. Las necesitaba. Parecía que el mundo entero necesitaba lágrimas.

—Lo habéis intentado —dijo una voz. Era una voz tranquila, pero precisamente por ello tenía más peso.

Varias voces gritaron «¡Habéis salvado al bebé!» y «¡Habéis matado al monstruo!».

Cruz negó con la cabeza.

—Pero tendríamos que... Puede que si... no lo sé... Tendríamos que...

Una voz de mujer en la parte de atrás de la multitud gritó:

—Si salvas una vida, salvas al mundo entero.

—Estábamos indefensos. ¡Nos habéis salvado!

Cruz frunció el ceño, confundida. Miró a Shade en busca de ayuda, pero a su amiga parecía divertirle la situación, y negó un poco con la cabeza.

Dekka se inclinó hacia delante y susurró:

—Quieren un héroe, Cruz. Lo necesitaban. No te resistas.

Cruz tragó saliva y asintió para sí misma.

—Vale, vale, vale. Mirad, lo hemos intentado. Tenéis razón, lo hemos intentado. Ojalá hubiéramos podido hacer más. Ojalá, vaya... muchas cosas. Pero supongo que ahora es demasiado tarde. Tenemos que mirar hacia delante. ¿Sabéis? Todos igual. Tendréis que encontrar la manera de enfrentaros a todo esto, de procesarlo. De perdonar. De perdonaros. Os obligaron, a lo que muchos hicisteis. Nunca podréis olvidar. Y nosotros tampoco. Yo no lo haré —durante un instante no podía continuar—. Pero, aunque no podamos olvidar, tenemos que tener claro quién ha sido el villano en todo esto, a quién echar la culpa. Y no habéis sido vosotros.

Wilkes, la jefa de seguridad del casino, se acercó con un biberón y se lo entregó a Cruz.

—¿No será usted mamá? —le preguntó Cruz.

—Mejor todavía —dijo Wilkes—. Soy abuela.

—¿Podría...? —preguntó Cruz—. Estoy tan cansada que me da miedo que se me caiga.

Wilkes aceptó el bebé.

Cruz asintió. Cerró los ojos y reprimió el impulso de echarse allí mismo, en ese mismo instante, en la puerta del Caesars Palace.

—¿Y ahora qué? —exigió una voz.

Cruz negó con la cabeza, perpleja.

—¿Qué?

—¿Ahora qué? —repitió la voz—. ¿Qué vais a hacer, vosotros seis?

Cruz miró a los demás a su lado. Al silencioso Malik. A Dekka, ahí de pie como uno de los pilares de la tierra. A Francis, una niña con un poder casi indescriptible. A Armo, que prácticamente iba en taparrabos.

«En cuanto vuelvan a funcionar las redes sociales, ese chico va a tener un club de fans muy grande. Y yo seré su presidenta».

Y finalmente Cruz miró a Shade Darby.

Shade, que había arrastrado a Cruz con su obsesión.

Shade, que había conducido a Malik al desastre.

Shade, que había llevado a Cruz a convertirse en... una heroína.

—¿Que qué vamos a hacer? —repitió Cruz, y se encogió de hombros—. Creo que vamos a intentar salvar el mundo.

CAPÍTULO 31
Lo que ocurrió después

EN LA *SUITE* MÁS ALTA DEL CAESARS bebieron cerveza, vodka y whisky del minibar, y comieron comida del servicio de habitaciones. La dirección les mandó un banquete digno de la realeza. Pero comieron y bebieron en silencio. Fueran cuales fueran las palabras que pasaran por su cabeza, no valía la pena decirlas.

Wilkes se había encargado del bebé, del bebé aún sin nombre cuyos padres seguramente habían muerto en el fuego.

La columna de tanques del ejército se retiró. La Guardia Nacional, la policía estatal de Nevada, la traumatizada policía de Las Vegas y la rápidamente sustituida policía de carretera de California restauraron el orden en la ciudad. Dispararon a matar a dos saqueadores, y así terminaron con los saqueos.

Los bomberos y sanitarios de todo Nevada, el sur de California, Utah y Arizona inundaron Las Vegas con ambulancias y helicópteros de evacuación médica. Todas las unidades de quemados de todos los hospitales al oeste de las Rocosas estaban a rebosar.

Abundaron los discursos tranquilizadores procedentes de Washington capital. Pero nadie se los creyó.

Y Dekka, Shade, Cruz, Francis y Armo durmieron mientras todo esto ocurría.

Solo Malik seguía despierto. Aunque oía el zumbido bajo de las noticias de la tele, tenía la mente ocupada por los observadores oscuros y sus propios pensamientos, a los que daba vueltas. De vez en cuando se volvía para mirar a Francis.

Francis Specter, la chica que podía atravesar la cuarta dimensión.

Francis Specter, la chica que cambiaba sin que la afectaran los observadores oscuros.

Solo Francis.

Porque Francis era un error. Francis era una casualidad, una anomalía, una rara entre raros.

«Tenéis miedo de ella».

Silencio.

«No formaba parte del plan, ¿verdad?».

Silencio.

«¿Allí tenéis películas? ¿Habéis visto alguna vez *Star Trek*? Hay una frase famosa».

Silencio.

«De hecho procede de Herman Melville».

Silencio.

«¿Queréis oírla?».

Silencio.

«Hasta el final, con vos contiendo...».

Silencio.

El siempre controlado y siempre lógico Malik sintió algo en su interior. Algo que crecía a partir de los recuerdos de los hombres y mujeres quemados, de las imágenes más claras y definidas del fuego de Dragón corriendo hacia él, de los recuerdos intolerables de dolor.

Odio. Rabia.

Apretó tanto los dientes que casi se le rompen. Tenía las manos cerradas en sendos puños. Se le agolpaban las lágrimas en los ojos.

«Desde el corazón del infierno os hiero».

—¿Os gusta? —dijo Malik en voz alta—. Pues hay más. ¿Queréis saber cómo acaba? ¿Queréis, cabrones asquerosos?

Dormida en el sofá, Shade se movió, abrió los ojos y se incorporó.

—«Por el odio». —La voz de Malik era como una motosierra sobre metal—. «¡Por el odio escupo mi último aliento sobre vos!». ¿Os gusta esta cita, os gusta?

Shade se colocó encima de él y colocó una mano sobre su hombro tembloroso.

Malik se incorporó y la fulminó con la mirada, desafiante.

—No digas nada, Shade. No quiero oírlo.

Shade le recorrió el cuello con la mano y le envolvió la mejilla.

—Dios mío, Shade, dios mío, ¿qué vamos a hacer?

Cruz se despertó horas después, confundida porque no sabía dónde estaba. ¿En una cama? Cómo... y entonces lo recordó todo, como un tsunami de horror.

Francis estaba en la cocinita haciendo café.

—Eh —dijo Cruz.

—Eh, ¿quieres?

—Como una mujer que se ahoga quiere un bote salvavidas —dijo Cruz. Cogió una taza y se quemó la lengua—. ¿Qué es ese ruido?

Francis sonrió.

—Armo ronca. Y Dekka también.

—Es como una actuación musical espantosa.

Francis se rio, y su risa pareció contagiarse a Cruz, que sonrió sin querer, pese al millón de imágenes que amenazaban con abrumarla.

—Has ido a acabar con unos majaras, muchacha.

—Bueno, supongo que cualquier familia de la que yo forme parte será de locos.

Cruz frunció el ceño ante la palabra «familia». ¿Eso eran?

—Oye, ¿dónde están Shade y Malik?

Francis arqueó una ceja demasiado astuta para su edad, y asintió en dirección a uno de los dormitorios, donde una puerta que antes estaba abierta ahora estaba cerrada.

Cruz suspiró.

—Bueno, ya era hora.

Entonces Cruz se concedió el placer sencillo pero erróneo de observar a Armo, quien yacía en el sofá-cama envuelto en una sábana que, afortunadamente desde donde ella se encontraba, mostraba un hombro y casi demasiado muslo.

—Menuda familia —murmuró Cruz.

—¿Qué ha sido eso? —preguntó Sam Temple. Acababa de bajarse de la cinta que había en el rincón de desayunar y que Astrid había convertido en un gimnasio doméstico. Se había entregado a la cinta y las pesas religiosamente desde que el mundo se había vuelto loco.

Astrid volvió de la puerta principal con un sobre de FedEx a la espalda.

—Nada. Unos chavales que recaudaban dinero para el equipo de fútbol. Les he dado cinco pavos.

—Estás hecha una mecenas de los deportes escolares, nena. No te preocupes, no se lo diré a nadie.

—Ya sabes que no es que odie los deportes, es que no me importa lo que la gente hace con sus pelotas —dijo Astrid.

—Voy a pasar de hacer un chiste basto —dijo Sam, pero se rio igualmente.

Astrid se dirigió al baño que había junto al dormitorio. Cerró la puerta y se sentó sobre el váter cerrado, observando el sobre de FedEx en el regazo. Estaba bastante segura de lo que contenía. Sabía quién lo había enviado a pesar de que el nombre que figuraba en el envoltorio era falso.

¿Debería agradecérselo a Dekka? Había jurado mantener a Sam al margen si podía. Pero el mundo se estaba desintegrando, así que puede que hubiera pensado que era su última oportunidad de enviar un correo que llegara a su destinatario.

O puede que Dekka se hubiera replanteado la situación y llegado a esa terrible conclusión. Astrid sabía que nunca le había gustado, y el sentimiento era mutuo. Pero gustar no era lo mismo que respetar, y respetaba profundamente el criterio de Dekka, un respeto surgido a partir de muchas experiencias terribles y peligrosas.

«Que sea yo...».

Era lo único que le había dado tiempo a escribir a Astrid en la nota que le había pasado a Dekka cuando se marchó con Armo. Deseaba haberle dado más indicaciones sobre cómo actuar según lo que ocurriera. Pero al final había tenido que dejarlo en manos de Dekka.

—En fin —murmuró Astrid—. Si tuviera que confiar en alguien...

Drake vendría. Si el mundo se hundía, él vendría. Ya no necesitaba mostrarse prudente. Ya no temía que lo descubrieran.

Sam había traído una escopeta del calibre 12 el día anterior, un objeto peligroso negro mate cuyo único propósito era matar. Aunque ambos sabían que podían destrozar o retrasar a Drake, pero no detenerlo. No con un arma que ellos conocieran.

Había una plaga de monstruos sueltos por el mundo, y Astrid los temía, pero con su lógica habitual había entendido que Sam y ella solo eran dos entre millones de víctimas potenciales. No contaba con esa defensa lógica contra Drake, porque Drake no era solo un monstruo: era su monstruo. Tarde o temprano, Drake iría tras ella. Y Sam pelearía con él, y sin el poder que antes poseía, fracasaría. Y Astrid quedaría a disposición de Drake para que le hiciera lo que quisiera.

Astrid se pasó la lengua por los labios, y le temblaron los dedos al desgarrar la tira adhesiva y sacar el contenido del sobre: una bolsa de plástico para sándwiches donde había lo que parecía ser una cucharada sopera de polvo gris.

—Oye, ¿puedo entrar y ducharme? —Sam estaba en la puerta.

—Un minuto. —Astrid volvió a meter la bolsita en el sobre y la guardó bajo el lavabo, detrás de los productos de limpieza.

A continuación, abrió la puerta del baño.

—Lo siento, no estoy en forma y estoy sudado —dijo Sam, quitándose la camiseta.

—Pues lo que necesitas es una ducha. —Astrid cogió una barra de jabón nueva y sonrió—. Y yo puedo ayudarte.

Dekka fue la última en despertarse, y cuando se burlaron por ello replicó que a fin de cuentas era la mayor de todos.

—Ya, tú eres mucho mayor, Dekka, casi tienes edad legal para beber —bromeó Shade. Estaba en una butaca que compartía con Malik, los dos apretados en un espacio muy estrecho.

—Ah, ¿y ahora esto? —dijo Dekka al verlo. Meneó la cabeza, pero era un gesto de desaprobación falso y nadie se lo creyó. Francis le dio café—. Recuerdo cuando no bebía café —dijo, y se lo tomó agradecida.

Entonces miró la CNN en el televisor y leyó el titular que se deslizaba en la parte de abajo.

«Cuatrocientos nueve fallecidos confirmados en Las Vegas».

«Se espera que el número de víctimas mortales suba a miles».

«Los hospitales colapsados».

«La Cruz Roja pide con urgencia donaciones de sangre».

Pero la imagen sobre el texto no era de cuerpos quemados y edificios destruidos. Era de Cruz recorriendo el Strip con un bebé en brazos, seguida de un grupo agotado, cubierto de hollín y cicatrices.

—¿Quién tiene el mando? Subid el volumen.

—... el único momento de esperanza cuando una mutante rocosa que se identificó como Cruz sacó un bebé de las llamas.

—Como dijiste, Dekka, necesitan un héroe —comentó Shade.

—Y nosotros también —intervino Malik—. Ahora tenemos un rostro. Algo a lo que la gente puede aferrarse y quizás pensar que no deberían exterminarnos y listo.

—Cruz es el rostro oficial de... lo que seamos —dijo Armo. Entonces sonrió a su manera dulce y tontorrona y añadió—: Al menos es una cara agradable y amiga. No como... —y apuntó con el pulgar hacia Dekka, quien, sin alterarse, cogió un cojín y se lo lanzó.

—Nos van a poner un mote, ya lo sabéis, y seguramente será tan malo como Lesbigatita.

—¿Un nombre para nosotros? —dijo Francis—. ¿Como la pandilla rocosa?

Uno a uno, los rostros se volvieron hacia Francis, quien se encogió de hombros y se ruborizó.

—Lo siento —se excusó Francis—. Yo vivía con... mi madre... en... bueno, en una pandilla de moteros. Es lo primero que me ha venido a la cabeza.

—La pandilla rocosa —repitió Shade, rodeando con el brazo el cuello de Malik.

—Hay nombres peores —concedió Malik.

Dekka cogió el teléfono.

—Hola, ¿recepción? ¿Pueden ponerme con la CNN? —Bebió más café mientras esperaba—. ¿Hola? Soy Dekka Talent. —Hubo una pausa—. Dekka Talent. Ya saben. Lesbigatita, maldita sea, pónganme con la redacción. —Y tapando el auricular con la mano añadió—: Si algún día encuentro al gilipollas de Twitter que empezó con eso, le... ¿Hola? Sí, soy Dekka Talent. Dos cosas. Una: si me llaman Lesbigatita volaré hasta Atlanta y les haré pedazos la oficina. Dos: somos la pandilla rocosa. Sí. Pandilla. Y...

Dekka se detuvo, y alejó el teléfono del oído.

—Me han cortado o algo. Solo hay electricidad estática.

—Mira —dijo Armo señalando la tele. La CNN solo emitía nieve. Armo cogió el mando y cambió a la MSNBC, cuya señal procedía de Nueva York.

La CNN estaba en Atlanta. Se encontraba a trescientos veinte kilómetros de la costa donde, según informaba la MSNBC, algo —algo muy malo— había ocurrido.

DEA-6

GOLPEADA, HERIDA, SANGRANDO y movida por un frenesí aterrorizado, la suboficial de Marina Deb Forte estaba segura de ser la única persona que podía acabar con el sufrimiento del Nebraska y salvar al mundo del monstruo que se había apoderado del barco, así que hizo la última conexión.

Estaba metida en un espacio increíblemente estrecho sobre el cono de morro de un cohete Trident II. Había quitado el revestimiento y descubierto los ocho conos de acero como pajaritos en un nido. Y mientras el monstruo seguía arrastrando y aporreando al Nebraska, había utilizado el soldador, su set de herramientas y sus conocimientos de informática primitiva.

A continuación, se bajó y se echó sobre un mamparo que en esos momentos hacía de suelo.

Tenía en la mano un interruptor.

Rezaba. Rezaba por su esposo y su familia. Rezaba por su niñita, que estaba visitando a su madre en Kansas.

Rezaba porque le perdonaran los pecados, incluido el pecado que se veía obligada a cometer.

Entonces pulsó el interruptor.

En un milisegundo, el Nebraska y todos los seres vivos a diez millas de Savannah, Georgia, se vieron reducidos a átomos.

OEA-7

EL OBJETO ESPACIAL ANÓMALO #7 atravesó la órbita de la Luna, dando vueltas en dirección a la Tierra.

AGRADECIMIENTOS

MI NOMBRE SALE EN LA PORTADA de este libro, pero yo no lo edité, ni lo comercialicé, ni elegí el diseño, ni diseñé la cubierta. Hay un montón de gente que hace un gran trabajo para convertir mis palabras en tu libro. Entonces, si disfrutaste de este libro, ten en cuenta que tu disfrute es el producto de un excelente equipo: la vicepresidenta y editora, Katherine Tegen, la ayudante de redacción Mabel Hsu, la editora sénior de producción Kathryn Silsand, el editor ejecutivo Mark Rifkin, el diseñador sénior David Curtis, la directora de arte sénior Amy Ryan, el artista de la portada Matthew Griffin, la coordinadora de producción Meghan Pettit, la directora de producción Allison Brown, la directora sénior de *marketing* Bess Braswell, la directora de *marketing* Audrey Diestelkamp, la directora asociada de publicidad Rosanne Romanello, la editora de textos Maya Myers, la correctora Jessica White y la fría lectora Mary Ann Seagren.